MICHELIN
Atlas Routier
France

Sommaire

Couverture intérieure: tableau d'assemblage des cartes au 1/200 000

II   Les guides et les cartes Michelin

III   Introduction

IV   **Grands itinéraires**

VI   **Banlieue Parisienne** au 1/100 000

VIII   Tableaux des distances et des temps de parcours

1   **Légende** des cartes au 1/200 000

2   **Cartes de France** au 1/200 000

182   **Index** des principales localités du 1/200 000 avec les plans des agglomérations de Bordeaux · Dijon · Lille · Lyon · Marseille · Nantes · Rouen · Strasbourg · Toulouse

190   Plan de **Paris**

Services de Tourisme
MICHELIN

Les Guides et les Cartes MICHELIN

MICHELIN, n° 1 mondial du pneumatique radial, est aussi l'un des grands de l'édition touristique avec plus de seize millions de cartes et guides vendus annuellement à travers quelque soixante-dix pays.

A partir d'une simple intuition, celle de l'avenir formidable de l'automobile, les frères Michelin choisissent au début de ce siècle d'apporter à l'usager de la route une aide encore inédite: des publications, gratuites ou à bon marché, destinées à l'informer, à l'aider, à le mettre en confiance.

Au volant, à l'étape, en vacances, trois facettes de l'art de voyager, mais un seul service pour y répondre. Par là même, trois types de publications, mais conçues pour être utilisées ensemble.

Chef de file de la collection, le Guide Rouge présente chaque printemps sa sélection d'hôtels et de restaurants. Tous les niveaux de prix et de confort y sont représentés, mais c'est probablement son fameux palmarès d'Etoiles de "Bonne Table" ainsi que son infinie richesse d'informations qui ont déterminé son succès international. Plusieurs volumes couvrent l'Europe, parmi lesquels le seul titre "France" dépasse les vingt millions d'exemplaires diffusés à ce jour. La relation confiante qu'il entretient avec ses lecteurs fait de lui aujourd'hui le Guide de référence par excellence.

La découverte proprement touristique des régions de France ou des pays étrangers est le rôle spécifique dévolu aux Guides Verts. On y trouve donc des paysages, des itinéraires pittoresques, des monuments, des lieux de séjour, bien sûr, mais aussi une foule de renseignements pratiques, des plans, des illustrations, qui donnent déjà envie de prendre le chemin des vacances! Plus de soixante-dix titres, en français ou en langue étrangère, tous remis régulièrement à jour, couvrent surtout l'Europe et l'Amérique du Nord.

Quant à la Carte de France, à l'échelle 1/200 000 (1 cm pour 2 km), qui constitue la part essentielle de cet Atlas Routier, elle a vu le jour en 1910. A travers plusieurs générations graphiques successives, elle a su suivre les mutations du réseau et rester proche des besoins réels de l'automobiliste. C'est à son intention qu'ont été créés au fil des années bien des signes conventionnels routiers ou touristiques, qui simplifient tellement la "lecture" d'un itinéraire.

Pour mieux satisfaire leur client – touriste ou professionnel de la route – les guides et les cartes Michelin font aujourd'hui appel aux techniques d'information et de composition les plus modernes. Par leur sens pratique, leur souci d'actualité, leur complémentarité enfin, ils seront, demain encore, vos meilleurs compagnons de voyage.

Les cartes et guides
MICHELIN
sont complémentaires:

utilisez-les ensemble!

Première édition en 1987 par:
The Hamlyn Publishing Group Limited
Bridge House, 69 London Road
Twickenham, Middlesex TW1 3SB

Malgré tout le soin apporté à la réalisation de cet ouvrage, il se peut qu'un exemplaire défectueux ait échappé à notre vigilance. Dans ce cas, veuillez le rapporter à votre libraire qui vous l'échangera ou contacter:

Michelin
46, Av. de Breteuil
75341 PARIS CEDEX 07
Tél. (1) 45 39 25 00

Printed in Great Britain

Deuxième impression 1987
Dépôt légal: 2e trimestre 1987

ISBN: 2.06.700.098-5

La route en France

Couvrant une superficie de 551 000 km carrés, la France est le plus grand pays d'Europe occidentale. Comme le montrent les milliers de petits villages entourés de champs et de forêts, le paysage et la population y ont encore un caractère rural bien marqué. Seules les agglomérations de Paris, Lyon et Marseille dépassent le million d'habitants.

Il en résulte que le réseau routier de notre pays s'est beaucoup développé tout au long de l'histoire jusqu'à devenir d'une extrême densité.

A la fin de 1986, on compte en France:
6 587 km d'autoroutes
28 300 km de routes nationales
347 000 km de routes départementales
425 000 km de voies communales
700 000 km de chemins ruraux

Les voies romaines, puis les routes royales ont fait place aujourd'hui au deuxième système autoroutier d'Europe et à un réseau généralement moderne, rapide et pratique, grâce aux efforts suivis des pouvoirs publics, des collectivités régionales et des sociétés d'autoroutes. Plusieurs plans routiers, les aménagements en double-chaussée, les élargissements, les déviations de localités, l'élimination progressive des "points noirs", la signalisation ont permis au trafic de croître en volume et en sécurité.

Les liaisons les plus rapides sont les autoroutes. Elles sont généralement à péage, et le tarif moyen au kilomètre varie selon la région et le type de véhicule.

En attendant l'achèvement du contournement extérieur de Paris, le boulevard périphérique, point de convergence de nombreuses autoroutes, reste la voie la plus chargée de France. Il est préférable de l'éviter lorsque cela est possible.

Comme dans la plupart des pays voisins, les départs et retours de fin de semaine ou des vacances et les grandes manifestations (foires, épreuves sportives, fêtes régionales . . .) peuvent être l'occasion de "bouchons" plus ou moins importants. Des déviations sont mises en place par la Gendarmerie. Il est recommandé de se fier aux conseils des Centres Régionaux d'Information Routière (voir page IV).

La réglementation en vigueur concernant la circulation en France est résumée ci-contre.

Au service de la route

Recueil de la couverture cartographique de la France à l'échelle du 1/200 000, le présent Atlas Routier condense toute l'expérience Michelin acquise sur le terrain et au contact de millions d'automobilistes et aussi son savoir-faire, dont témoigne un scrupuleux suivi de l'actualité qui se concrétise par plus de 30 000 corrections annuelles.

Le conducteur désireux de préparer son itinéraire avant de prendre le volant trouvera toute l'information qu'il peut souhaiter: kilométrage, largeur et type de la chaussée, obstacles rencontrés, localités traversées ou contournées, caractère prioritaire ou secondaire de la liaison choisie, etc.

Les cadres rouges qui délimitent plusieurs centaines de villes renvoient aux plans détaillés inclus dans le Guide Rouge "France", tandis que les noms soulignés de rouge indiquent les localités ayant des hôtels ou des restaurants sélectionnés dans l'édition annuelle de ce même Guide.

Le long de certaines routes, un liseré vert signale une section particulièrement pittoresque. La plupart des curiosités signalées sur les cartes sont aussi décrites dans les Guides Verts.

Le lecteur attentif de la carte est toujours surpris de la densité d'informations qu'il y découvre: un château au bord d'un étang, une route forestière invitant au pique-nique, une ruine, un panorama, un monument qui rappelle quelque fait-d'armes. Cette inépuisable variété, c'est celle de la France.

En raison de sa densité, la région parisienne fait l'objet d'une représentation plus détaillée (pages VI–VII), qui permet d'y repérer sans difficulté un hippodrome, une piscine ou un sentier de randonnée.

Sécurité d'abord!

Avant le départ

- contrôle des niveaux (radiateur, huile, liquide de freins, lave glace)

- contrôle de l'éclairage (prévoir ampoules et fusibles de rechange)

- contrôle à froid des pneumatiques (pression et degré d'usure) y compris la roue de secours; en cas de surcharge ou de conduite sur autoroute, il est recommandé de majorer la pression de 0,2 à 0,3 bar

- bien répartir les charges dans le véhicule et arrimer fermement les bagages sur le toît

- toujours asseoir à l'arrière les enfants de moins de dix ans

- pour connaître l'état des routes (brouillard, travaux, "bouchons") téléphoner au CRICR de la région à traverser

- un extincteur et le triangle de présignalisation sont recommandés

Sur la route

- la ceinture de sécurité est obligatoire, y compris en ville et pour les petits trajets; elle est conseillée aux passagers arrière

- boire ou conduire . . .: toute absorption d'alcool diminue les réflexes, accroît la fatigue et les risques d'accident

- fumer au volant n'est pas sans danger: brûlure, distraction, baisse d'oxygène, fatigue oculaire

- les trajets habituels, monotones, nocturnes, réduisent la vigilance; contre la somnolence, aérer la voiture, manger légèrement, prévoir des pauses

La panne

- bien dégager la chaussée et signaler sa présence (feux de détresse, triangle)

- des téléphones de secours, reliés à la Gendarmerie, jalonnent les autoroutes et certains grands axes (positionnés sur la carte); la Gendarmerie se charge alors d'alerter le dépanneur ou, en cas d'accident, les secours publics; sur les autres routes, le Guide Rouge "France" indique les dépanneurs

Un peu de réglementation

- papiers obligatoires: permis de conduire et certificat d'immatriculation du véhicule; le pare-brise doit porter la vignette fiscale et l'attestation d'assurance en cours de validité (résidents français)

- outre les manœuvres interdites par la Code de la Route (franchissement de ligne continue, non-respect du feu rouge ou de"stop" etc.) les infractions suivantes sont également passibles de procès-verbal immédiat, pouvant s'aggraver jusqu'au retrait de permis:
  excès de vitesse
  alcoolémie positive (au-dessus de 0,8 gr d'alcool par litre de sang)
  ceinture de sécurité non attachée
  usage de pneus lisses

- l'utilisation des pneus à clous est limitée du 15 novembre au 15 mars; un disque spécial doit le signaler; vitesse limite autorisée: 90 km/h

Vitesse: les limites autorisées:

	Km/h
• conditions normales	
autoroutes	130
double chaussées séparées	110
routes	90
agglomérations	60
• temps de pluie	Km/h
autoroutes	110
double chaussées séparées	100
routes	80
agglomérations	60

Hors des agglomérations, le principe de la priorité à droite ne s'applique qu'en cas d'absence de signaux. C'est généralement la notion d'itinéraire principal qui l'emporte.

Un panneau spécial annonce les ronds-points dans lesquels les véhicules déjà engagés ont la priorité.

VOUS N'AVEZ PAS LA PRIORITE

Au-delà de cet Atlas et des Guides qui peuvent le compléter, Michelin propose bien d'autres documents sur la France à l'automobiliste d'aujourd'hui. Au premier rang, bien sûr, la même cartographie en quarante cartes détaillées, faciles à utiliser sur la route et à glisser dans la boîte à gants.

L'Atlas des Autoroutes de France est un recueil spécialisé sur les ressources et les particularités du réseau autoroutier.

La toute récente carte France Grands Itinéraires introduit pour la première fois la notion précise de temps de parcours, d'une ville à une autre: une façon originale et moderne de préparer sa route . . . et de faire des économies!

La France routière bouge: les publications Michelin sont là pour accompagner cette évolution et répondre à tous les besoins.

Bonne Route!

Grands itinéraires

Échelle 1/2 600 000

Autoroute ou double
chaussée de type autoroutier
Route principale
Itinéraire secondaire
N 4   Numéro d'autoroute
ou de route
17   Distances partielles

Les rectangles bleu délimitent
chaque page de la cartographie
à 1/200 000. Les numéros bleus
indiquent les pages.

◉ Préfecture de région
● Préfecture
○ Autre ville principale

La signalisation

Les panneaux de priorité,
de danger et d'inter-
diction sont généralement
conforme à l'usage
européen.

La signalisation de direction
se compose en France de
cinq familles de panneaux:

sur fond bleu: réseau
autoroutier
sur fond vert: grands
itinéraires
sur fond blanc: réseau
national, regional ou local
**sur fond vert avec
indication "Bis":**
itinéraires de délestage
sur fond orange:
itinéraires de déviation
(travaux, accidents…)

A6   11

ANNECY

MONDRAGON   6
MORNAS   11

Bis   LIMOGES
TOULOUSE

Bis   →

ANNECY

Information routière

Centre de Renseignements Autoroutes (9–12h, 14–18h)
Lundi–Vendredi   (1) 47 05 90 01
CNIR (0-24h)   (1) 48 94 33 33   **Minitel** 36 15 Code Route
Centres Régionaux d'Information et de Coordination Routière

Bordeaux	56 96 33 33	Marseille	91 78 78 78
Créteil	(1) 48 99 33 33	Metz	87 63 33 33
Lille	20 47 33 33	Rennes	99 32 33 33
Lyon	78 54 33 33	Rosny-s/Bois	(1) 48 99 33 33

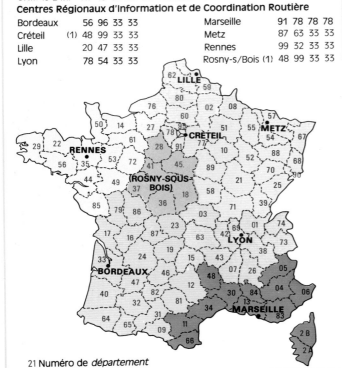

21 Numéro de *département*

Départements

01	Ain	32	Gers	64	Pyrénées-Atlantiques
02	Aisne	33	Gironde	65	Hautes-Pyrénées
03	Allier	34	Hérault	66	Pyrénées-Orientales
04	Alpes-de-Haute-Provence	35	Ille-et-Vilaine	67	Bas-Rhin
05	Hautes Alpes	36	Indre	68	Haut-Rhin
06	Alpes Maritimes	37	Indre-et-Loire	69	Rhône
07	Ardèche	38	Isère	70	Haute-Saône
08	Ardennes	39	Jura	71	Saône-et-Loire
09	Ariège	40	Landes	72	Sarthe
10	Aube	41	Loir-et-Cher	73	Savoie
11	Aude	42	Loire	74	Haute-Savoie
12	Aveyron	43	Haute-Loire	75	Paris
13	Bouches-du-Rhône	44	Loire-Atlantique	76	Seine-Maritime
14	Calvados	45	Loiret	77	Seine-et-Marne
15	Cantal	46	Lot	78	Yvelines
16	Charente	47	Lot-et-Garonne	79	Deux-Sèvres
17	Charente-Maritime	48	Lozère	80	Somme
18	Cher	49	Maine-et-Loire	81	Tarn
19	Corrèze	50	Manche	82	Tarn-et-Garonne
2A	Corse-du-Sud	51	Marne	83	Var
2B	Haute-Corse	52	Haute-Marne	84	Vaucluse
21	Côte-d'Or	53	Mayenne	85	Vendée
22	Côtes-du-Nord	54	Meurthe-et-Moselle	86	Vienne
23	Creuse	55	Meuse	87	Haute-Vienne
24	Dordogne	56	Morbihan	88	Vosges
25	Doubs	57	Moselle	89	Yonne
26	Drôme	58	Nièvre	90	Territoire-de-Belfort
27	Eure	59	Nord	91	Essonne
28	Eure-et-Loir	60	Oise	92	Hauts-de-Seine
29	Finistère	61	Orne	93	Seine-St-Denis
30	Gard	62	Pas-de-Calais	94	Val-de-Marne
31	Haute-Garonne	63	Puy-de-Dôme	95	Val-d'Oise

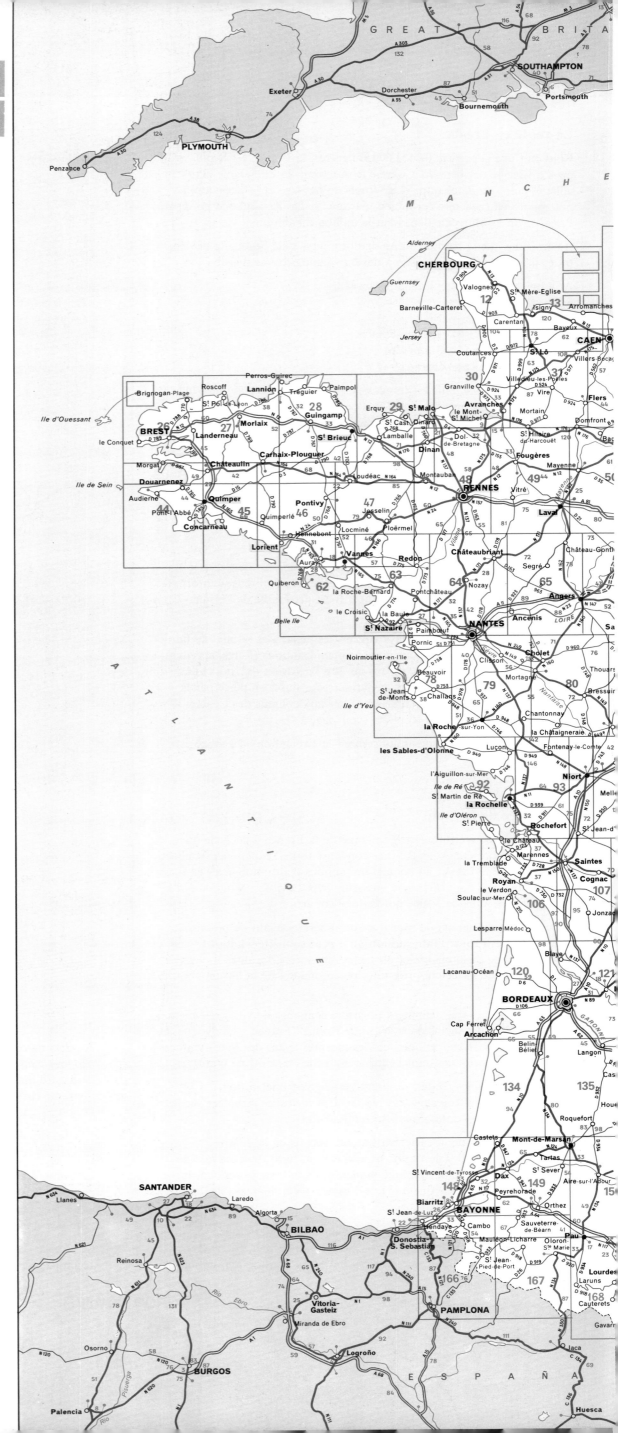

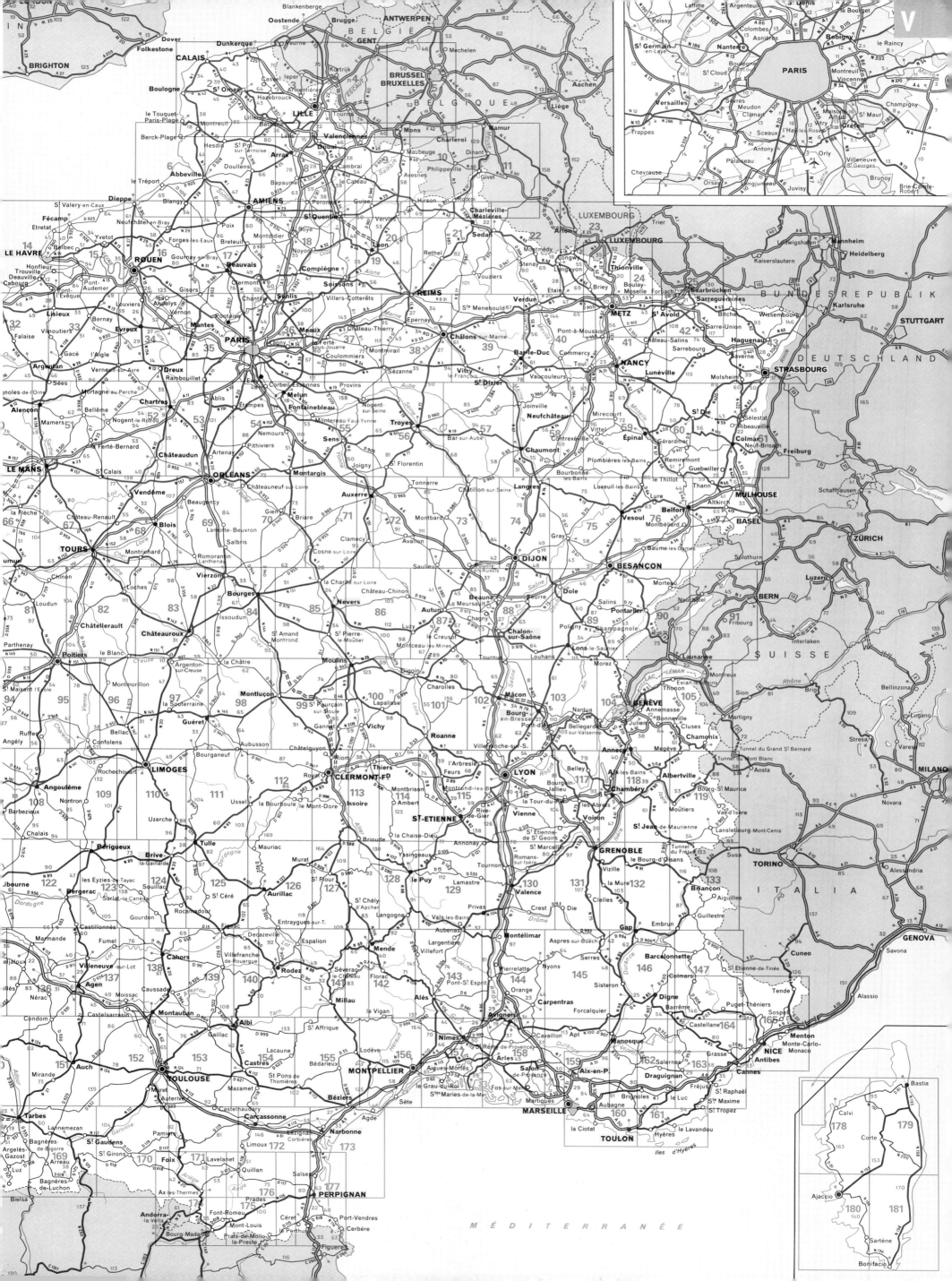

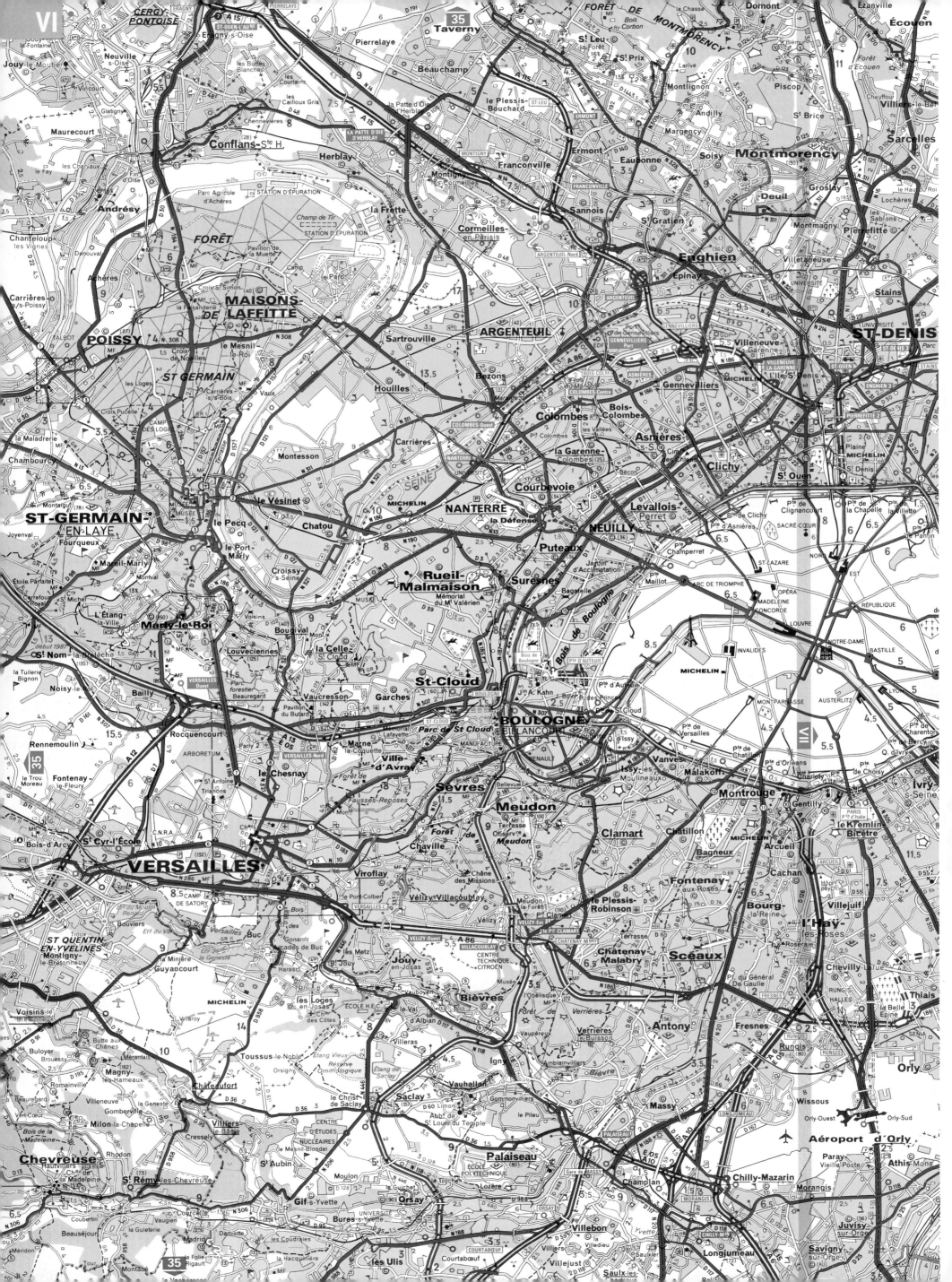

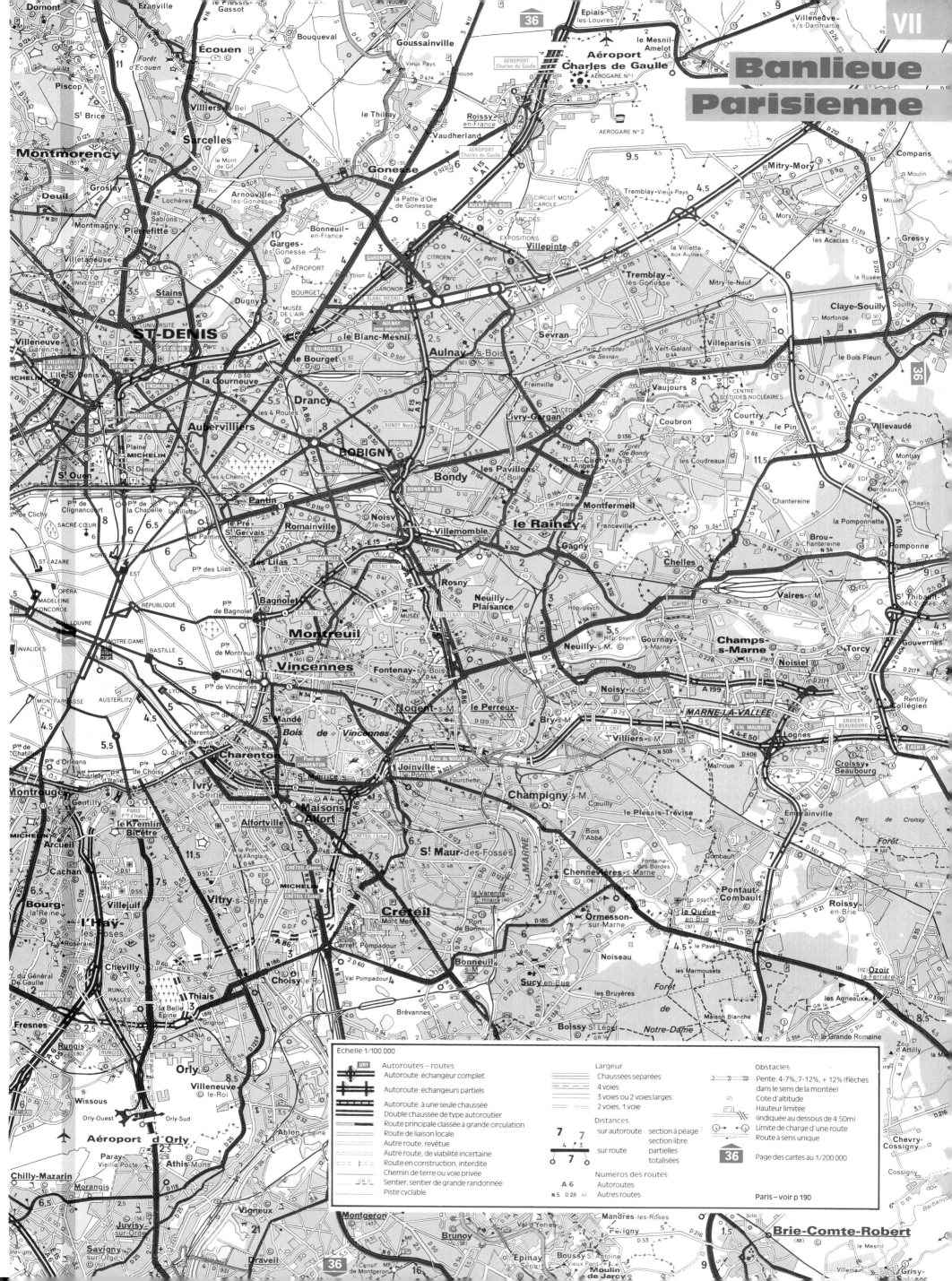

Banlieue Parisienne

Distances et temps de parcours

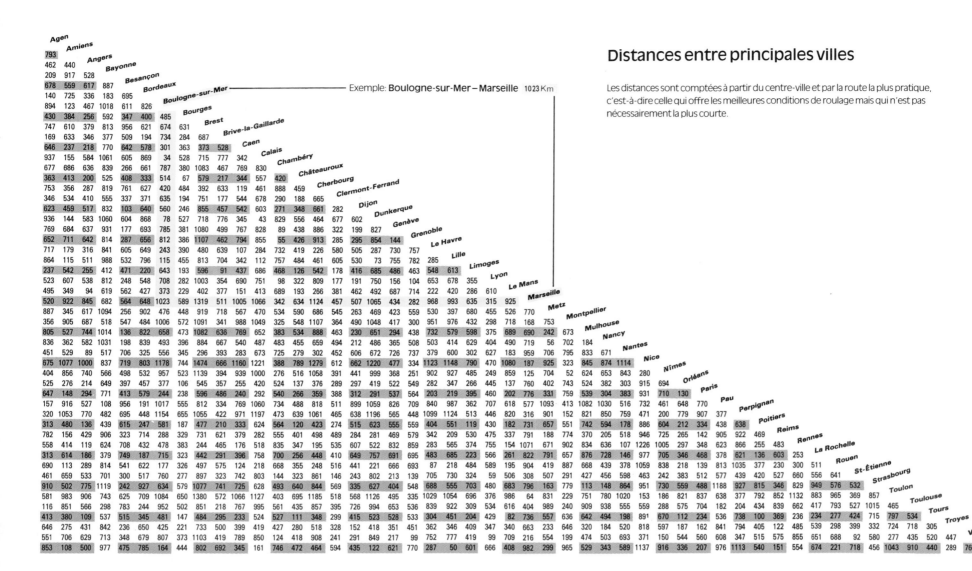

Exemple: **Boulogne-sur-Mer – Marseille** 1023 Km

Distances entre principales villes

Les distances sont comptées à partir du centre-ville et par la route la plus pratique, c'est-à-dire celle qui offre les meilleures conditions de roulage mais qui n'est pas nécessairement la plus courte.

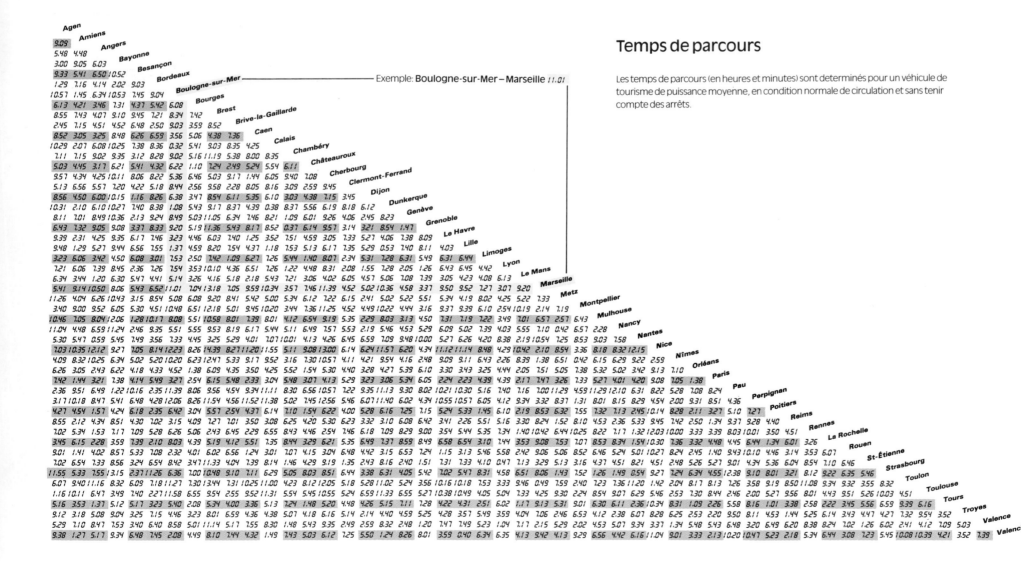

Exemple: **Boulogne-sur-Mer – Marseille** 11.01

Temps de parcours

Les temps de parcours (en heures et minutes) sont déterminés pour un véhicule de tourisme de puissance moyenne, en condition normale de circulation et sans tenir compte des arrêts.

Verklaring van tekens
Zeichenerklärung
Légende
Key

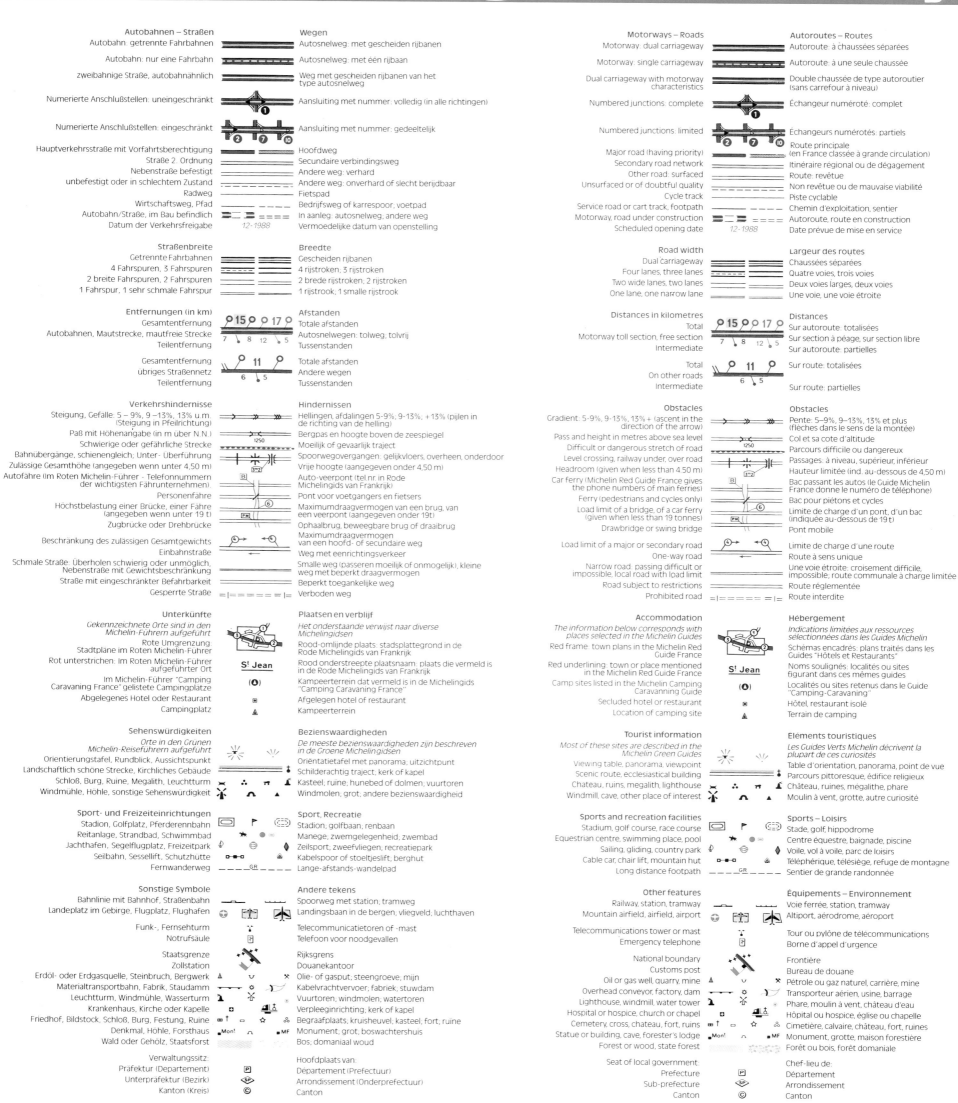

Autobahnen – Straßen	**Wegen**
Autobahn: getrennte Fahrbahnen	Autosnelweg: met gescheiden rijbanen
Autobahn: nur eine Fahrbahn	Autosnelweg: met één rijbaan
zweibahnige Straße, autobahnähnlich	Weg met gescheiden rijbanen van het type autosnelweg
Numerierte Anschlußstellen: uneingeschränkt	Aansluiting met nummer: volledig (in alle richtingen)
Numerierte Anschlußstellen: eingeschränkt	Aansluiting met nummer: gedeeltelijk
Hauptverkehrsstraße mit Vorfahrtsberechtigung	Hoofdweg
Straße 2. Ordnung	Secundaire verbindingsweg
Nebenstraße befestigt	Andere weg: verhard
unbefestigt oder in schlechtem Zustand	Andere weg: onverhard of slecht berijdbaar
Radweg	Fietspad
Wirtschaftsweg, Pfad	Bedrijfsweg of karrespoor; voetpad
Autobahn/Straße, im Bau befindlich	In aanleg: autosnelweg; andere weg
Datum der Verkehrsfreigabe (12-1988)	Vermoedelijke datum van openstelling
Straßenbreite	**Breedte**
Getrennte Fahrbahnen	Gescheiden rijbanen
4 Fahrspuren, 3 Fahrspuren	4 rijstroken; 3 rijstroken
2 breite Fahrspuren, 2 Fahrspuren	2 brede rijstroken; 2 rijstroken
1 Fahrspur, 1 sehr schmale Fahrspur	1 rijstrook; 1 smalle rijstrook
Entfernungen (in km)	**Afstanden**
Gesamtentfernung	Totale afstanden
Autobahnen, Mautstrecke, mautfreie Strecke	Autosnelwegen: tolweg; tolvrij
Teilentfernung	Tussenstanden
Gesamtentfernung	Totale afstanden
übriges Straßennetz	Andere wegen
Teilentfernung	Tussenstanden
Verkehrshindernisse	**Hindernissen**
Steigung, Gefälle: 5 – 9%, 9 –13%, 13% u.m. (Steigung in Pfeilrichtung)	Hellingen, afdalingen 5-9%; 9-13%; +13% (pijlen in de richting van de helling)
Paß mit Höhenangabe (in m über N.N.)	Bergpas en hoogte boven de zeespiegel
Schwierige oder gefährliche Strecke	Moeilijk of gevaarlijk traject
Bahnübergänge, schienengleich; Unter- Überführung	Spoorwegovergangen: gelijkvloers, overheen, onderdoor
Zulässige Gesamthöhe (angegeben wenn unter 4,50 m)	Vrije hoogte (aangegeven onder 4,50 m)
Autofähre (im Roten Michelin-Führer - Telefonnummern der wichtigsten Fährunternehmen)	Auto-veerpont (tel.nr. in Rode Michelingids van Frankrijk)
Personenfähre	Pont voor voetgangers en fietsers
Höchstbelastung einer Brücke, einer Fähre (angegeben wenn unter 19 t)	Maximumdraagvermogen van een brug, van een veerpont (aangegeven onder 19t)
Zugbrücke oder Drehbrücke	Ophaalbrug, beweegbare brug of draaibrug
Beschränkung des zulässigen Gesamtgewichts	Maximumdraagvermogen van een hoofd- of secundaire weg
Einbahnstraße	Weg met eenrichtingsverkeer
Schmale Straße: Überholen schwierig oder unmöglich, Nebenstraße mit Gewichtsbeschränkung	Smalle weg (passeren moeilijk of onmogelijk), kleine weg met beperkt draagvermogen
Straße mit eingeschränkter Befahrbarkeit	Beperkt toegankelijke weg
Gesperrte Straße	Verboden weg
Unterkünfte	**Plaatsen en verblijf**
Gekennzeichnete Orte sind in den Michelin-Führern aufgeführt	*Het onderstaande verwijst naar diverse Michelingidsen*
Rote Umgrenzung: Stadtpläne im Roten Michelin-Führer	Rood-omlijnde plaats: stadsplattegrond in de Rode Michelingids van Frankrijk
Rot unterstrichen: Im Roten Michelin-Führer aufgeführter Ort (St Jean)	Rood onderstreepte plaatsnaam: plaats die vermeld is in de Rode Michelingids van Frankrijk
Im Michelin-Führer "Camping Caravaning France" gelistete Campingplätze	Kampeerterrein dat vermeld is in de Michelingids "Camping Caravaning France"
Abgelegenes Hotel oder Restaurant	Afgelegen hotel of restaurant
Campingplatz	Kampeerterrein
Sehenswürdigkeiten	**Bezienswaardigheden**
Orte in den Grünen Michelin-Reiseführern aufgeführt	*De meeste bezienswaardigheden zijn beschreven in de Groene Michelingidsen*
Orientierungstafel, Rundblick, Aussichtspunkt	Oriëntatietafel met panorama; uitzichtpunt
Landschaftlich schöne Strecke, Kirchliches Gebäude	Schilderachtig traject; kerk of kapel
Schloß, Burg, Ruine, Megalith, Leuchtturm	Kasteel; ruïne; hunebed of dolmen; vuurtoren
Windmühle, Höhle, sonstige Sehenswürdigkeit	Windmolen; grot; andere bezienswaardigheid
Sport- und Freizeiteinrichtungen	**Sport, Recreatie**
Stadion, Golfplatz, Pferderennbahn	Stadion; golfbaan; renbaan
Reitanlage, Strandbad, Schwimmbad	Manege; zwemgelegenheid; zwembad
Jachthafen, Segelflugplatz, Freizeitpark	Zeilsport; zweefvliegen; recreatiepark
Seilbahn, Sessellift, Schutzhütte	Kabelspoor of stoeltjeslift; berghut
Fernwanderweg	Lange-afstands-wandelpad
Sonstige Symbole	**Andere tekens**
Bahnlinie mit Bahnhof, Straßenbahn	Spoorweg met station; tramweg
Landeplatz im Gebirge, Flugplatz, Flughafen	Landingsbaan in de bergen; vliegveld; luchthaven
Funk-, Fernsehturm	Telecommunicatietoren of -mast
Notrufsäule	Telefoon voor noodgevallen
Staatsgrenze	Rijksgrens
Zollstation	Douanekantoor
Erdöl- oder Erdgasquelle, Steinbruch, Bergwerk	Olie- of gasput; steengroeve; mijn
Materialtransportbahn, Fabrik, Staudamm	Kabelvrachtvervoer; fabriek; stuwdam
Leuchtturm, Windmühle, Wasserturm	Vuurtoren; windmolen; watertoren
Krankenhaus, Kirche oder Kapelle	Verpleeginrichting; kerk of kapel
Friedhof, Bildstock, Schloß, Burg, Festung, Ruine	Begraafplaats; kruisheuvel; kasteel; fort; ruïne
Denkmal, Höhle, Forsthaus	Monument; grot; boswachtershuis
Wald oder Gehölz, Staatsforst	Bos; domaniaal woud
Verwaltungssitz:	Hoofdplaats van:
Präfektur (Departement)	Departement (Prefectuur)
Unterpräfektur (Bezirk)	Arrondissement (Onderprefectuur)
Kanton (Kreis)	Canton
Maßstab 1:200 000	**Schaal** 1:200 000
1cm entspricht 2 km	1cm op de kaart = 2km in het terrein
0 1 2 3 4 5km	0 1 2 3 4 5km

Motorways – Roads	**Autoroutes – Routes**
Motorway: dual carriageway	Autoroute: à chaussées séparées
Motorway: single carriageway	Autoroute: à une seule chaussée
Dual carriageway with motorway characteristics	Double chaussée de type autoroutier (sans carrefour à niveau)
Numbered junctions: complete	Échangeur numéroté: complet
Numbered junctions: limited	Échangeurs numérotés: partiels
Major road (having priority)	Route principale (en France classée à grande circulation)
Secondary road network	Itinéraire régional ou de dégagement
Other road: surfaced	Route: revêtue
Unsurfaced or of doubtful quality	Non revêtue ou de mauvaise viabilité
Cycle track	Piste cyclable
Service road or cart track, footpath	Chemin d'exploitation, sentier
Motorway, road under construction	Autoroute, route en construction
Scheduled opening date (12-1988)	Date prévue de mise en service
Road width	**Largeur des routes**
Dual carriageway	Chaussées séparées
Four lanes, three lanes	Quatre voies, trois voies
Two wide lanes, two lanes	Deux voies larges, deux voies
One lane, one narrow lane	Une voie, une voie étroite
Distances in kilometres	**Distances**
Total	Sur autoroute: totalisées
Motorway toll section, free section	Sur section à péage, sur section libre
Intermediate	Sur autoroute: partielles
Total	Sur route: totalisées
On other roads	
Intermediate	Sur route: partielles
Obstacles	**Obstacles**
Gradient: 5-9%, 9-13%, 13% + (ascent in the direction of the arrow)	Pente: 5–9%, 9–13%, 13% et plus (flèches dans le sens de la montée)
Pass and height in metres above sea level	Col et sa cote d'altitude
Difficult or dangerous stretch of road	Parcours difficile ou dangereux
Level crossing, railway under, over road	Passages: à niveau, supérieur, inférieur
Headroom (given when less than 4.50 m)	Hauteur limitée (ind. au-dessous de 4,50 m)
Car ferry (Michelin Red Guide France gives the phone numbers of main ferries)	Bac passant les autos (le Guide Michelin France donne le numéro de téléphone)
Ferry (pedestrians and cycles only)	Bac pour piétons et cycles
Load limit of a bridge, of a car ferry (given when less than 19 tonnes)	Limite de charge d'un pont, d'un bac (indiquée au-dessous de 19 t)
Drawbridge or swing bridge	Pont mobile
Load limit of a major or secondary road	Limite de charge d'une route
One-way road	Route à sens unique
Narrow road: passing difficult or impossible, local road with load limit	Une voie étroite: croisement difficile, impossible; route communale à charge limitée
Road subject to restrictions	Route réglementée
Prohibited road	Route interdite
Accommodation	**Hébergement**
The information below corresponds with places selected in the Michelin Guides	*Indications limitées aux ressources sélectionnées dans les Guides Michelin*
Red frame: town plans in the Michelin Red Guide France	Schémas encadrés: plans traités dans les Guides "Hôtels et Restaurants"
Red underlining: town or place mentioned in the Michelin Red Guide France (St Jean)	Noms soulignés: localités ou sites figurant dans ces mêmes guides
Camp sites listed in the Michelin Camping Caravanning Guide	Localités ou sites retenus dans le Guide "Camping-Caravaning"
Secluded hotel or restaurant	Hôtel, restaurant isolé
Location of camping site	Terrain de camping
Tourist information	**Eléments touristiques**
Most of these sites are described in the Michelin Green Guides	*Les Guides Verts Michelin décrivent la plupart de ces curiosités*
Viewing table, panorama, viewpoint	Table d'orientation, panorama, point de vue
Scenic route, ecclesiastical building	Parcours pittoresque, édifice religieux
Chateau, ruins, megalith, lighthouse	Château, ruines, mégalithe, phare
Windmill, cave, other place of interest	Moulin à vent, grotte, autre curiosité
Sports and recreation facilities	**Sports – Loisirs**
Stadium, golf course, race course	Stade, golf, hippodrome
Equestrian centre, swimming place, pool	Centre équestre, baignade, piscine
Sailing, gliding, country park	Voile, vol à voile, parc de loisirs
Cable car, chair lift, mountain hut	Téléphérique, télésiège, refuge de montagne
Long distance footpath	Sentier de grande randonnée
Other features	**Équipements – Environnement**
Railway, station, tramway	Voie ferrée, station, tramway
Mountain airfield, airfield, airport	Altiport, aérodrome, aéroport
Telecommunications tower or mast	Tour ou pylône de télécommunications
Emergency telephone	Borne d'appel d'urgence
National boundary	Frontière
Customs post	Bureau de douane
Oil or gas well, quarry, mine	Pétrole ou gaz naturel, carrière, mine
Overhead conveyor, factory, dam	Transporteur aérien, usine, barrage
Lighthouse, windmill, water tower	Phare, moulin à vent, château d'eau
Hospital or hospice, church or chapel	Hôpital ou hospice, église ou chapelle
Cemetery, cross, chateau, fort, ruins	Cimetière, calvaire, château, fort, ruines
Statue or building, cave, forester's lodge	Monument, grotte, maison forestière
Forest or wood, state forest	Forêt ou bois, forêt domaniale
Seat of local government:	Chef-lieu de:
Prefecture	Département
Sub-prefecture	Arrondissement
Canton	Canton
Scale 1:200 000	**Échelle** 1/200 000
1cm: 2km approx 3 miles: 1 inch	1cm: 2km
0 1 2 3 4 5km	0 1 2 3 4 5km

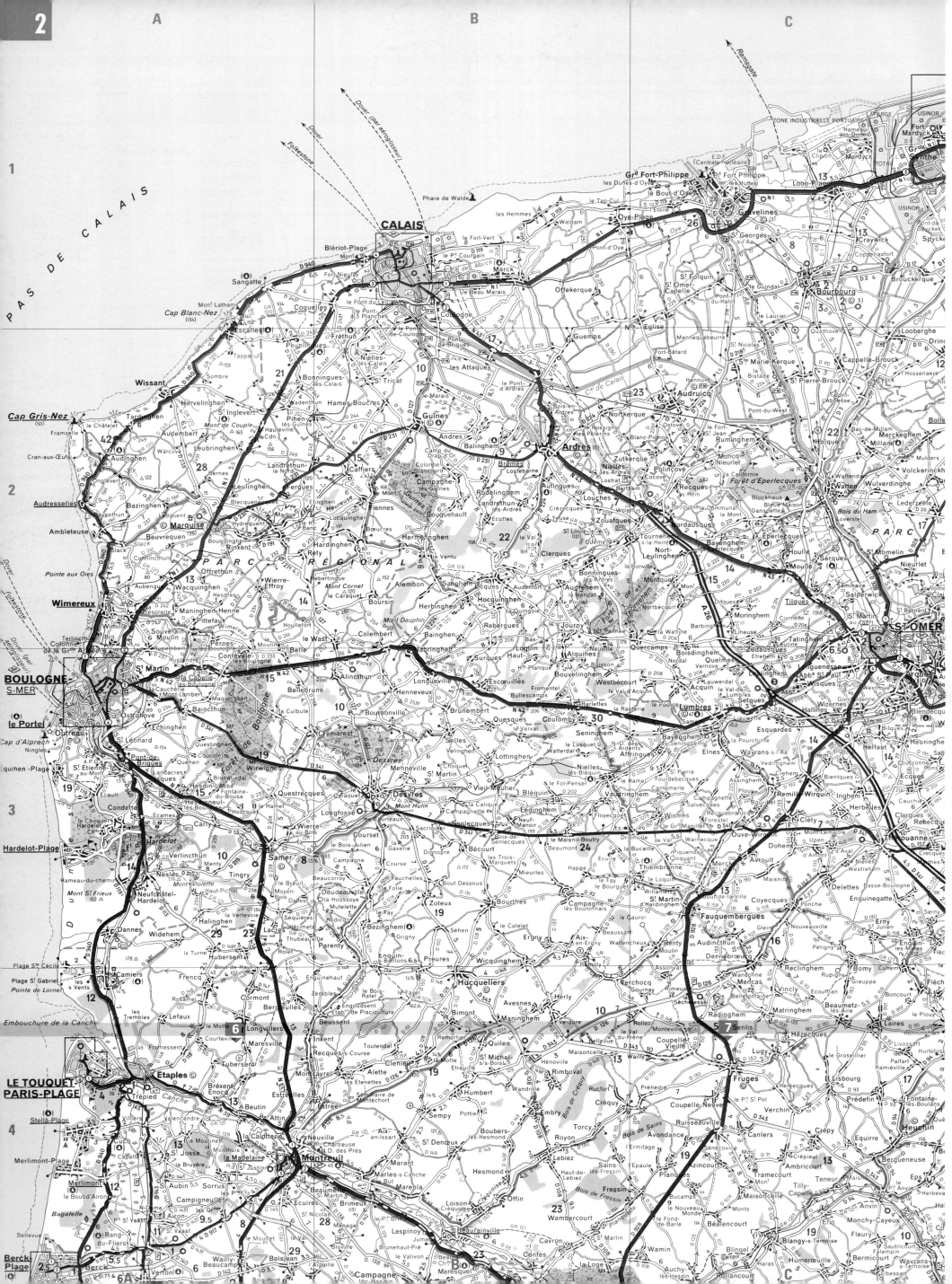

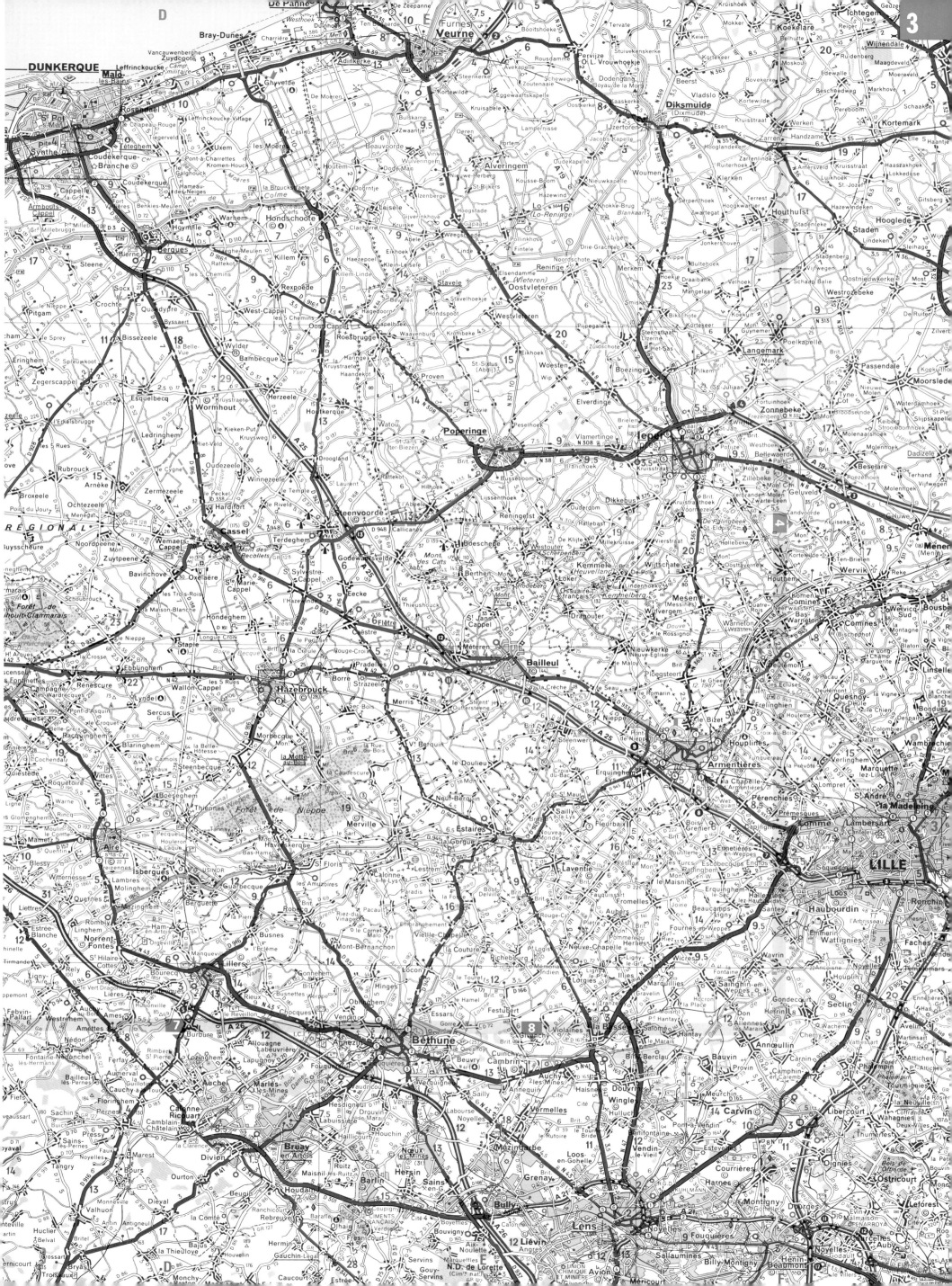

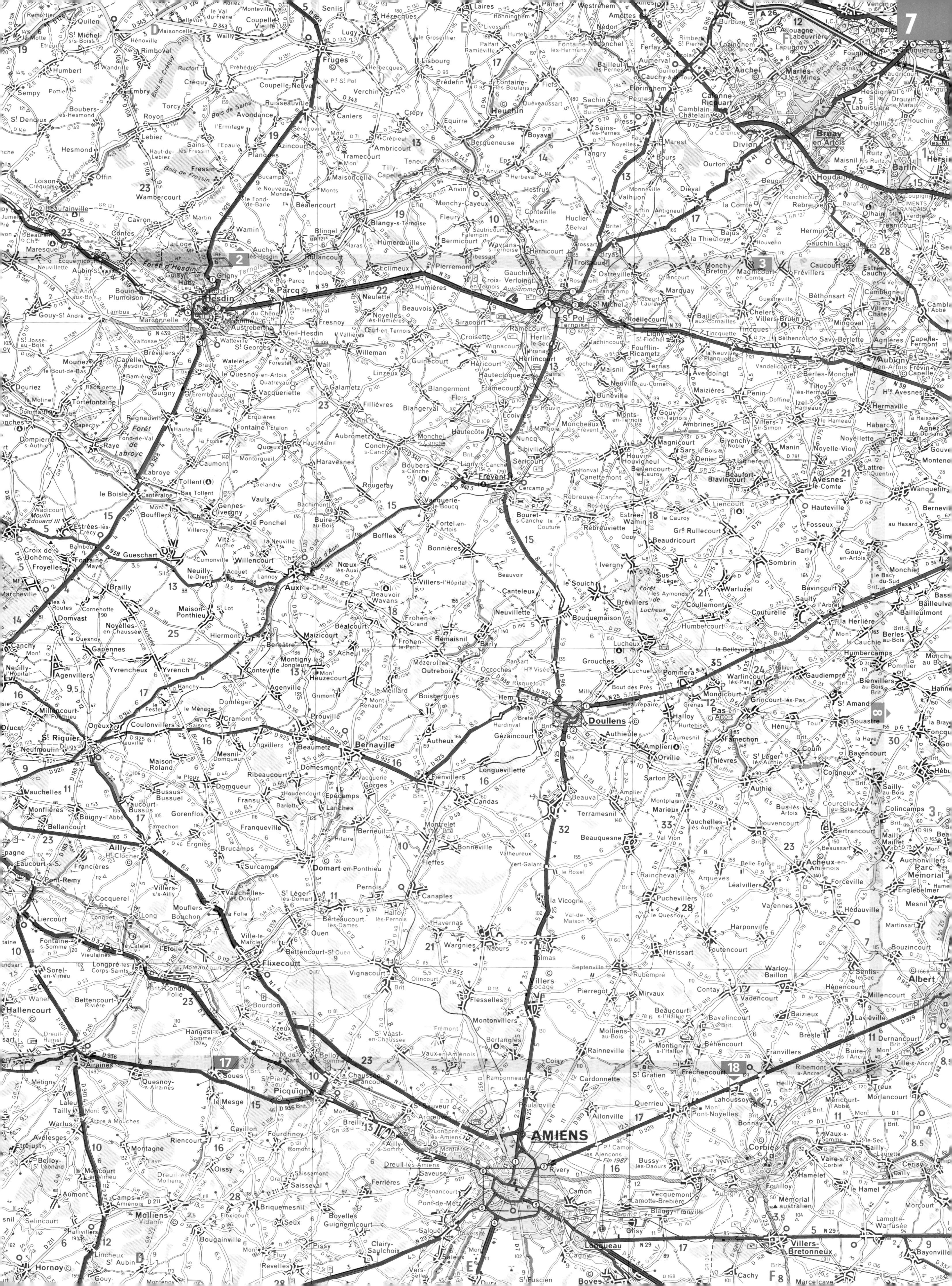

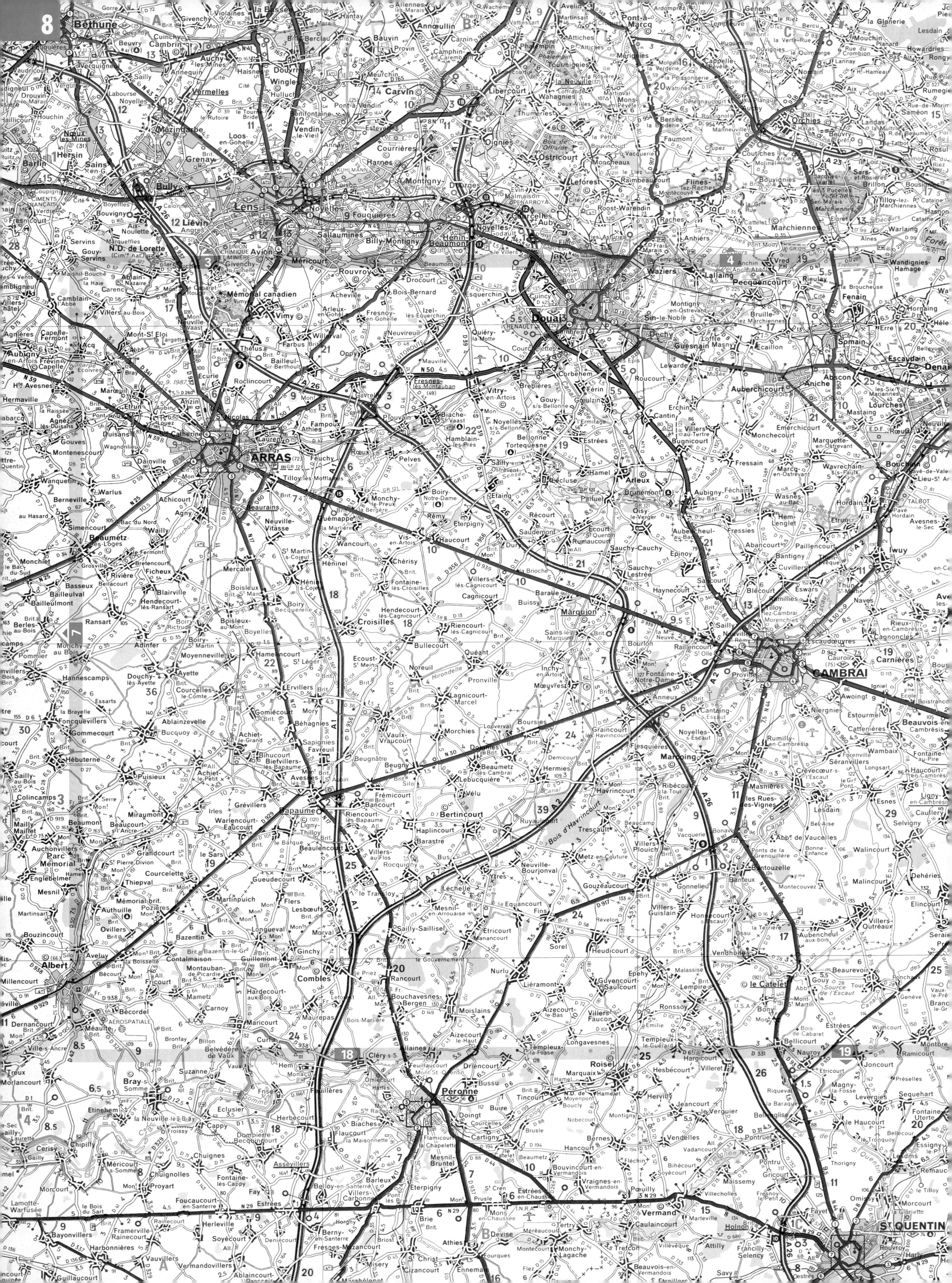

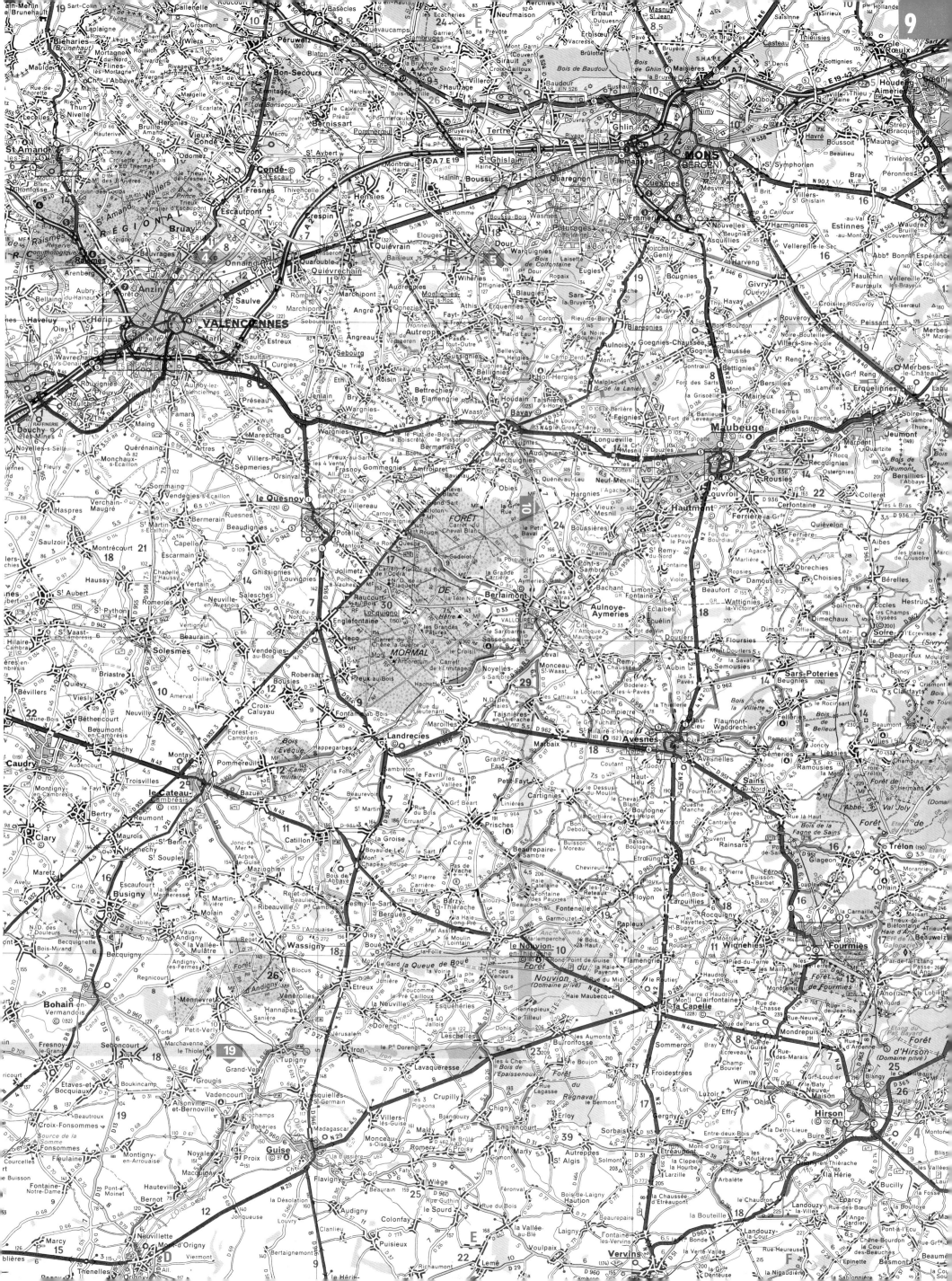

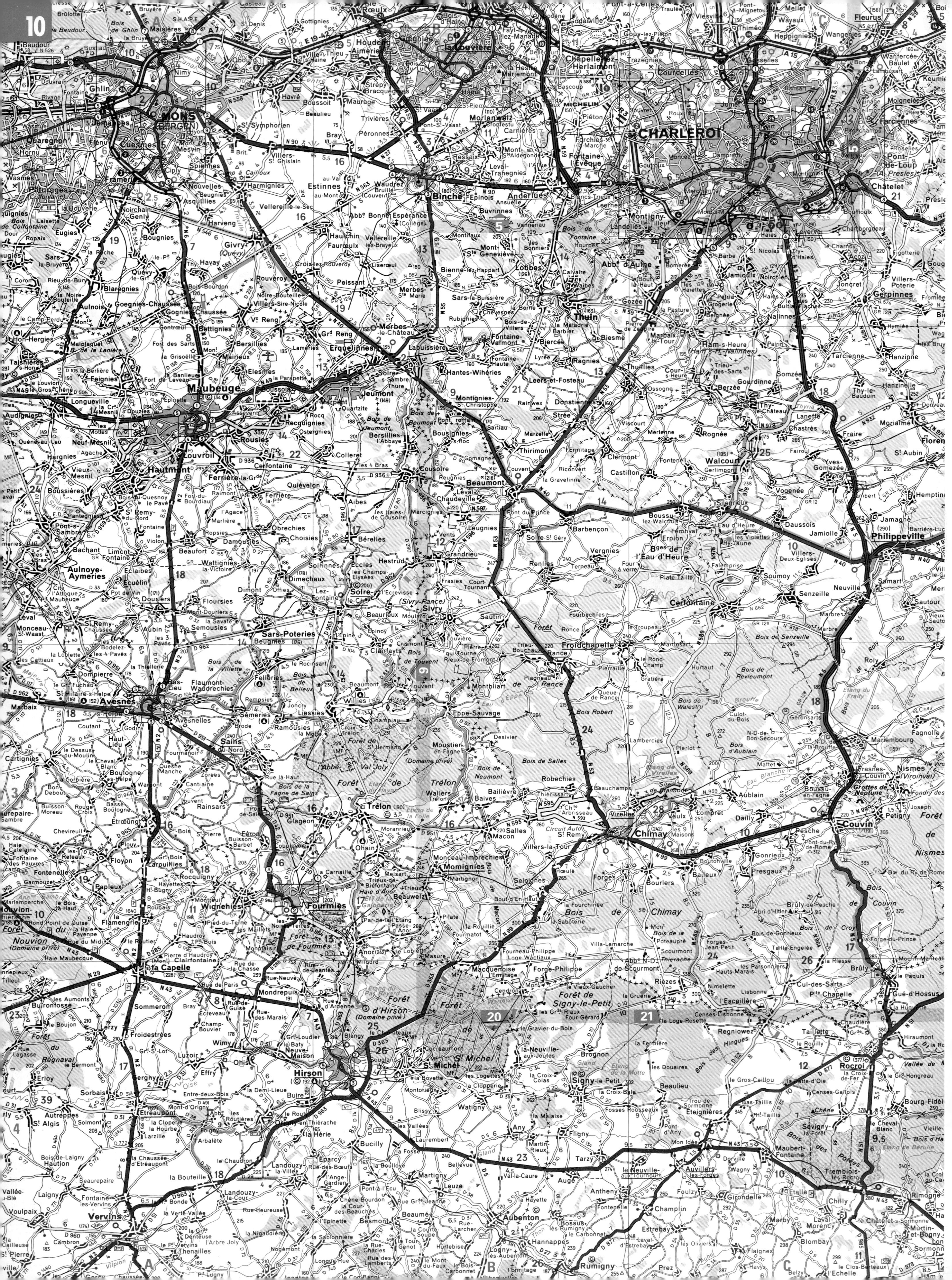

Mons
Bergen
Charleroi
La Louvière
Binche
Anderlues
Thuin
Fleurus
Châtelet
Gerpinnes
Walcourt
Philippeville
Maubeuge
Jeumont
Hautmont
Beaumont
Froidchapelle
Cerfontaine
Chimay
Couvin
Mariembourg
Avesnes
Sains-du-Nord
Trélon
Fourmies
la Capelle
Hirson
St Michel
Signy-le-Petit
Rocroi
Maubert-Fontaine
Vervins
Aubenton
Rumigny
Aulnoye-Aymeries
Sars-Poteries
Sivry
Solre-le-Château
Erquelinnes
Wignehies
Étréaupont
Forêt de Trélon
Forêt d'Hirson
Forêt de Signy-le-Petit
Bois de Chimay
Nismes
Grottes de Neptune
Bruly
Gué-d'Hossus

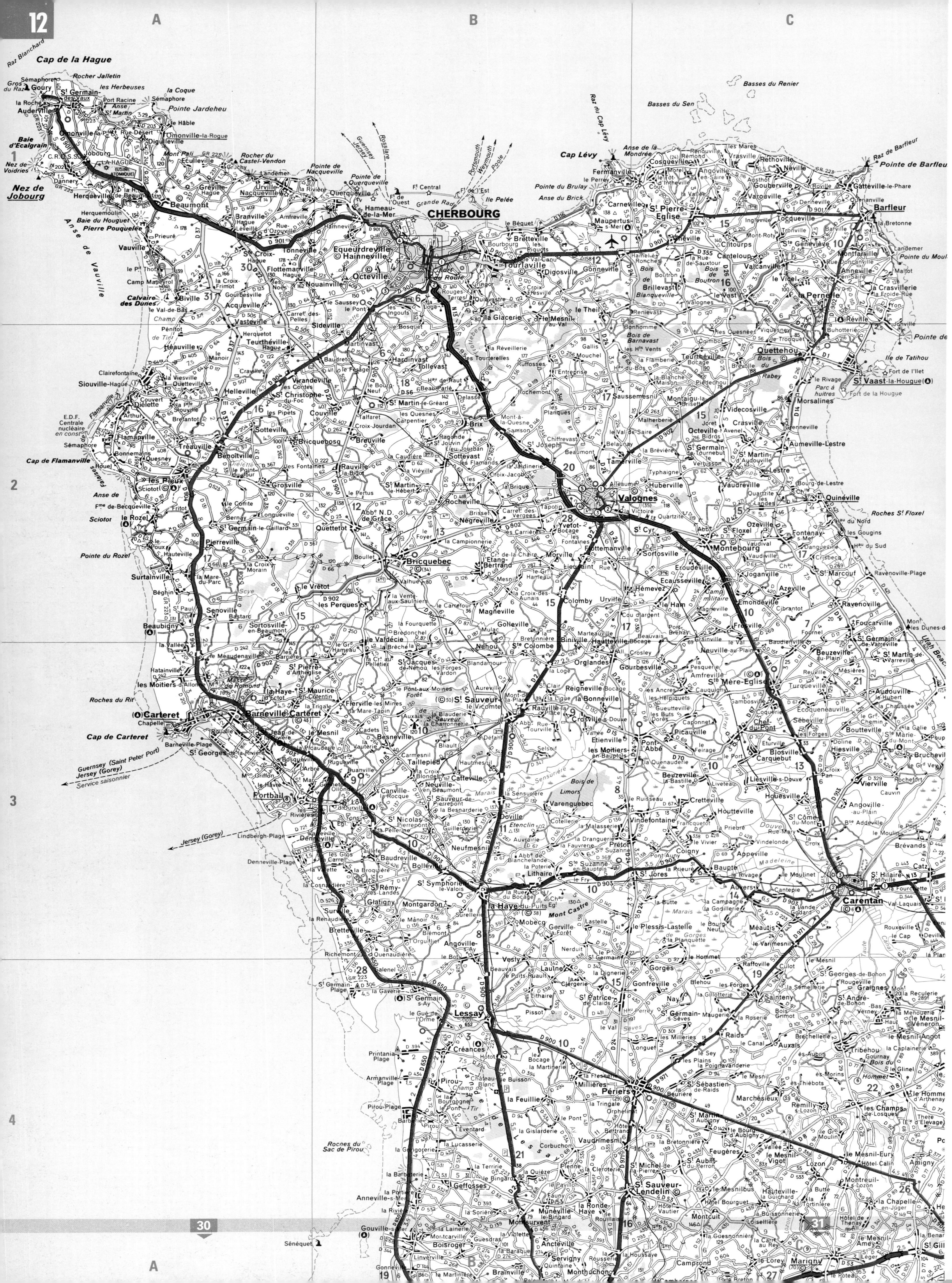

A
B
C
1
2
3
4
Raz Blanchard
Cap de la Hague
Goury
Auderville
St Germain-des-Vaux
Rocher Jalletin
les Herbeuses
Port Racine
Anse St Martin
la Coque
Sémaphore
Pointe Jardeheu
le Hâble
Omonville-la-Petite
Omonville-la-Rogue
Digulleville
Baie d'Ecalgrain
Nez de Voidries
Nez de Jobourg
Jobourg
LA HAGUE
Mont Pali
Eculleville
Rocher du Castel-Vendon
Gréville-Hague
Landemer
Urville-Nacqueville
Pointe de Nacqueville
Pointe de Querqueville
Querqueville
Herqueville
Beaumont
Baie du Houguet
Pierre Pouquelée
Anse de Vauville
Vauville
Branville-Hague
Hameau-de-la-Mer
CHERBOURG
Grande Rade
Fort Central
Fort de l'Ouest
Fort de l'Est
Ile Pelée
Equeurdreville-Hainneville
Tonneville
St Croix-Hague
Flottemanville-Hague
Octeville
Tourlaville
Digosville
Biville
Calvaire des Dunes
Acqueville
Vasteville
Sideville
la Glacerie
le Mesnil-au-Val
le Theil
Brillevast
Bois de Barnavast
Bois du Boutron
Canteloup
Valcanville
le Vast
Gonneville
Maupertus-s-Mer
Carneville
Fermanville
Cap Lévy
Raz du Cap Lévy
Anse de la Mondrée
Pointe du Brulay
Anse du Brick
Cosqueville
St Pierre-Eglise
Basses du Renier
Basses du Sen
Réthoville
Néville
Gatteville-le-Phare
Raz de Barfleur
Pointe de Barfleur
Barfleur
Montfarville
Anneville-en-Saire
la Pernelle
Réville
Quettehou
St Vaast-la-Hougue
Ile de Tatihou
Fort de la Hougue
Morsalines
Tollevast
Hardinvast
Martinvast
Teurthéville-Hague
Héauville
Siouville-Hague
Diélette
Flamanville
Cap de Flamanville
Tréauville
Benoîtville
les Pieux
Anse de Sciotot
le Rozel
Pointe du Rozel
Surtainville
Pierreville
Sotteville
Bricquebosq
Rauville-la-Bigot
Sottevast
Brix
Saussemesnil
Valognes
Négreville
Yvetot-Bocage
Bricquebec
Quettetot
St Martin-le-Gréard
Couville
Virandeville
Helleville
St Christophe-du-Foc
Grosville
St Germain-le-Gaillard
Le Vrétot
les Perques
Senoville
Sortosville-en-Beaumont
Beaubigny
Le Valdécie
St Pierre-d'Artheglise
les Moitiers-d'Allonne
Roches du Rit
Carteret
Cap de Carteret
Barneville-Carteret
Barneville-Plage
St Georges-de-la-Rivière
Guernsey (Saint Peter Port)
Jersey (Gorey)
Service saisonnier
Portbail
Lindbergh-Plage
Denneville
Denneville-Plage
St Jacques-de-Néhou
Néhou
St Sauveur-le-Vicomte
Magneville
Golleville
L'Etang-Bertrand
Morville
Colomby
Urville
Hémevez
Montebourg
St Floxel
Ozeville
Fontenay-s-Mer
Quinéville
Roches St Floxel
St Marcouf
Ravenoville
Ravenoville-Plage
Azeville
Emondeville
Fresville
Hauteville-Bocage
Orglandes
Ste Colombe
Reigneville-Bocage
la Bonneville
Crosville-s-Douve
Ste Mère-Eglise
Chef-du-Pont
Beuzeville-au-Plain
Turqueville
Audouville-la-Hubert
Boutteville
Ste Marie-du-Mont
Utah Beach
Hiesville
Vierville
Blosville
Carquebut
Liesville-s-Douve
Houesville
St Côme-du-Mont
Angoville-au-Plain
Brévands
Pont-l'Abbé
Picauville
les Moitiers-en-Bauptois
Beuzeville-la-Bastille
Cretteville
Houtteville
Vindefontaine
Varenguebec
Bois de Limors
Etienville
Rauville-la-Place
Besneville
Taillepied
Catteville
Neuville-en-Beaumont
St Sauveur-de-Pierrepont
St Nicolas-de-Pierrepont
Doville
Neufmesnil
Baudreville
Bolleville
St Symphorien-le-Valois
St Rémy-des-Landes
Glatigny
Surville
Bretteville
la Haye-du-Puits
Mont Castre
Mobecq
Gerville-la-Forêt
Lithaire
Prétot
Ste Suzanne-en-Bauptois
St Jores
Baupte
Auvers
Carentan
St Hilaire-Petitville
Catz
Méautis
Raffoville
le Plessis-Lastelle
Gorges
Gonfreville
Nay
Sainteny
Montgardon
Angoville-s-Ay
Vesly
Laulne
St Patrice-de-Claids
St Germain-s-Sèves
Graignes
St André-de-Bohon
Richemont
St Germain-sur-Ay
Lessay
Créances
Printania-Plage
Armanville-Plage
Pirou
Pirou-Plage
Rocnes du Sac de Pirou
Geffosses
Anneville-s-Mer
Gouville-s-Mer
Sénéquet
Boisroger
Linverville
Brainville
Périers
Millières
Feugères
Marchésieux
St Sébastien-de-Raids
Raids
Auxais
Tribehou
le Mesnil-Véneron
Remilly-s-Lozon
les Champs-de-Losque
le Mesnil-Vigot
Lozon
le Mesnil-Eury
Amigny
Vaudrimesnil
St Aubin-du-Perron
St Michel-de-la-Pierre
St Sauveur-Lendelin
la Ronde-Haye
Muneville-le-Bingard
Monthuchon
Ancteville
Servigny
Montcuit
Hauteville-la-Guichard
Marigny
Camprond
St Gilles
le Mesnil-Amey
la Chapelle-en-Juger
30
31

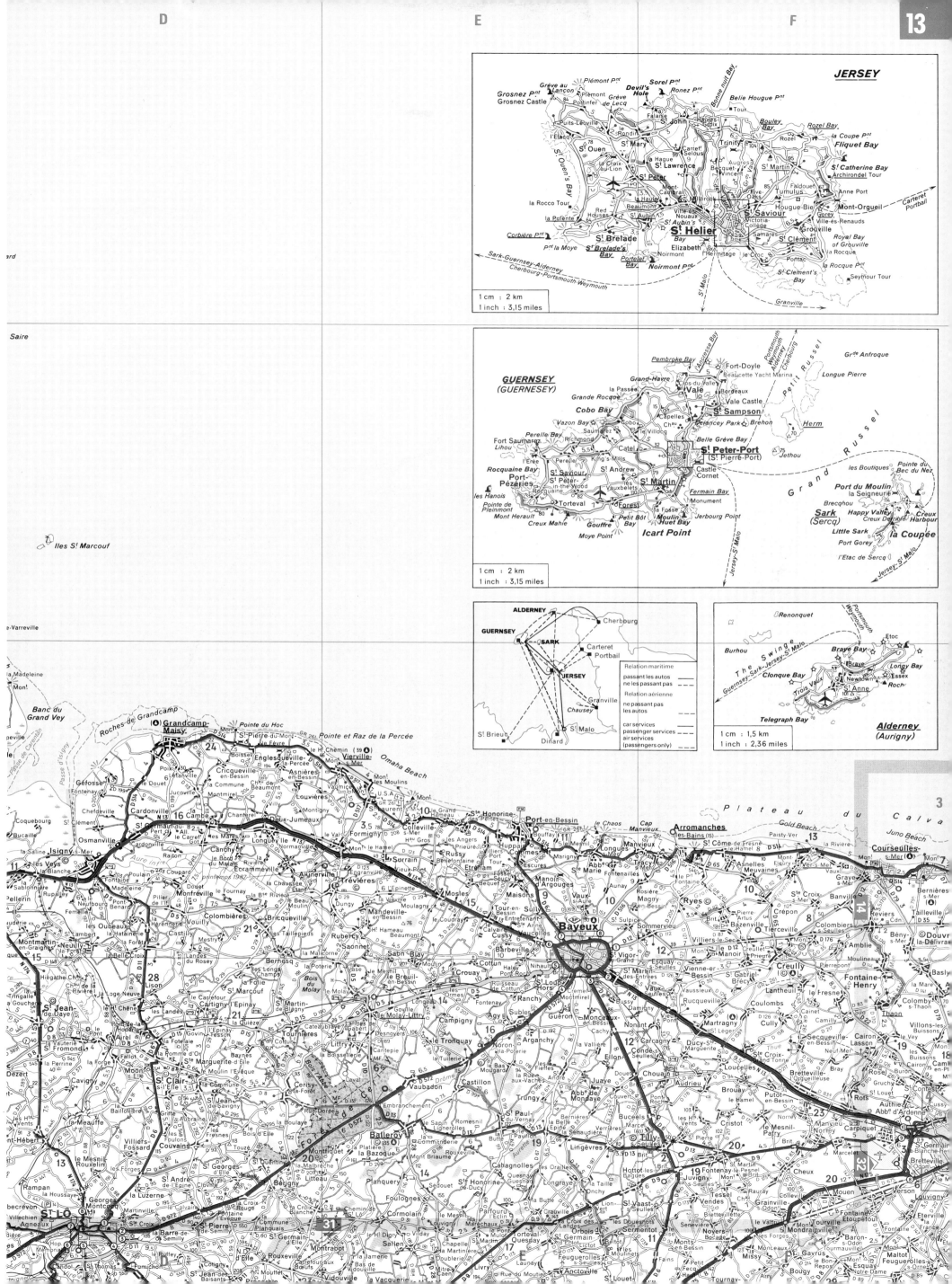

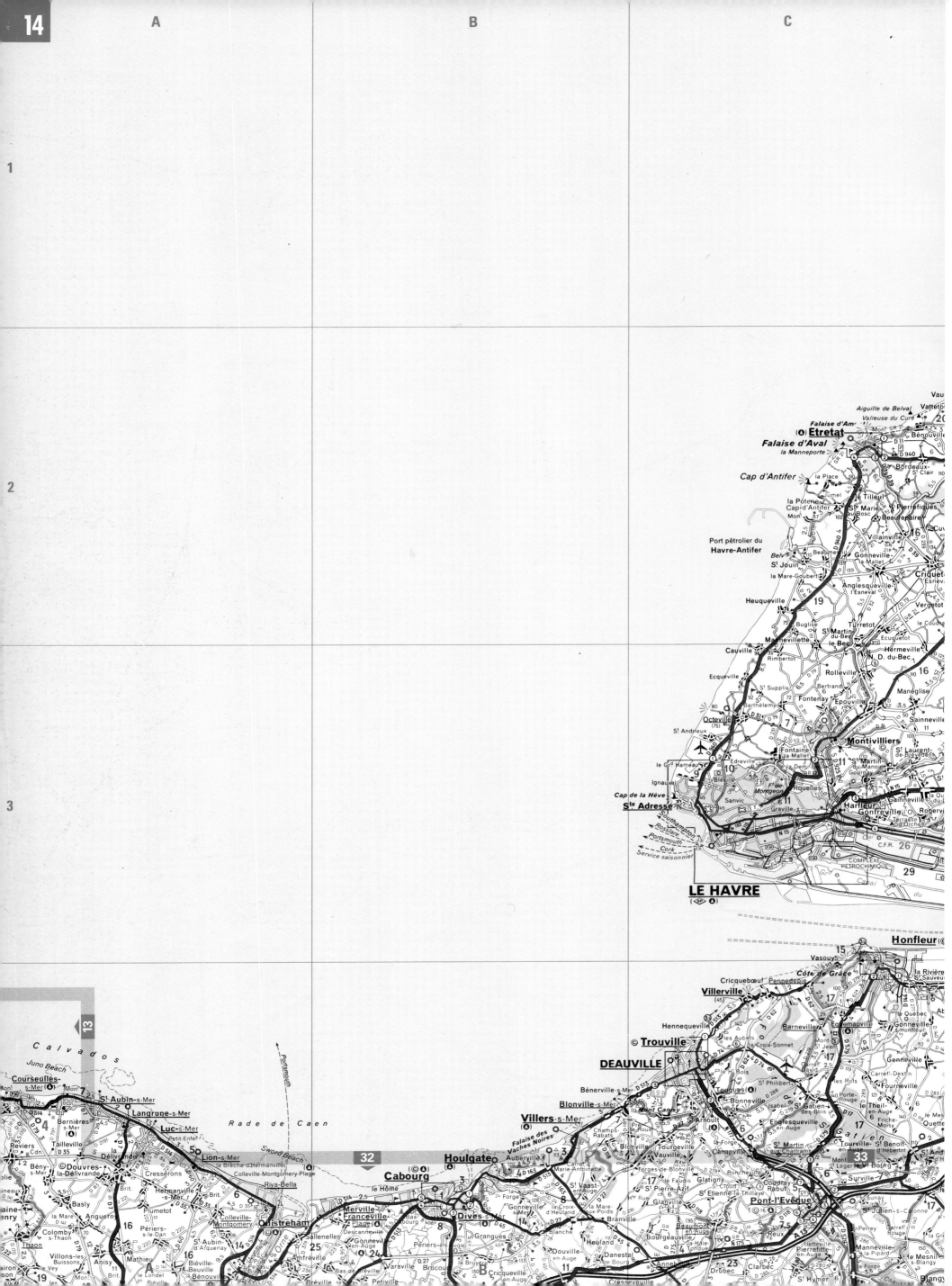

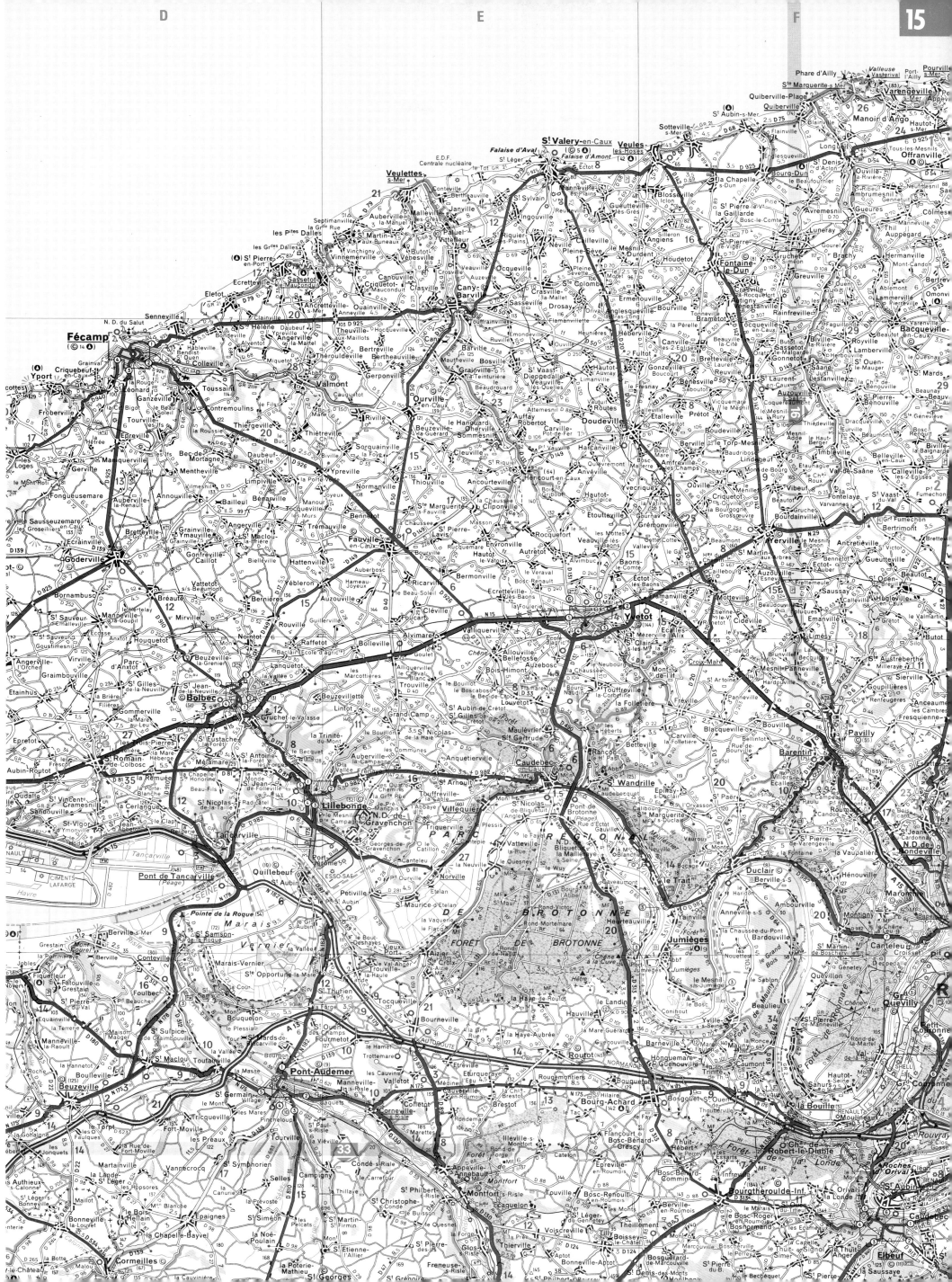

DIEPPE
Varengeville
Offranville
Arques
Envermeu
Londinières
Blangy
Neufchâtel-en-Bray
Bellencombre
St Saëns
Tôtes
Longueville
Bacqueville-en-Caux
Forges-les-Eaux
Buchy
Clères
Montville
Pavilly
Maromme
Darnétal
ROUEN
Sotteville
Boos
Lyons-la-Forêt
Fleury-sur-Andelle
Charleval
Pont-de-l'Arche
Elbeuf
Étrépagny
Forêt de Lyons
Forêt d'Eawy
Forêt d'Arques
Haute Forêt d'Eu
Basse Forêt d'Eu
6
34
35

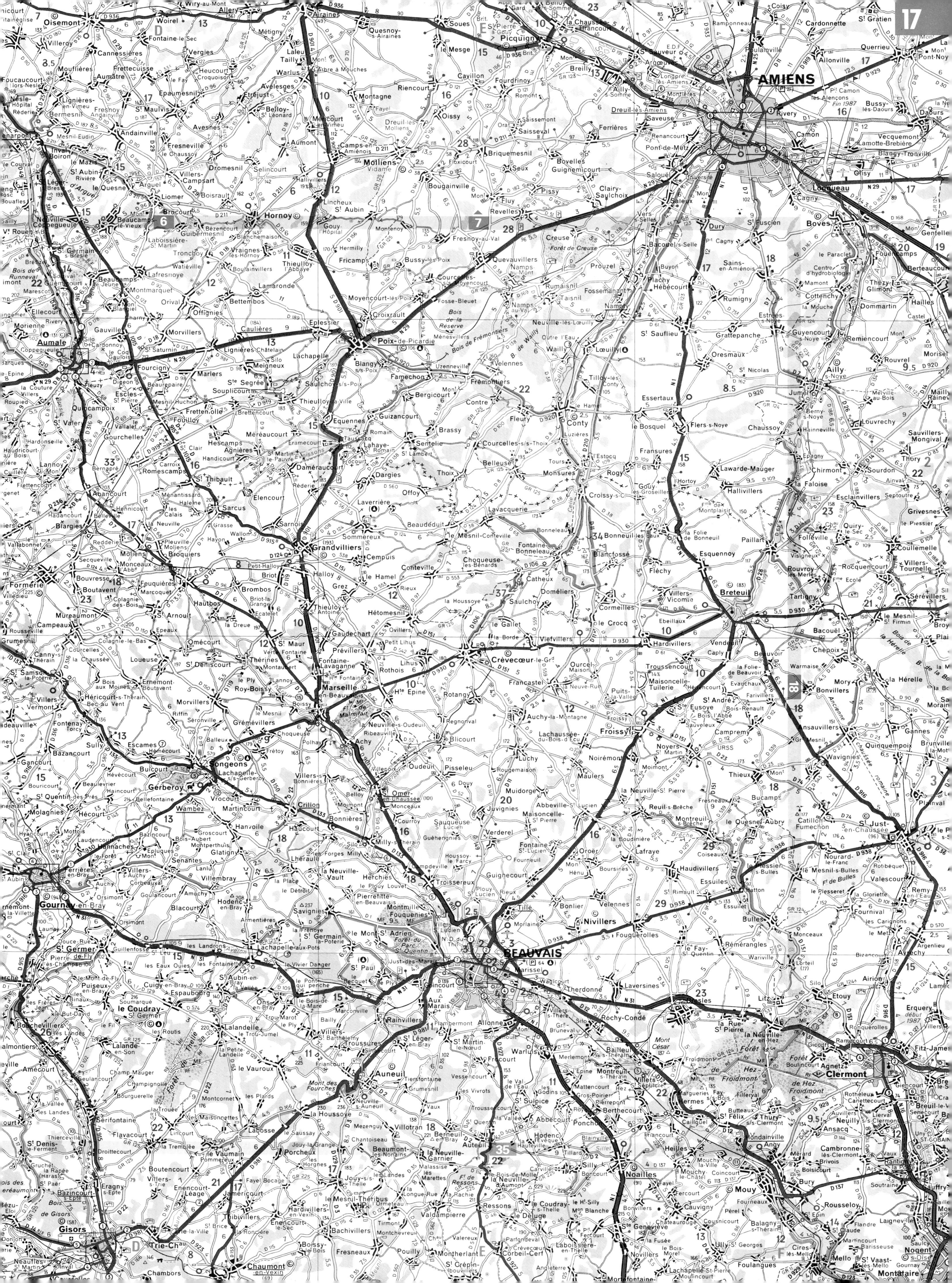
AMIENS
Oisemont
Airaines
Picquigny
Molliens-Vidame
Hornoy
Poix-de-Picardie
Aumale
Formerie
Grandvilliers
Conty
Breteuil
Crèvecœur-le-Gd
Marseille-en-Beauvaisis
Songeons
Gerberoy
Froissy
St Just-en-Chaussée
Gournay-en-Bray
St Germer-de-Fly
Le Coudray-St Germer
BEAUVAIS
Auneuil
Noailles
Mouy
Clermont
Nogent
Montataire
Gisors
Chaumont-en-Vexin
Trie-Chau
Méru
Ailly-s-Noye
Boves
Longueau
Dury
Saleux
Pont-de-Metz
Dreuil-lès-Amiens
Ailly-s-Somme
Breilly
Salouël
Camon
Rivery
Fouencamps
Jumel
Esquennoy
Vendeuil
Nivillers
Tillé
Allonne
Hermes
Rochy-Condé
Bresles
Agnetz
Fitz-James
Breuil-le-Vert
Rousseloy
Mello
Cires-lès-Mello
Ully-St Georges
Neuilly-en-Thelle
Forêt de Hez-Froidmont
Forêt de Creuse
Bois de Fremontiers
Forêt du Parc St Quentin
Bois de Gisors
Bois de la Réserve
Fin 1987
début 1987

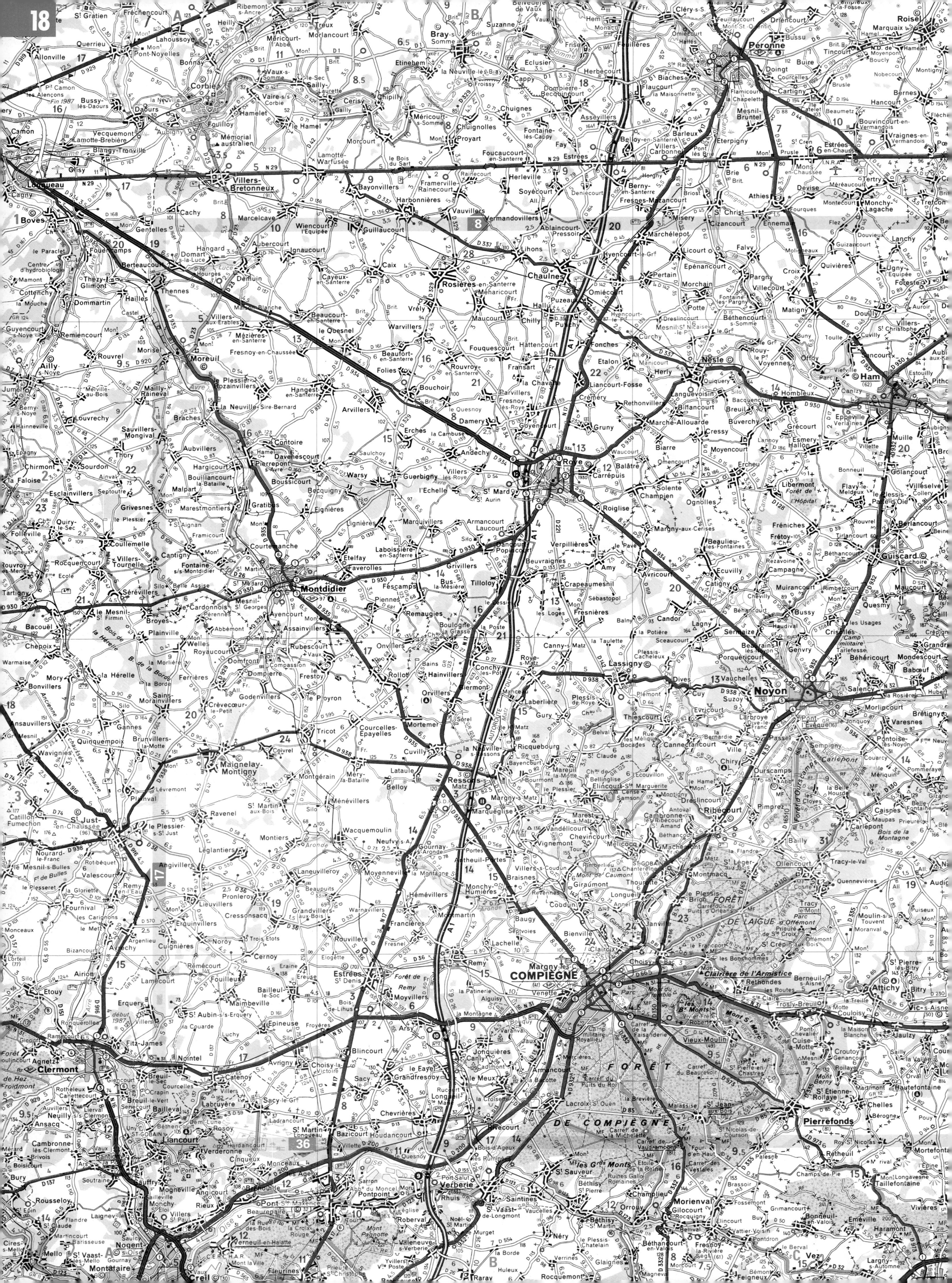

St QUENTIN
Guise
Ribemont
Moy-de-l'Aisne
La Fère
Tergnier
Chauny
St Gobain
Coucy-le-Château
Anizy-le-Château
LAON
Crécy-s-Serre
Marle
Vervins
Sains
Sissonne
Craonne
Vailly-s-Aisne
SOISSONS
Braine
Fismes
Longpont
Villers-Hélon
Château-Thierry
St Quentin Sud-Laon: ouverture prévue été 1987
Forêt de Marle
Basse Forêt de Coucy
Forêt de St Gobain
Forêt de Samoussy
Forêt de Pinon
Camp militaire
Mont Fendu
Chemin des Dames
8
9
20
37

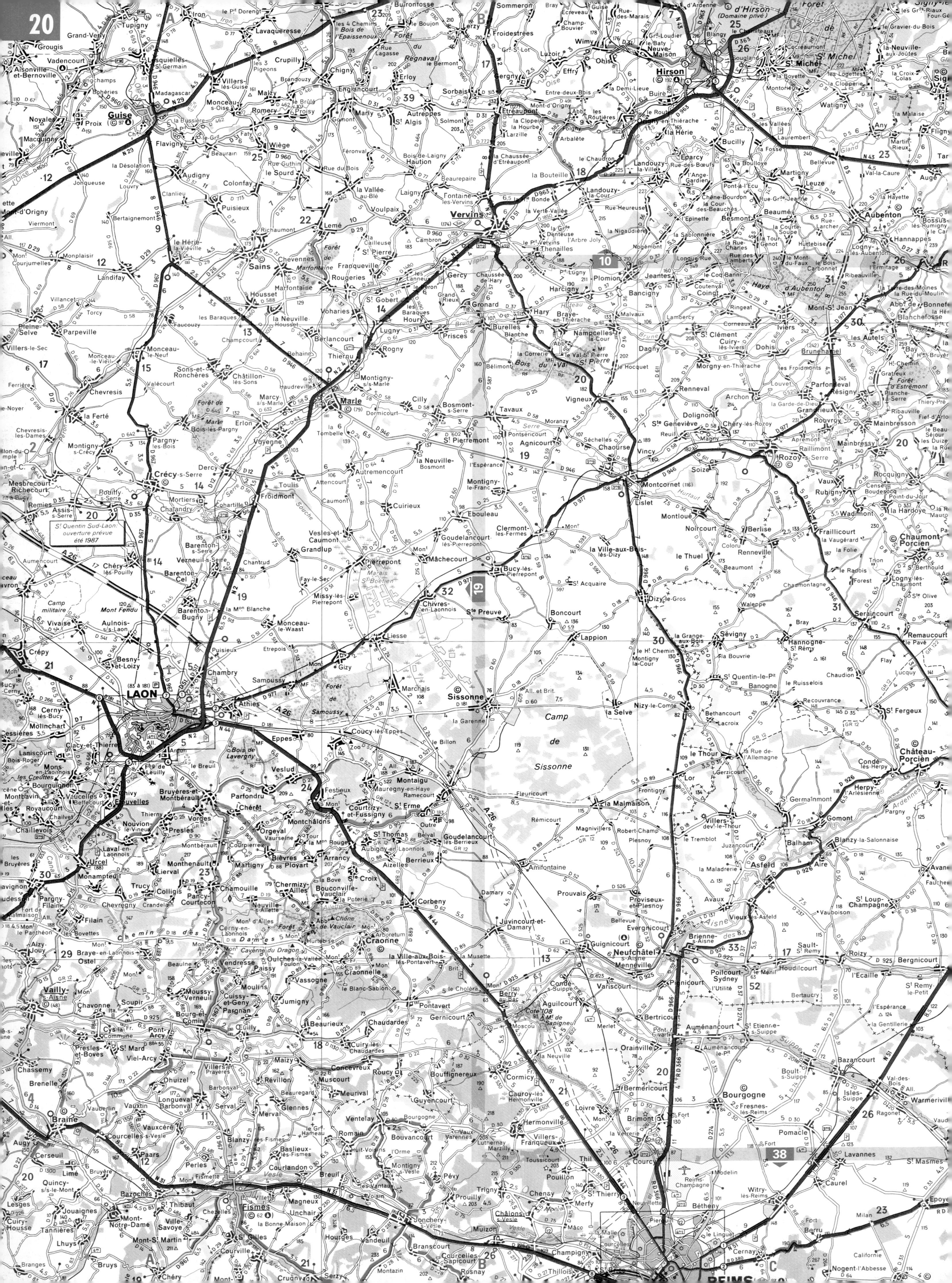
Guise
Hirson
Vervins
Marle
Laon
Sissonne
Camp de Sissonne
Montcornet
Rozoy-s-Serre
Aubenton
St Michel
Forêt de St Michel
Chaumont-Porcien
Château-Porcien
Asfeld
Neufchâtel
Craonne
Vailly-s-Aisne
Braine
Fismes
Reims
Crécy-s-Serre
Sains
Liesse
Corbeny
Guignicourt
Bourgogne
Isles-s-Suippe
Jonchery-s-Vesle
Muizon
Fraillicourt
Sévigny
Dizy-le-Gros
Chivres-en-Laonnois
Montaigu
Amifontaine
Berry-au-Bac
Pontavert
Beaurieux
Cormicy
Hermonville
Fère-en-Tardenois
St Quentin Sud-Laon: ouverture prévue été 1987
Camp militaire
Mont Fendu
Forêt de Samoussy
Forêt du Regnaval
Forêt de Marfontaine
Bois du Val St Pierre
Haye d'Aubenton
Forêt d'Estrémont
Forêt de Vauclair
Chemin des Dames
Cote 108
N 2
N 44
N 31
N 51
N 43
A 26
38
10
19
26
25

21
Revin
Rocroi
Monthermé
Château-Regnault
Bogny-s-Meuse
Nouzonville
Renwez
Rimogne
Maubert-Fontaine
Charleville-Mézières
Villers-Semeuse
Sedan
Flize
Donchery
Vrigne-aux-Bois
Signy-l'Abbaye
Poix-Terron
Omont
Novion-Porcien
Raucourt-et-Flaba
Chémery-s-Bar
Le Chesne
Tourteron
Rethel
Attigny
Vouziers
Buzancy
Grandpré
Machault
Juniville
Monthois
Forêt de Signy
Forêt d'Elan
Forêt de la Croix-aux-Bois
Forêt de Sedan

Paliseul
Bouillon
Sedan
Bertrix
Neufchâteau
Florenville
Carignan
Mouzon
Raucourt-et-Flaba
Stenay
Montmédy
Virton
Longuyon
Buzancy
Dun-s-Meuse
Damvillers
Spincourt
Montfaucon
Varennes-en-Argonne
Habay-la-Neuve
Etalle
Tintigny
Jamoigne
Chiny
Herbeumont
Léglise
Abbe d'Orval
Forêt de Sedan
Forêt de Chiny
Forêt de Rulles
Forêt de Neufchâteau
Forêt d'Orval
Forêt de Dieulet
Forêt de Wœvre
Forêt de Verdun
Forêt de Montfaucon
Meuse
Chiers
Semois

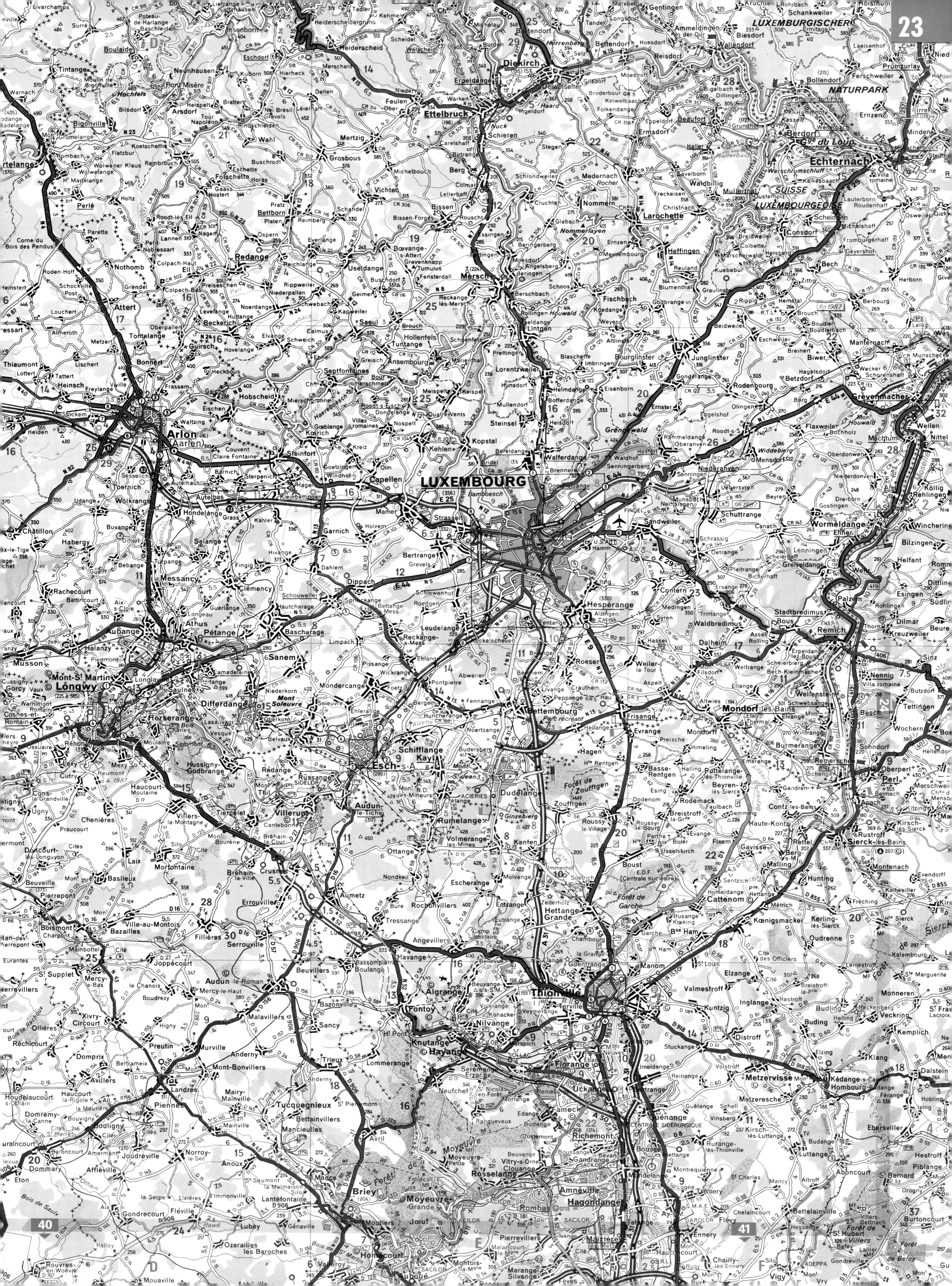

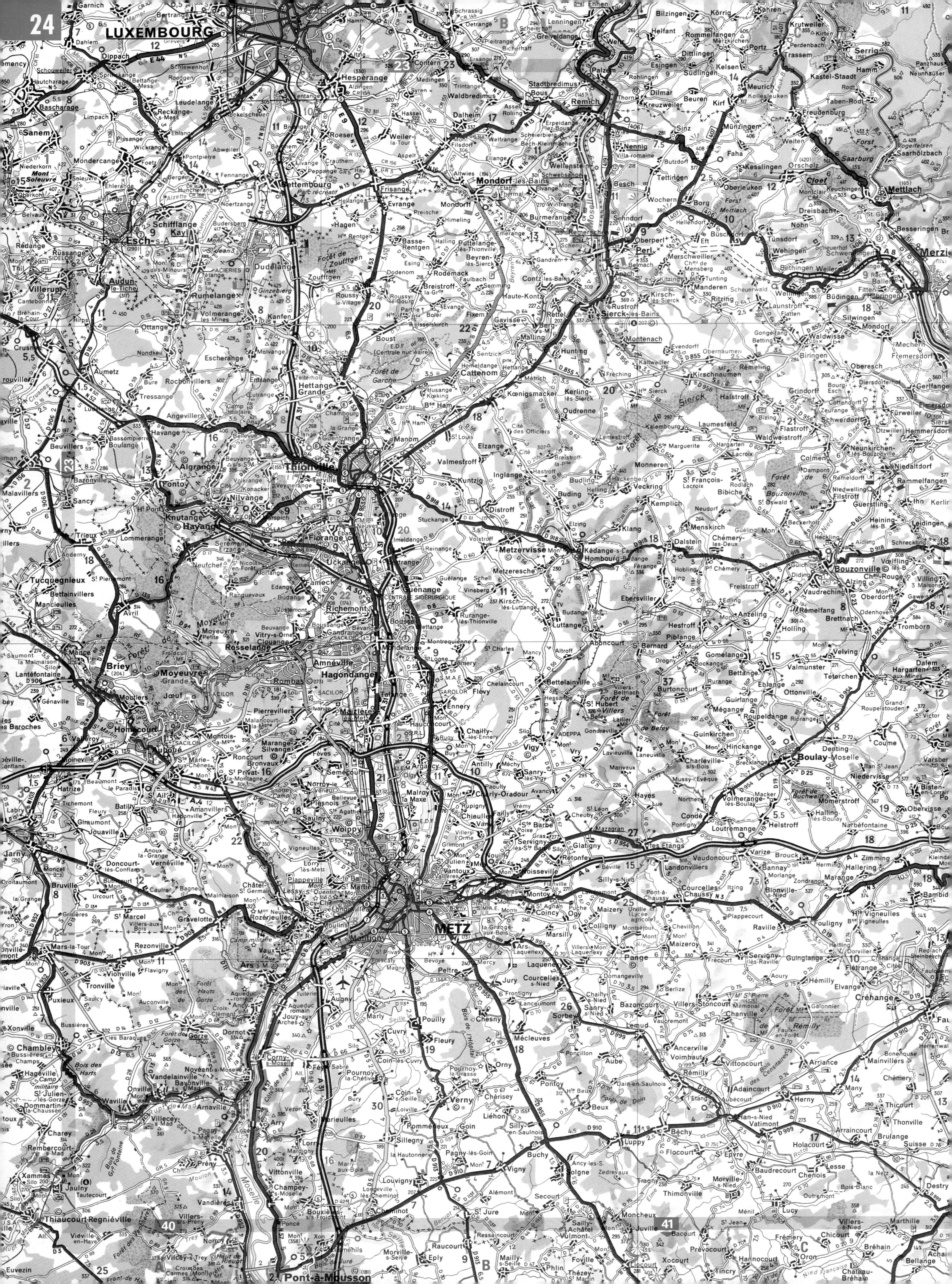

LUXEMBOURG
Hesperange
Bettembourg
Mondorf-les-Bains
Remich
Stadtbredimus
Schengen
Perl
Mettlach
Saarburg
Merzig
Esch-s-A.
Dudelange
Rumelange
Kayl
Schifflange
Bascharage
Sanem
Villerupt
Audun-le-Tiche
Aumetz
Thionville
Hayange
Fontoy
Algrange
Knutange
Nilvange
Florange
Uckange
Fameck
Richemont
Guénange
Yutz
Cattenom
Sierck-les-Bains
Kédange-s-Canner
Metzervisse
Bouzonville
Boulay-Moselle
Briey
Moyeuvre-Grande
Rosselange
Hagondange
Amnéville
Rombas
Maizières-lès-Metz
Homécourt
Auboué
Woippy
Vigy
METZ
Montigny
Ars-s-M.
Gravelotte
Gorze
Pange
Courcelles-Chaussy
Verny
Rémilly
Chambley
Mars-la-Tour
Jarny
Thiaucourt-Regniéville
Pont-à-Mousson
Les Étangs
Forêt de Remilly
Forêt de Sierck
Forêt de Zoufftgen
Forêt de Garche
Camp militaire
Mont St-Quentin
Moselle

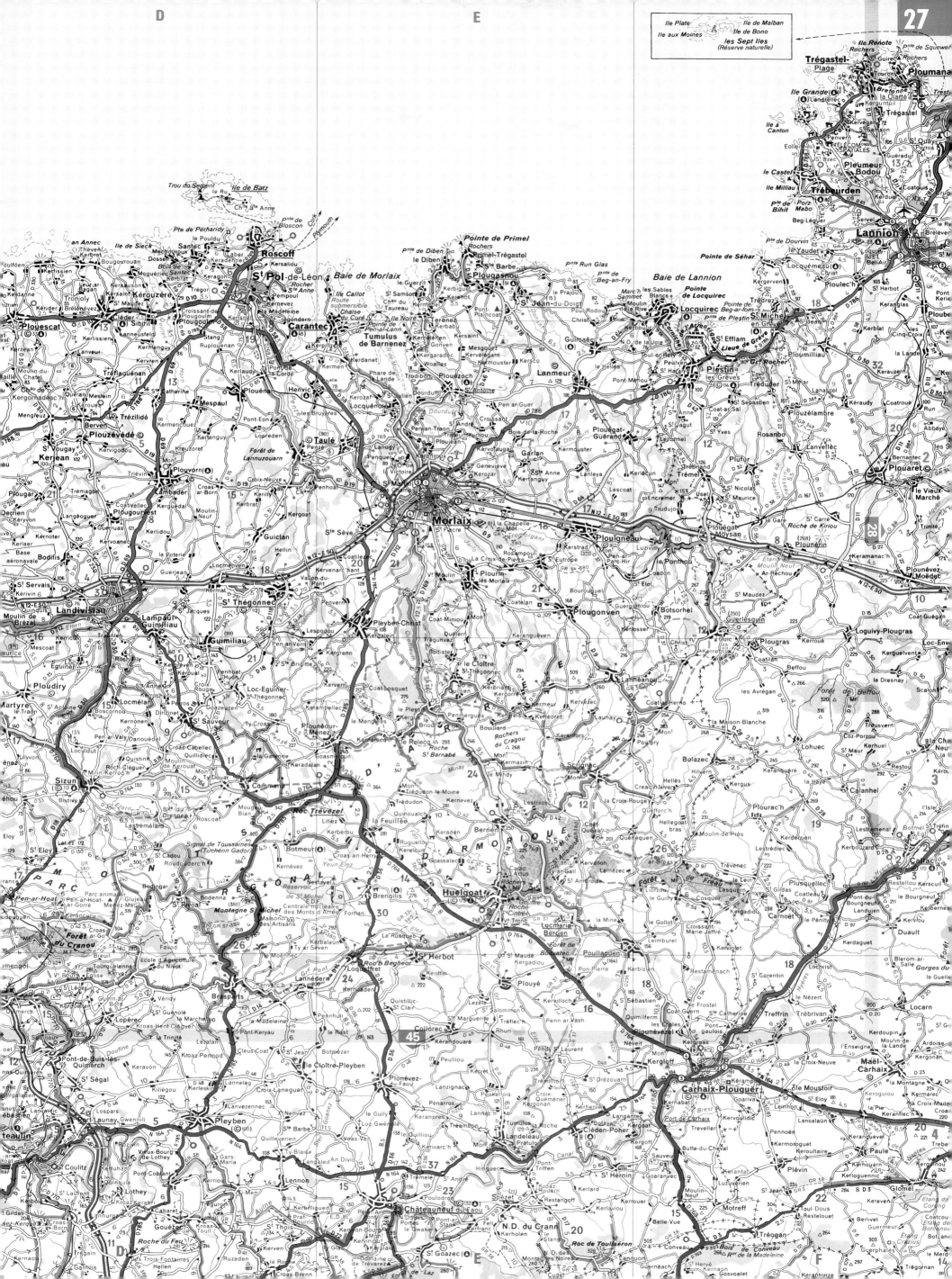

A
B
C
PERROS-GUIREC
Ploumanach
Trégastel
Port-Blanc
Trévou-Tréguignec
Penvénan
Louannec
Tréguier
Plougrescant
Pleubian
Lézardrieux
Paimpol
Ile de Bréhat
Pointe de l'Arcouest
Pointe du Château
Sillon de Talbert
Phare du Paon
Abb.e de Beauport
Plouézec
Pointe de Minard
Lannion
Ploubezre
Ch.au de Tonquédec
Tonquédec
Cavan
Prat
Bégard
Brélidy
la Roche-Derrien
la Roche-Jagu
Pontrieux
Quemper-Guézennec
Plouha
St Quay-Portrieux
Etables-s-Mer
Binic
Plouaret
Le Vieux-Marché
Tregrom
Pédernec
Plouisy
Guingamp
Ménez-Bré
Louargat
Belle-Isle-en-Terre
Plounévez-Moëdec
Lanvollon
Goudelin
Châtelaudren
Plouagat
Plélo
Pordic
St BRIEUC
Plérin
Trémuson
Ploufragan
Plaintel
Quintin
Forêt de Coat-an-Hay
Bois de Kerauffret
Bois d'Avaugour
Bourbriac
Bois Meur
Plésidy
Callac
Maël-Pestivien
Bulat-Pestivien
Forêt de Duault
Duault
Gorges du Corong
St Nicodème
Gorges de Toul Goulic
Kergrist-Moëlou
St Nicolas-du-Pélem
Corlay
Lanrivain
Rostrenen
Plouguernével
Gouarec
Gorges du Daoulas
Mur-de-Bretagne
Lac de Guerlédan
Uzel
Plouguenast
Ploeuc-s-Lié
Forêt de Lorge
L'Hermitage-Lorge
Carhaix
Glomel
Mellionnec
Plélauff
Laniscat
St Gelven
Caurel
St Mayeux
Plussulien
Merléac
Allineuc
Le Bodéo
Plounévez-Quintin
Maël-Carhaix
27
46
47

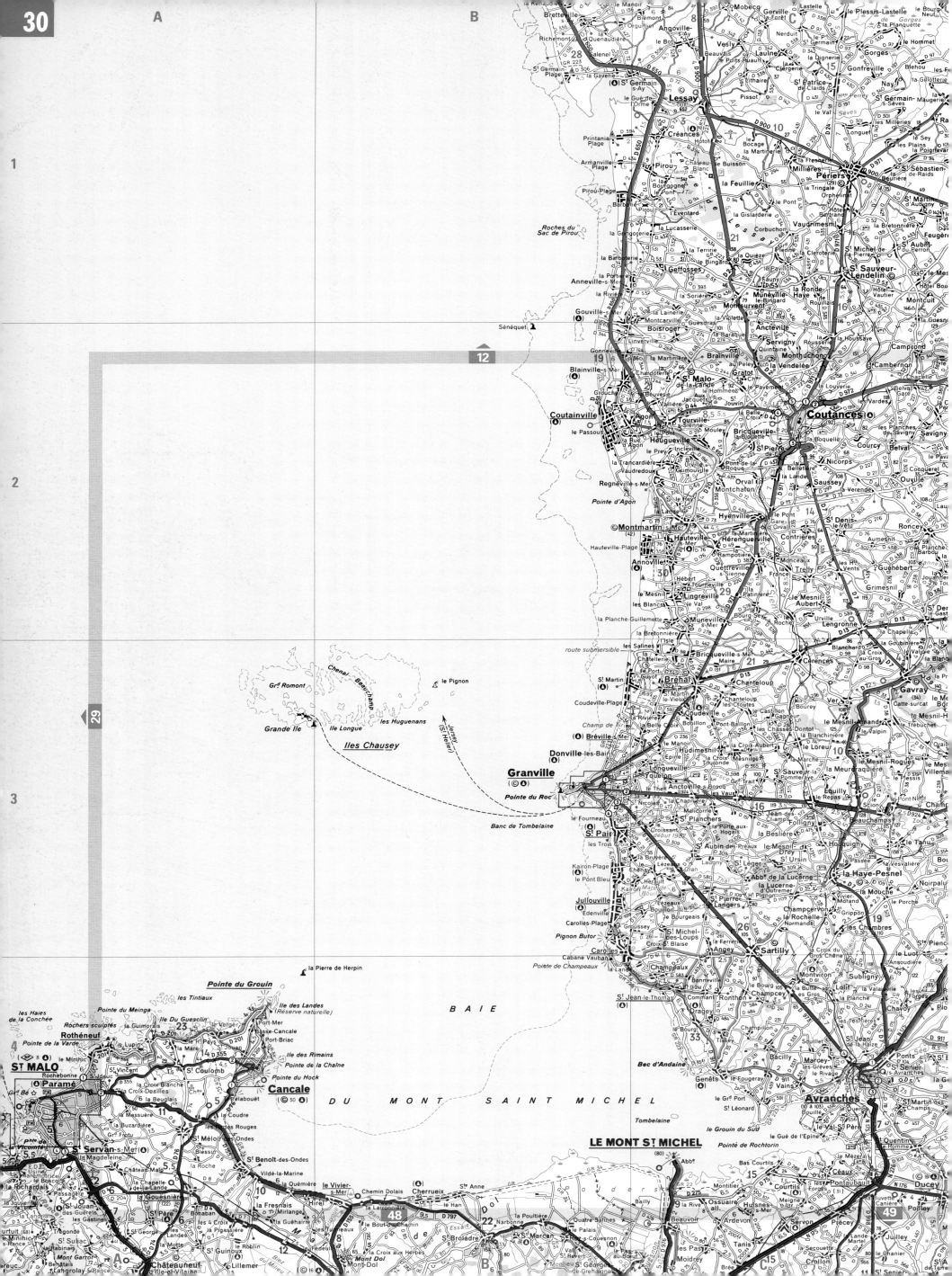

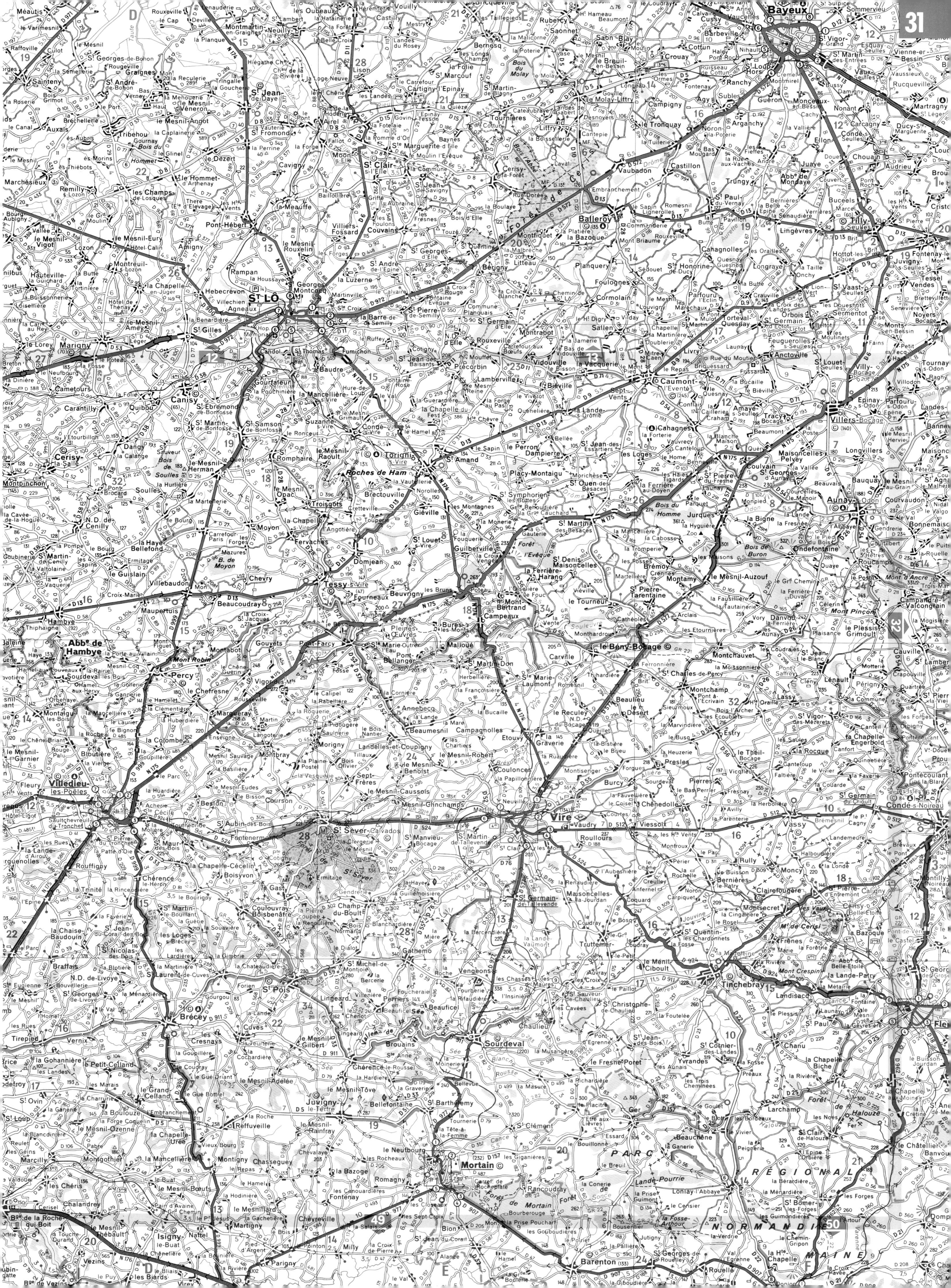
Bayeux
St Lô
Marigny
Canisy
Cerisy-la-Salle
Percy
Villedieu-les-Poêles
Balleroy
Caumont-l'Éventé
Villers-Bocage
Aunay-s-Odon
Tilly-s-Seulles
Torigni-s-Vire
Tessy-s-Vire
St Amand
Le Bény-Bocage
Vire
St Sever-Calvados
Brécey
St Pois
Sourdeval
Mortain
Juvigny-le-Tertre
Isigny-le-Buat
Tinchebray
Condé-s-Noireau
Vassy
Forêt de Cerisy
Forêt de St Sever
Forêt de Mortain
Parc Régional Normandie Maine
Abbe de Hambye
Roches de Ham
Mont Pinçon
Barenton
Flers

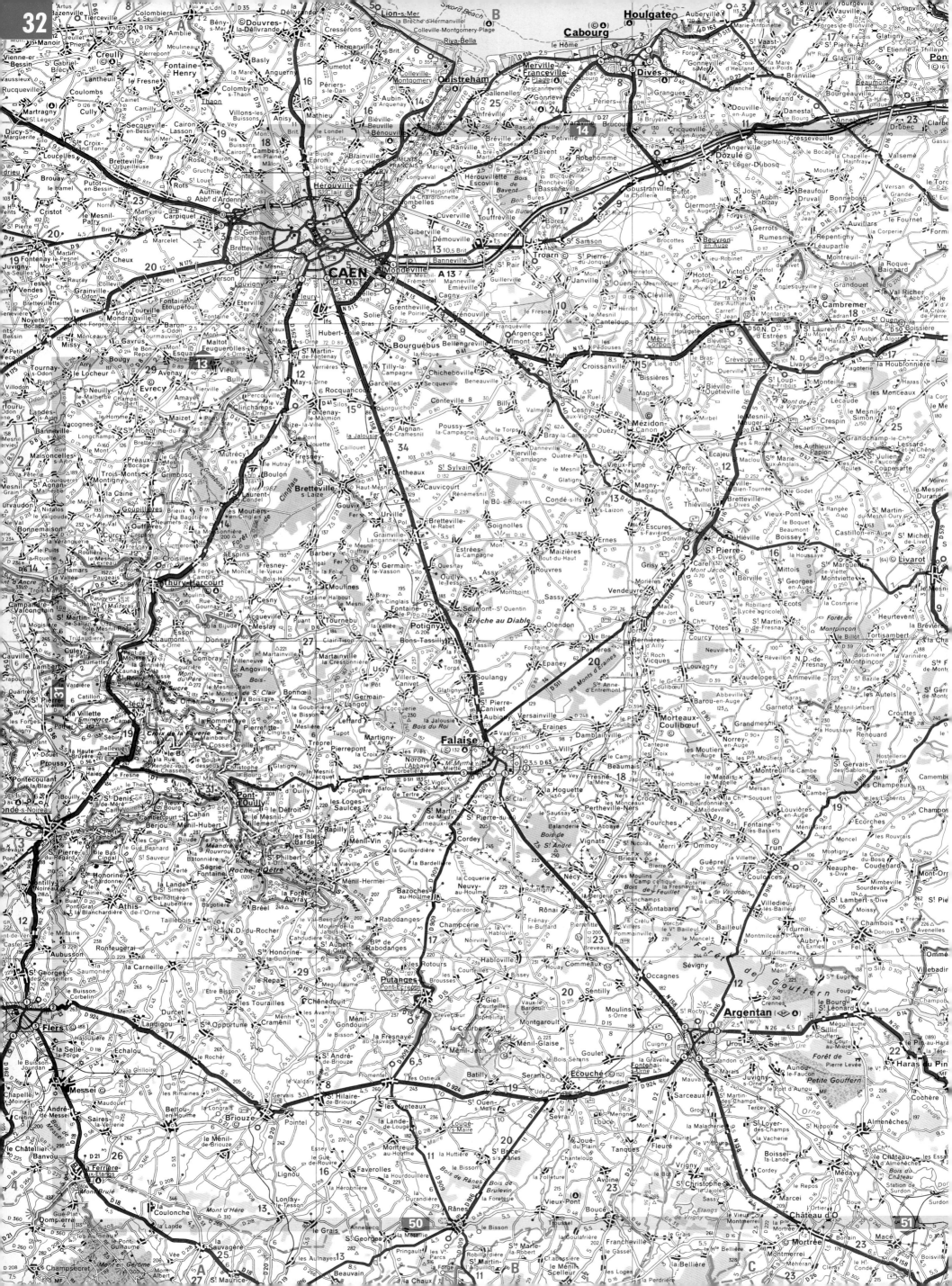

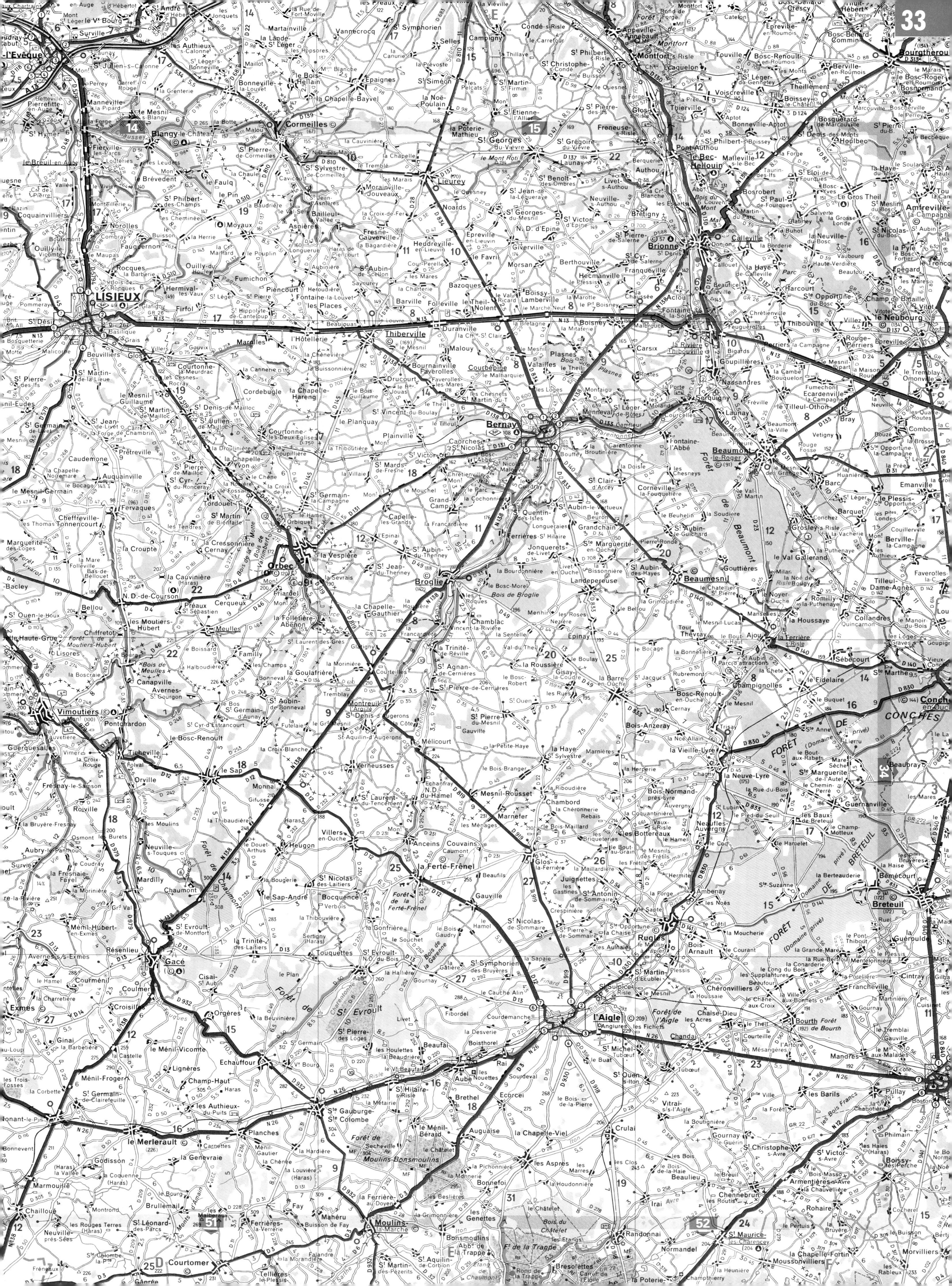
Lisieux
Bernay
Brionne
Le Neubourg
Beaumont-le-Roger
Conches-en-Ouche
Orbec
Broglie
Thiberville
Cormeilles
Lieurey
Montfort-s-Risle
Bourgtheroulde
Vimoutiers
Gacé
l'Aigle
Rugles
Breteuil
Le Merlerault
Moulins-la-Marche
Courtomer
Le Bec-Hellouin
St Georges-du-Vièvre
Blangy-le-Château
Beaumesnil
La Ferté-Frênel
Forêt de Conches
Forêt de Breteuil
Forêt de St Evroult
Forêt de Beaumont
Fôt de la Trappe
14
15
34
51
52

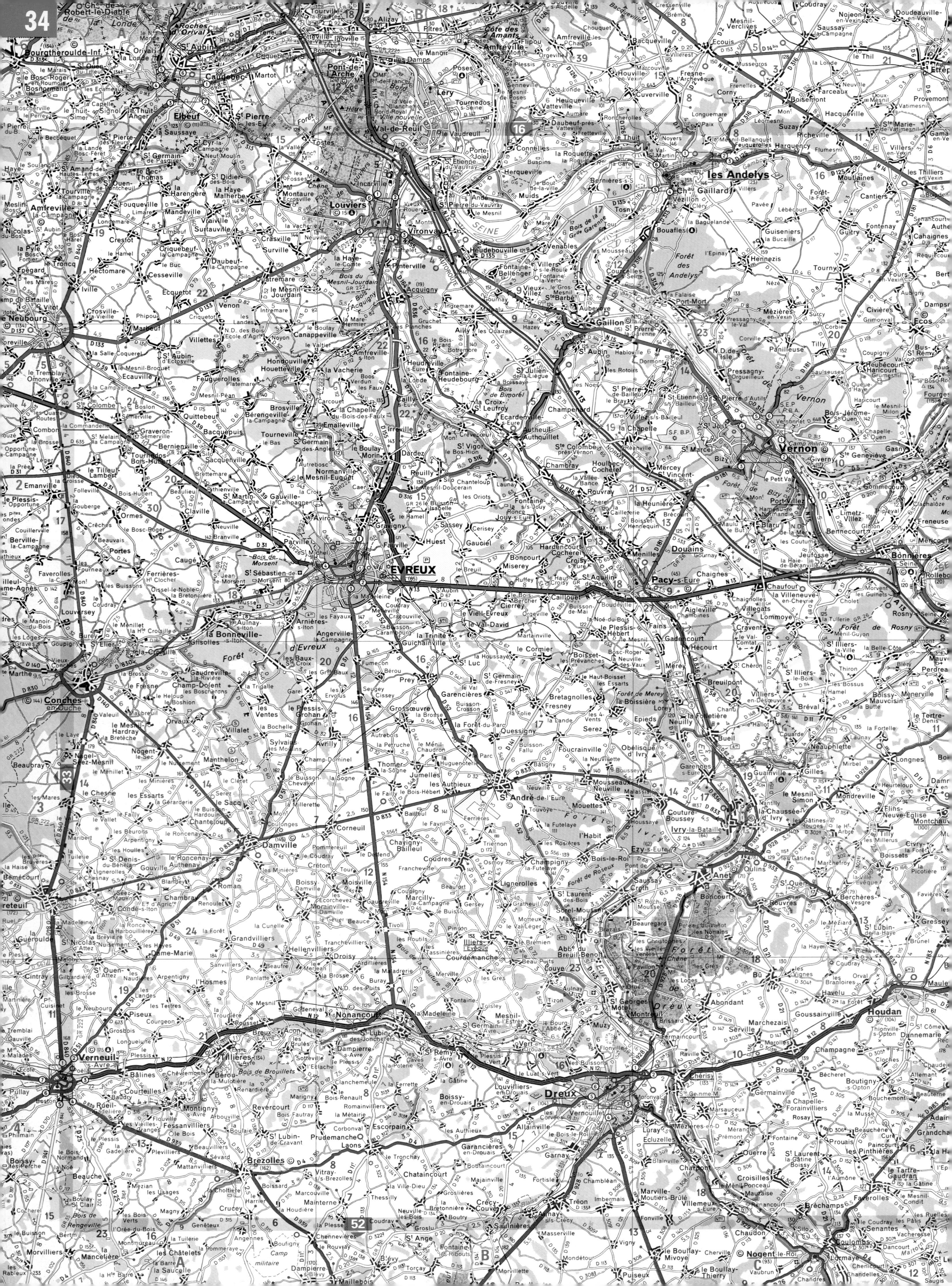
Bourgtheroulde-Inf.
Elbeuf
Pont-de-l'Arche
Val-de-Reuil
Louviers
Les Andelys
Gaillon
Le Neubourg
Vernon
EVREUX
Pacy-s-Eure
Conches-en-Ouche
Bonnières
Damville
St André-de-l'Eure
Ivry-la-Bataille
Anet
Verneuil-s-Avre
Nonancourt
Dreux
Houdan
Brezolles
Nogent-le-Roi
Forêt d'Evreux
Forêt de Dreux
Forêt de Vernon
Forêt des Andelys
SEINE
16
33
52

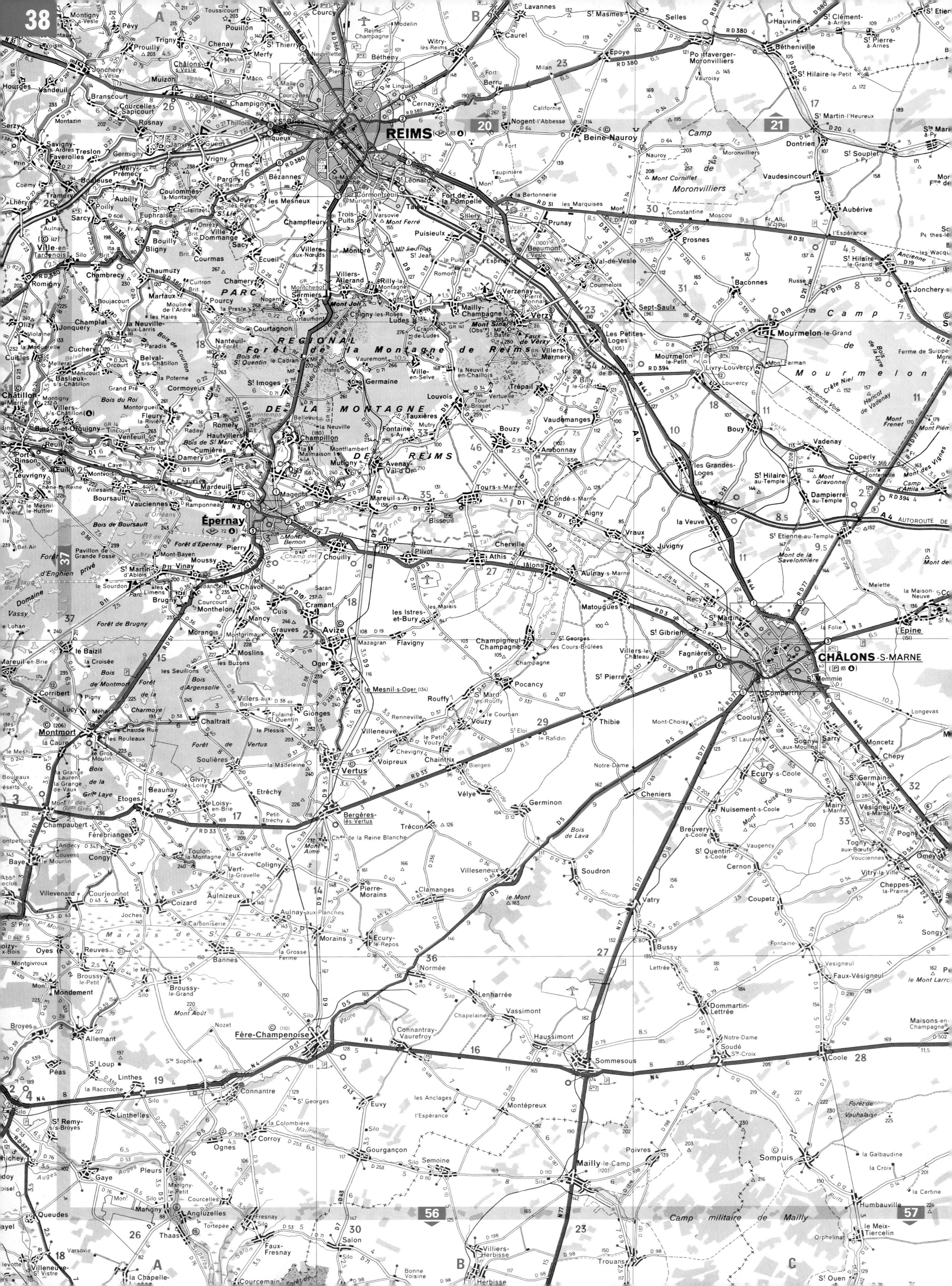

REIMS

Épernay

CHÂLONS-S-MARNE

PARC RÉGIONAL Forêt de la Montagne de Reims
DE LA MONTAGNE DE REIMS

Camp de Mourmelon

Camp militaire de Mailly

Mourmelon-le-Grand

Vertus

Fère-Champenoise

Montmort

Marais de St Gond

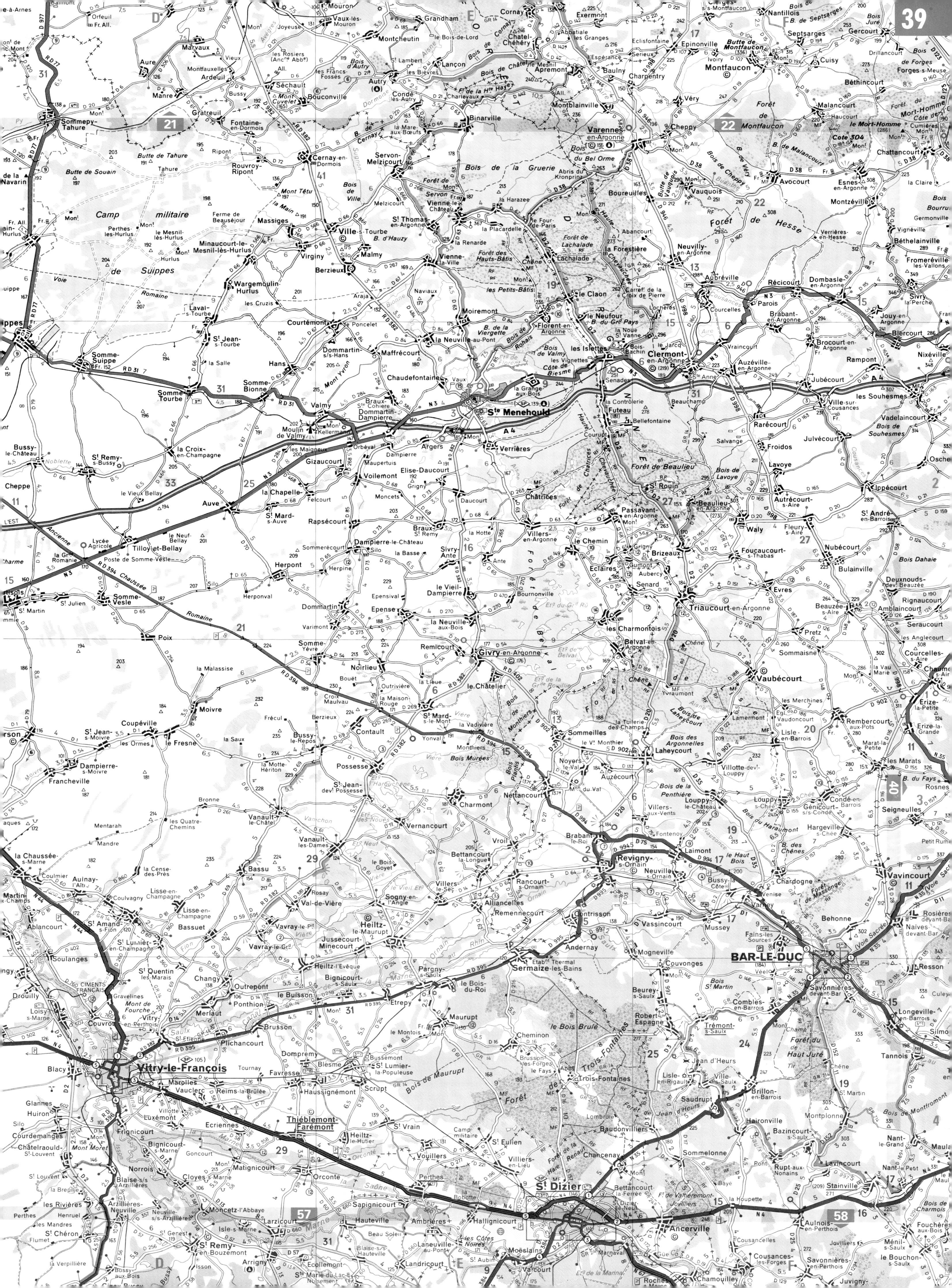

BAR-LE-DUC

Vitry-le-François

St Dizier

Ste Menehould

Clermont-en-Argonne

Varennes-en-Argonne

Montfaucon

Revigny-sur-Ornain

Somme-Suippe

Sommepy-Tahure

21
22
40
57
58

VERDUN
Etain
St Mihiel
Commercy
Ligny-en-Barrois
Void
Vaucouleurs
TOUL
Briey
Homécourt
Conflans-en-Jarnisy
Jarny
Thiaucourt-Regniéville
Vigneulles-lès-Hattonchâtel
Hattonchâtel
Fresnes-en-Woëvre
Dieue
Souilly
Pierrefitte-s-Aire
Foug
Gondrecourt
Spincourt
PARC RÉGIONAL DE LORRAINE
Forêt de la Reine
Forêt de Commercy
Forêt de Sommedieue
Forêt de Souilly
Forêt de la Montagne
Forêt des Kœurs
Forêt de Vaucouleurs
AUTOROUTE DE L'EST
A4
N3
N4
22
23
24
25
39
58
59

SAARBRÜCKEN
Forbach
Stiring-Wendel
Grossrosseln
Freyming-Merlebach
Sarreguemines
Kleinblittersdorf
Grosbliederstroff
Bliesmengen-Bolchen
Gersheim
Mandelbachtal
Volmunster
Bitche
Rohrbach-lès-Bitche
Puttelange-aux-Lacs
Sarralbe
Sarre-Union
Drulingen
la Petite-Pierre
Fénétrange
Mittersheim
Dieuze
Sarrebourg
Phalsbourg
Lutzelbourg
Saverne
Marmoutier
Dabo
Abreschviller
Wangenbourg
Oberhaslach
Niederhaslach
Cirey-s-Vezouze
Blâmont
Réchicourt-le-Château
Parc Régional de Lorraine
Forêt de Fénétrange
Forêt d'Abreschviller
Forêt de Réchicourt
Forêt de Puttelange
Forêt de Mouterhouse
Forêt de Sarrebourg
Forêt d'Oedenwald
Forêt d'Engenthal
Ch. et Cascade du Nideck
Rocher de Dabo
Pierre des 12 Apôtres
60
61
25
41

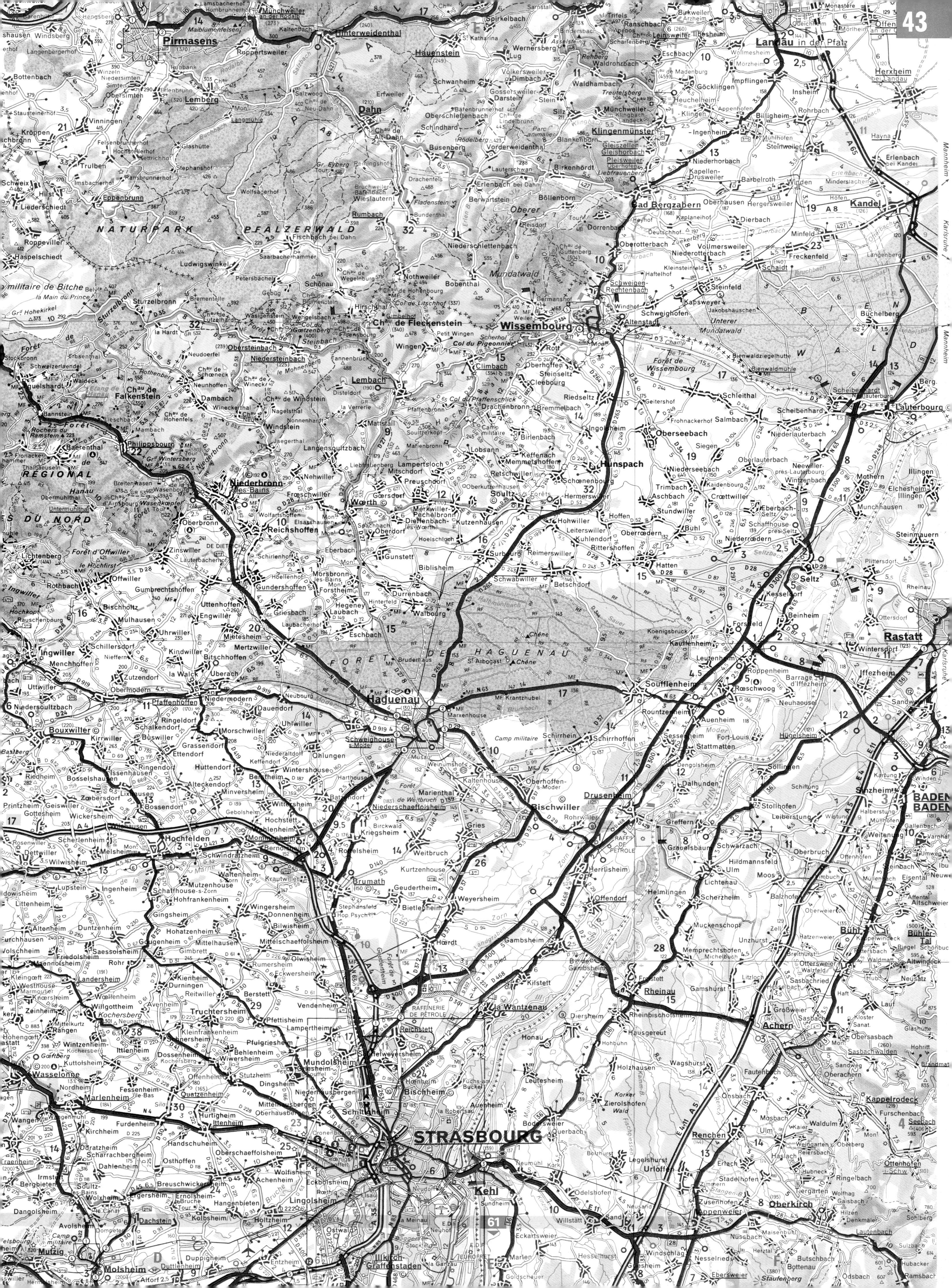

Pirmasens

Landau in der Pfalz

Kandel

NATURPARK PFÄLZERWALD

Dahn

Bad Bergzabern

Wissembourg

Lauterbourg

Lembach

Niederbronn-les-Bains

Reichshoffen

Woerth

Soultz

Hunspach

Seltz

Rastatt

FORÊT DE HAGUENAU

Haguenau

Soufflenheim

Iffezheim

Bischwiller

Drusenheim

BADEN-BADEN

Bühl

Achern

Ingwiller

Bouxwiller

Pfaffenhoffen

Hochfelden

Brumath

Oberkirch

Truchtersheim

Molsheim

Mutzig

STRASBOURG

Kehl

Lingolsheim

Illkirch-Graffenstaden

Wasselonne

Châteaulin • Pleyben • Carhaix-Plouguer • Cléden-Poher • Landeleau

Châteauneuf du Faou • N.D. du Crann • Spézet • Gourin • Le Saint

Briec • Landrévarzec • Quilinen (calvaire) • Landudal • Langolen • Coray

MONTAGNES NOIRES

Trégourez • Leuhan • Guiscriff • Le Faouët • St Fiacre

Scaer • Quatre Vents • St Thurien • Querrien • Roches du Diable

Tourch • Elliant • Rosporden • Bannalec • Mellac • Arzano

Ergué-Gabéric • St Yvi • Kernével • Quimperlé • Pont-Scorff

Bénodet • Fouesnant • la Forêt-Fouesnant • Concarneau • Beg-Meil

Pont-Aven • Riec-s-Bélon • Névez • Moëlan-s-Mer • Clohars-Carnoët • Guidel

Pointe de Mousterlin • Pnte de Trévignon • Raguenès-Plage • le Pouldu • Guidel-Plages

Ile aux Moutons • Ile Verte • Fort Bloqué • Ploemeur • LORIENT

St Nicolas • Drenec • Cigogne • Loch • Glénan — Iles de Glénan

Larmor-Plage • Passe de l'Ouest • les Errants • Basse des Bretons

Pointe de Biléric • Pen Men • Port Melin • Port-Tudy • GROIX

ILE DE GROIX

Port St Nicolas • Trou de l'Enfer • Pointe des Chats • Plage des Grands Sables

Carhaix-Plouguer
Maël-Carhaix
Corlay
Rostrenen
Plouguernével
Gouarec
Mur-de-Bretagne
Gourin
Plouray
Guémené-s-Scorff
Locmalo
Cléguérec
Pontivy
Le Faouët
Kernascléden
Pont-Calleck
Quimperlé
Plouay
Bubry
Melrand
Baud
Hennebont
Lorient
Lanester
Ploemeur
Port-Louis
Larmor-Plage
Pont-Scorff
Caudan
Landévant
Pluvigner
Auray
Belz
Etel
Erdeven
Ste Anne-d'Auray
Groix
ILE DE GROIX
Camors
Quistinic
Languidic
Guidel
Le Pouldu
Forêt de Carnoët
Forêt de Quénécan
Lac de Guerlédan
Forêt de Lanvaux
Montagnes Noires
Roches du Diable
Pointe de Gâvres
Barre d'Etel

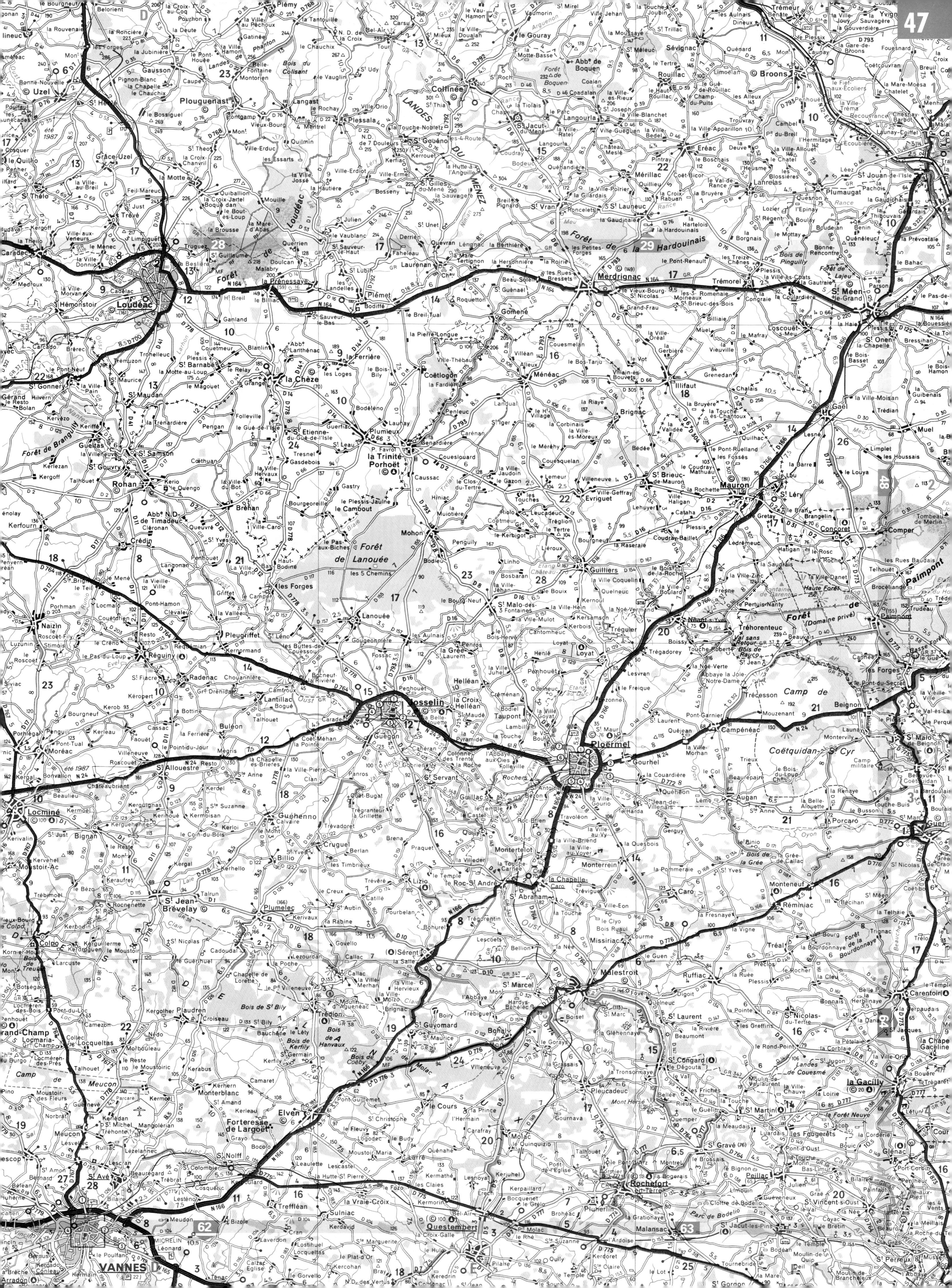

47
Loudéac
Uzel
Plouguenast
Collinée
Merdrignac
Broons
St Méen-le-Grand
Rohan
la Chèze
la Trinité-Porhoët
Mauron
Gaël
Ménéac
Josselin
Ploërmel
Locminé
Réguiny
St Jean-Brévelay
Plumelec
Guéhenno
Malestroit
Sérent
Elven
Vannes
Questembert
Rochefort-en-Terre
Carentoir
la Gacilly
Paimpont
Forêt de Paimpont
Forêt de Lanouée
Forêt de Loudéac
Forêt de la Hardouinais
Landes du Mené
Landes de Lanvaux
Camp de Coëtquidan-St Cyr
Forteresse de Largoët
28
29
48
62
63
64

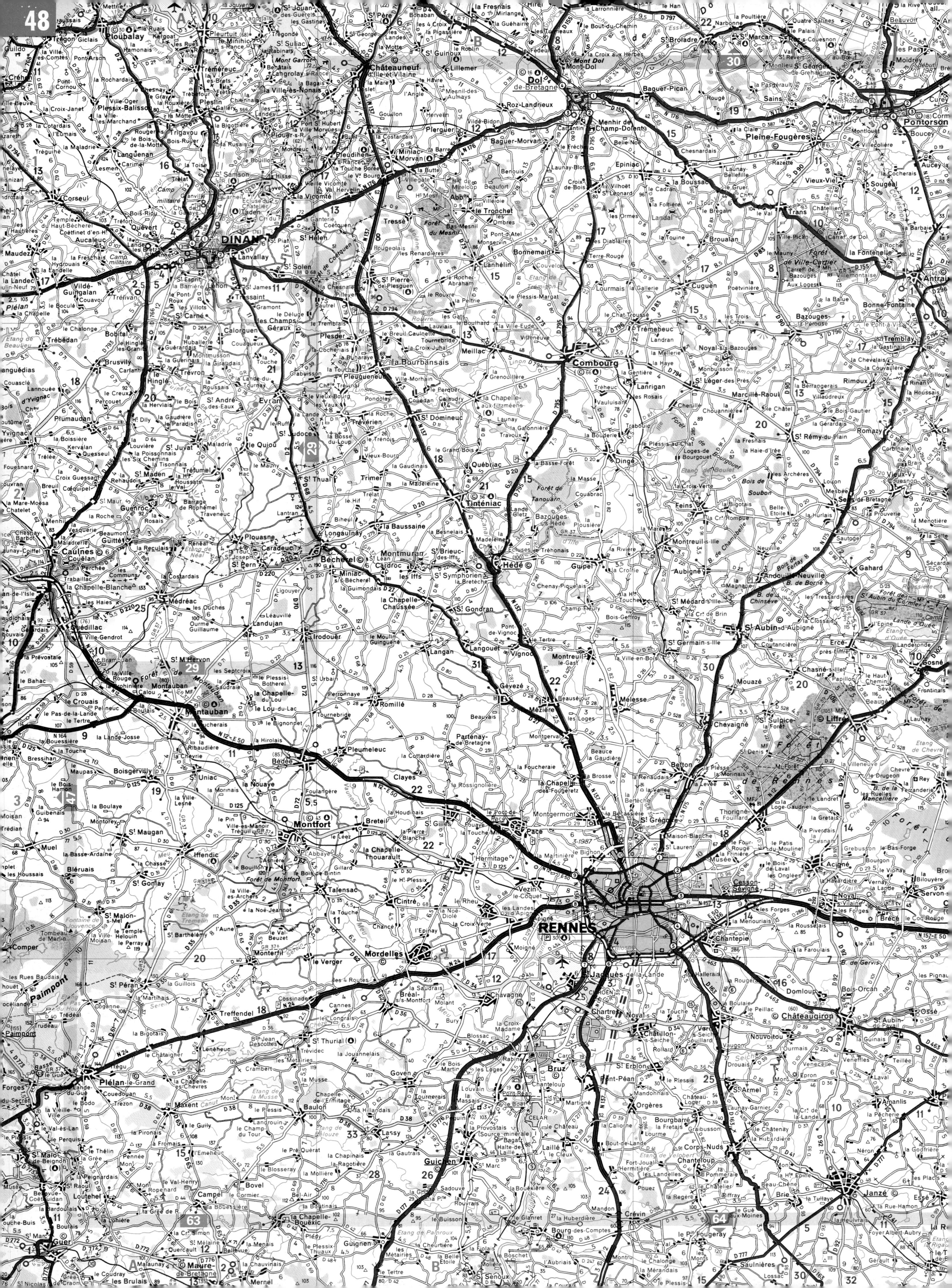
Ploubalay
Pleurtuit
St Suliac
Châteauneuf d'Ille-et-Vilaine
Dol de-Bretagne
Mont Dol
St Broladre
Pontorson
Pleine-Fougères
Corseul
DINAN
Lanvallay
Plesder
Pleugueneuc
Combourg
Tinténiac
Hédé
Bécherel
Caulnes
Montauban
Montfort
Bédée
Pleumeleuc
Breteil
L'Hermitage
Pacé
RENNES
St Grégoire
Cesson-Sévigné
Chantepie
Bruz
Chartres-de-Br.
Mordelles
Chavagne
Châteaugiron
Janzé
Plélan-le-Grand
Paimpont
Guer
Maure de-Bretagne
Guichen
Liffré
Acigné
Noyal-s-Vilaine
Vitré
Rimoux
Trans
Antrain
Evran
Mélesse
Betton
Chevaigné
St Aubin-d'Aubigné
Dingé
Feins
St Méen
Médréac
Irodouër
Romillé
Gévezé
Vezin-le-Coquet
St Jacques-de-la-Lande
Corps-Nuds
Crévin
Bourg-des-Comptes
Pléchâtel

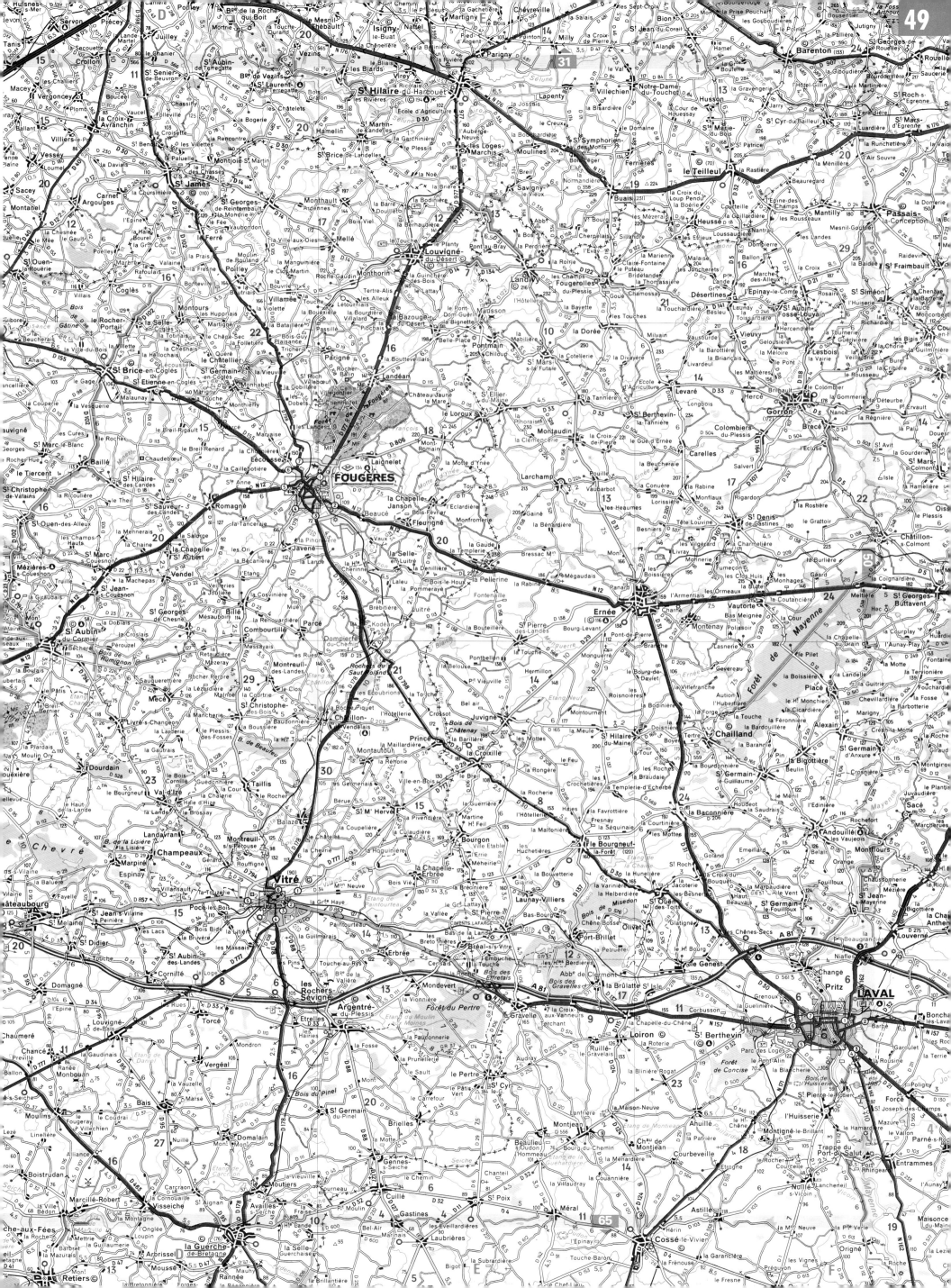

NORMANDIE
MAINE
FORÊT DES ANDAINES

Domfront

la Ferté-Macé

BAGNOLES-DE-L'ORNE

PARC RÉGIONAL

Pré-en-Pail

Carrouges

Lassay

Javron

Villaines-la-Juhel

St-Léonard-des-Bois

Ambrières-le-Grand

Mayenne

Oisseau

Bais

Évron

Montsûrs

Ste-Suzanne

Sillé-le-Guillaume

NORMANDIE-MAINE

PARC RÉGIONAL

Argentré

Forêt de la Grande Charnie

LAVAL

A 81

Sées
Alençon
Mortagne-au-Perche
Mamers
Bellême
la Ferté-Bernard
Le Mans
Bonnétable
Connerré
Bouloire
Ballon
Beaumont-s-Sarthe
Fresnay-s-Sarthe
Courtomer
le Mêle-s-Sarthe
Pervenchères
Moulins-la-Marche
Tourouvre
Nocé
le Theil
Tuffé
Montfort-le-Rotrou
Savigné-l'Évêque
Marolles-les-Braults
Forêt de Perseigne
Forêt de Bellême
Forêt du Perche
Forêt d'Écouves
Forêt de Vibraye
M A I N E
32
33
52
67

Rambouillet · FORÊT DE RAMBOUILLET · Limours · Maintenon · CHARTRES · Dourdan · Gallardon · Auneau · Ablis · Étampes · Angerville · Méréville · Voves · Janville · Toury · Outarville · Artenay · Orgères-en-Beauce · Patay · FORÊT D'ORLÉANS

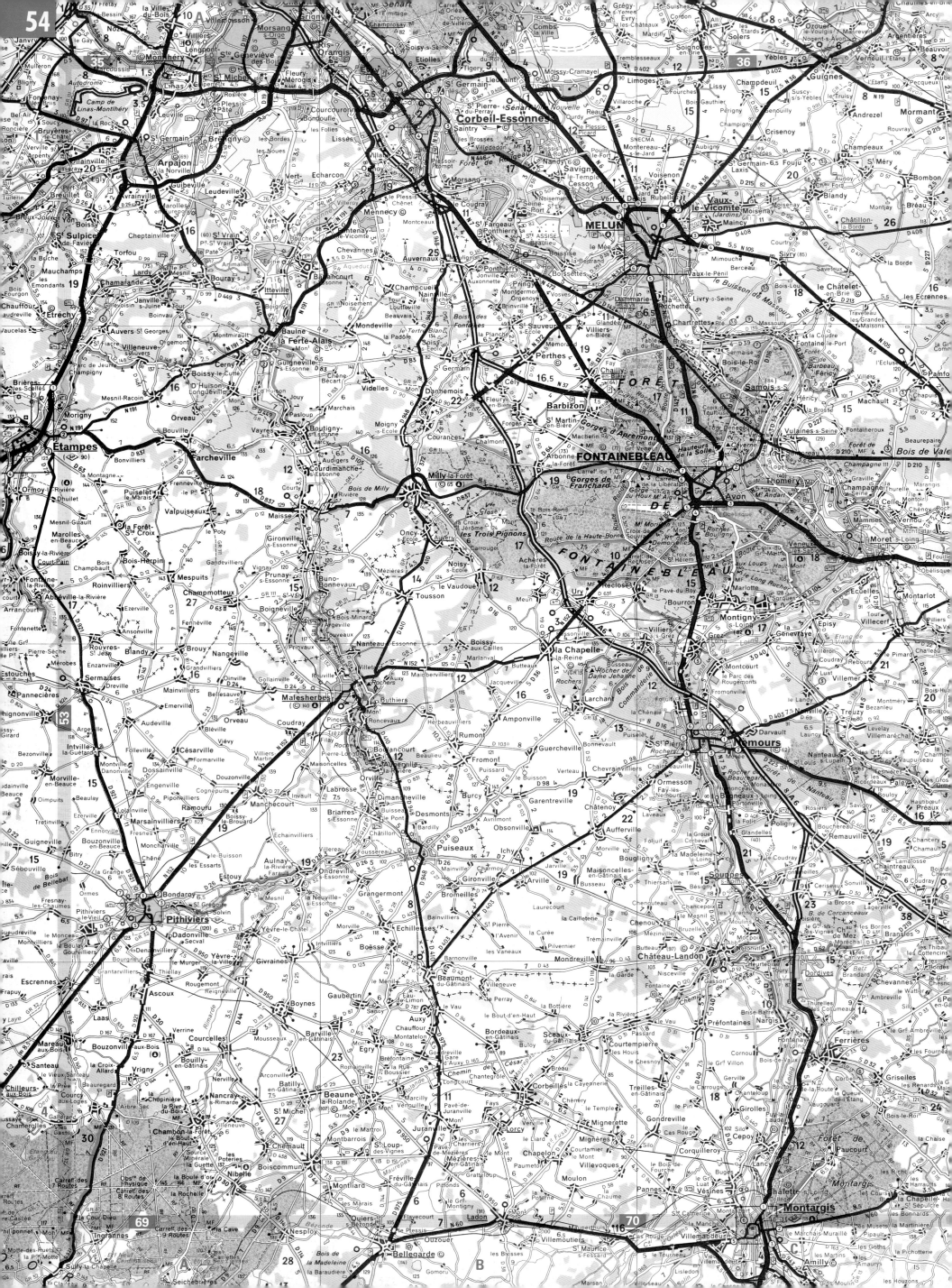

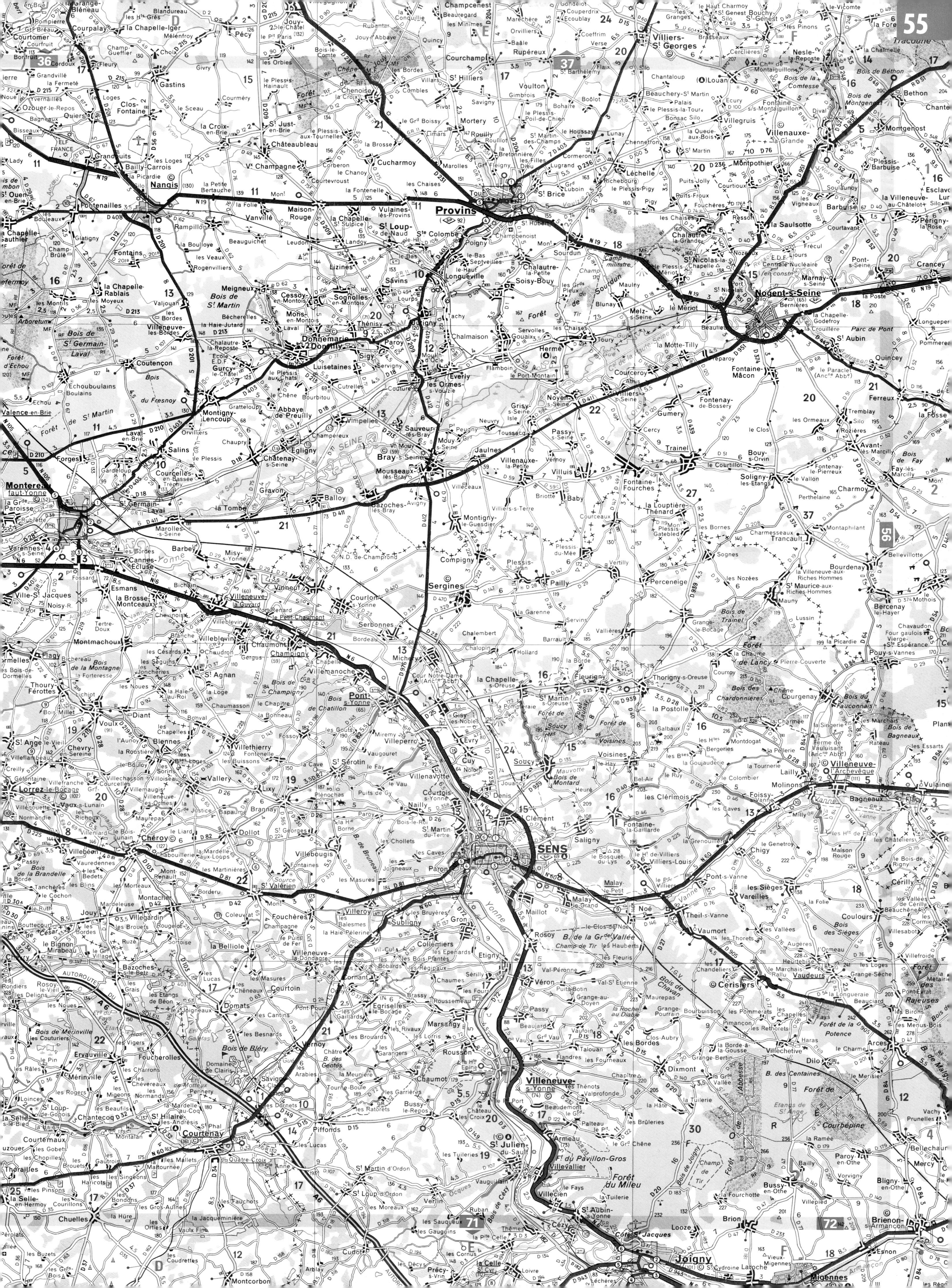

TROYES
Romilly-s-Seine
Méry-s-Seine
Arcis-s-Aube
Anglure
Estissac
Bouilly
Chaource
Ervy-le-Châtel
St Florentin
Aix-en-Othe
Marcilly-le-Hayer
Piney
Lusigny-s-Barse
Nogent-s-Aube
Ramerupt
Plancy-l'Abbaye
Villemaur-s-Vanne
Forêt d'Orient
Forêt de Rumilly
Forêt d'Aumont
Forêt de Cussangy
Forêt des Rajeuses
Bois de Bucey
Camp militaire de
St Savine
St André-les-Vergers
St Julien-les-Villas
Ste Maure
Pont-Ste Marie
Barberey-St Sulpice
La Chapelle-St Luc
Vulaines
Villeneuve-au-Chemin
Neuilly-Sauvour
Chessy-les-Prés
Soumaintrain

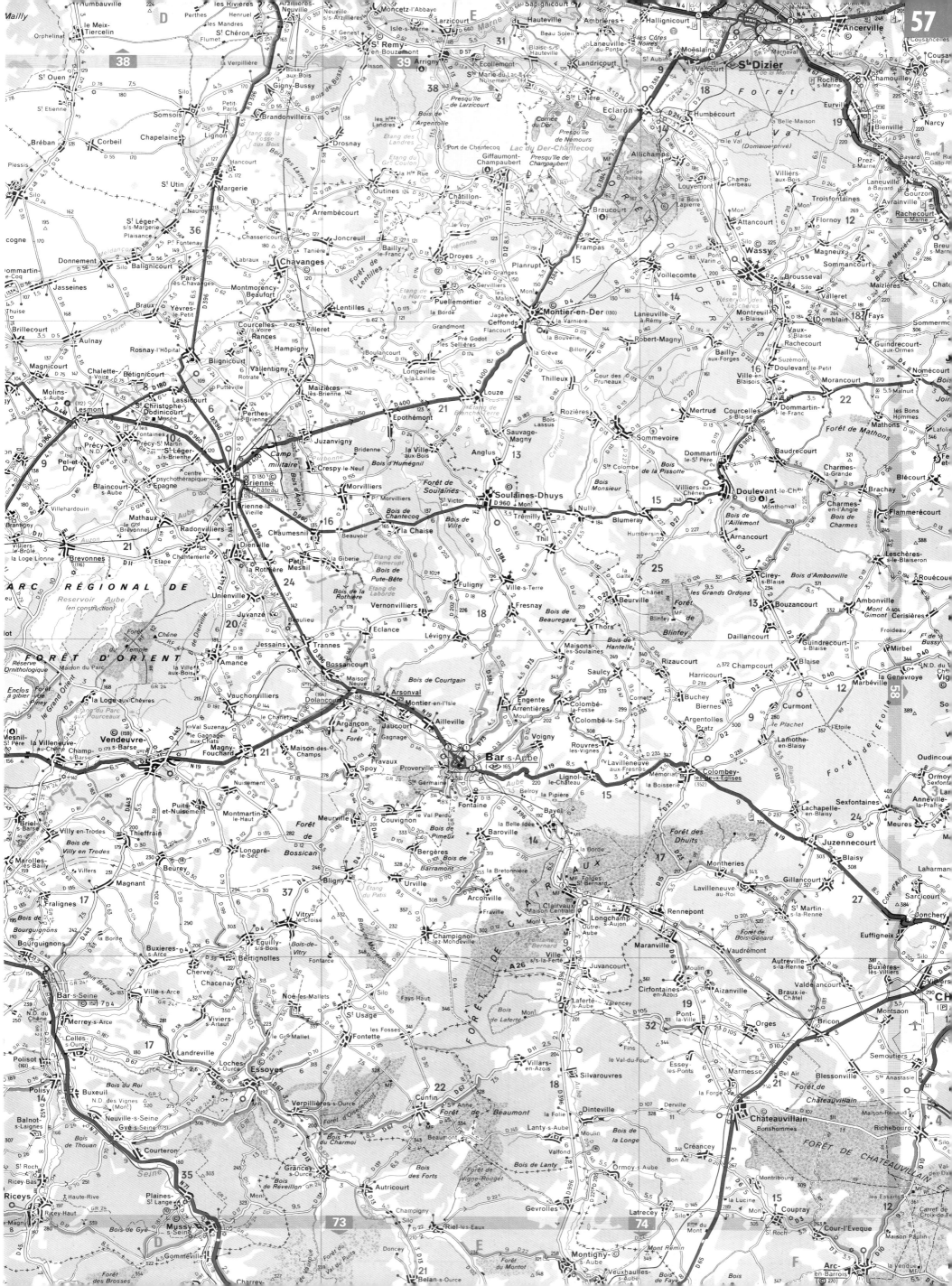

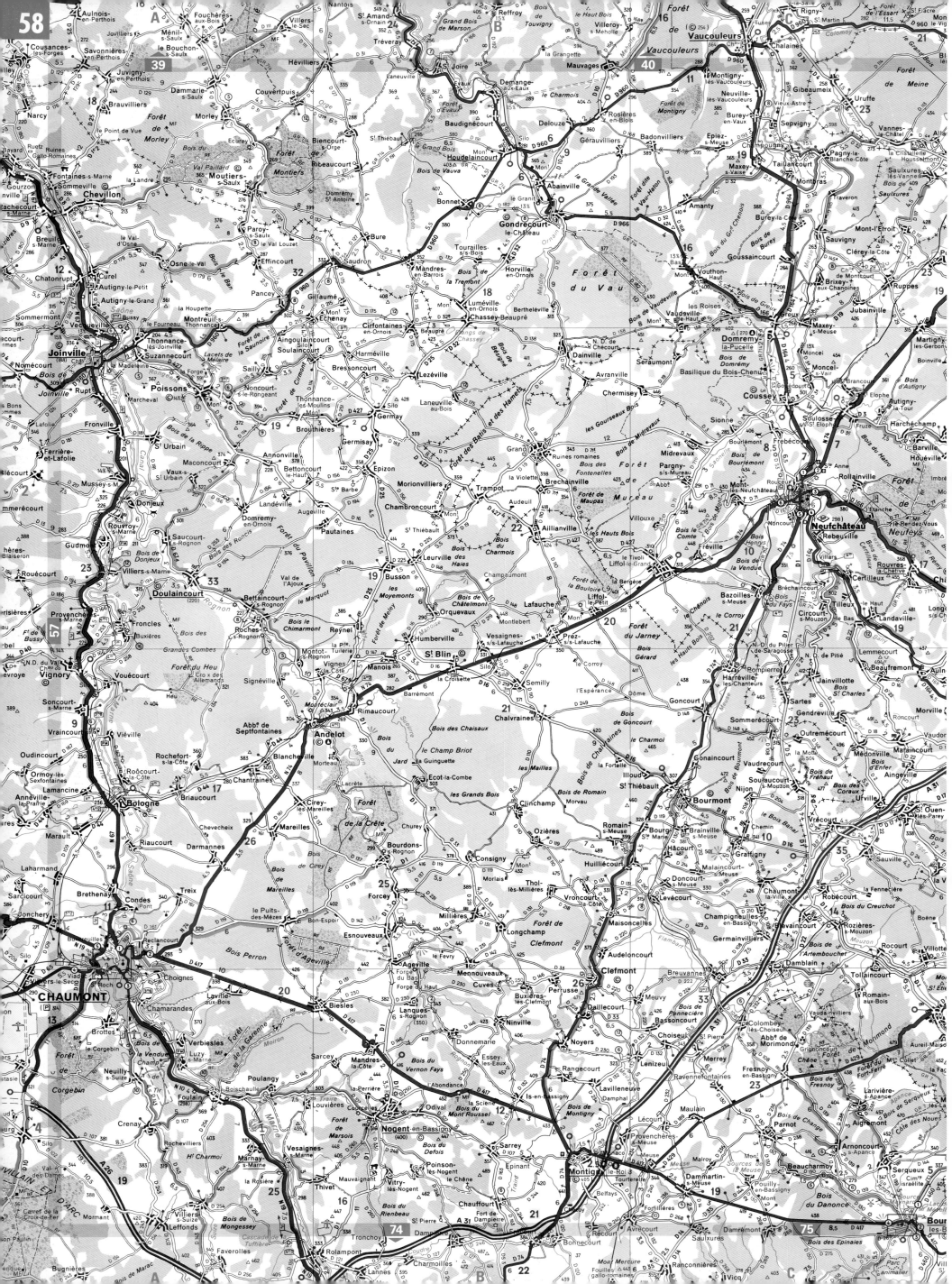

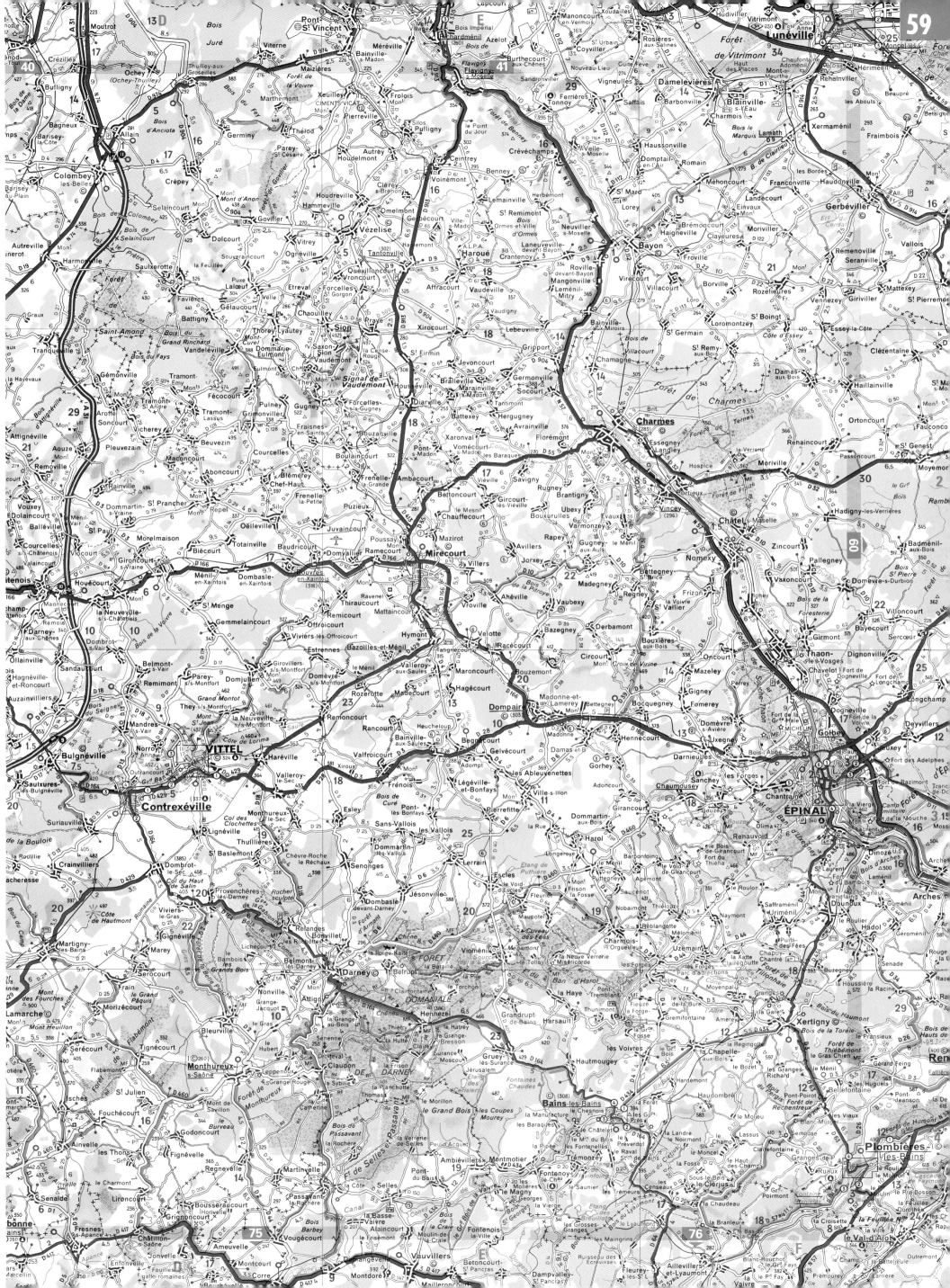

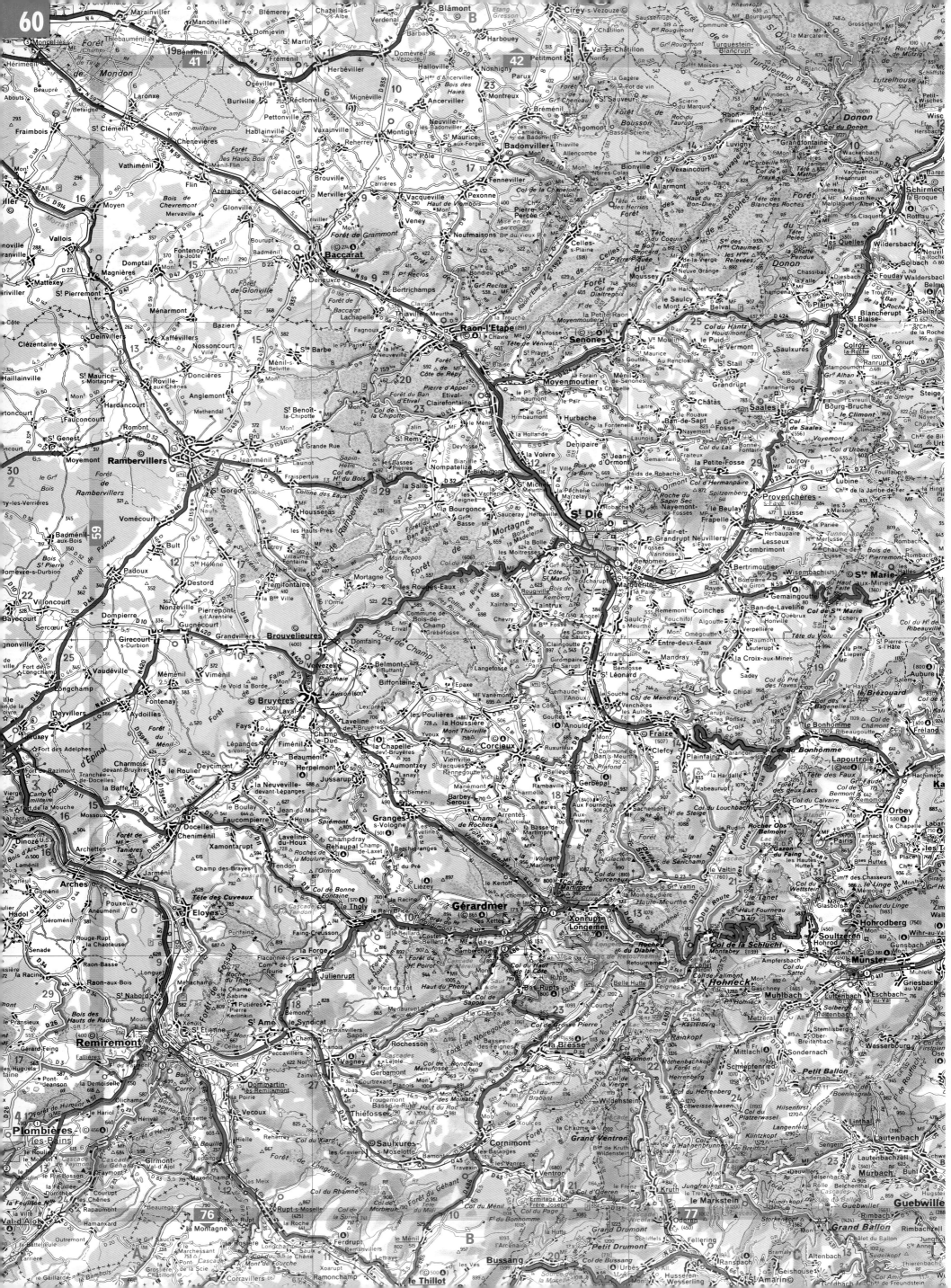

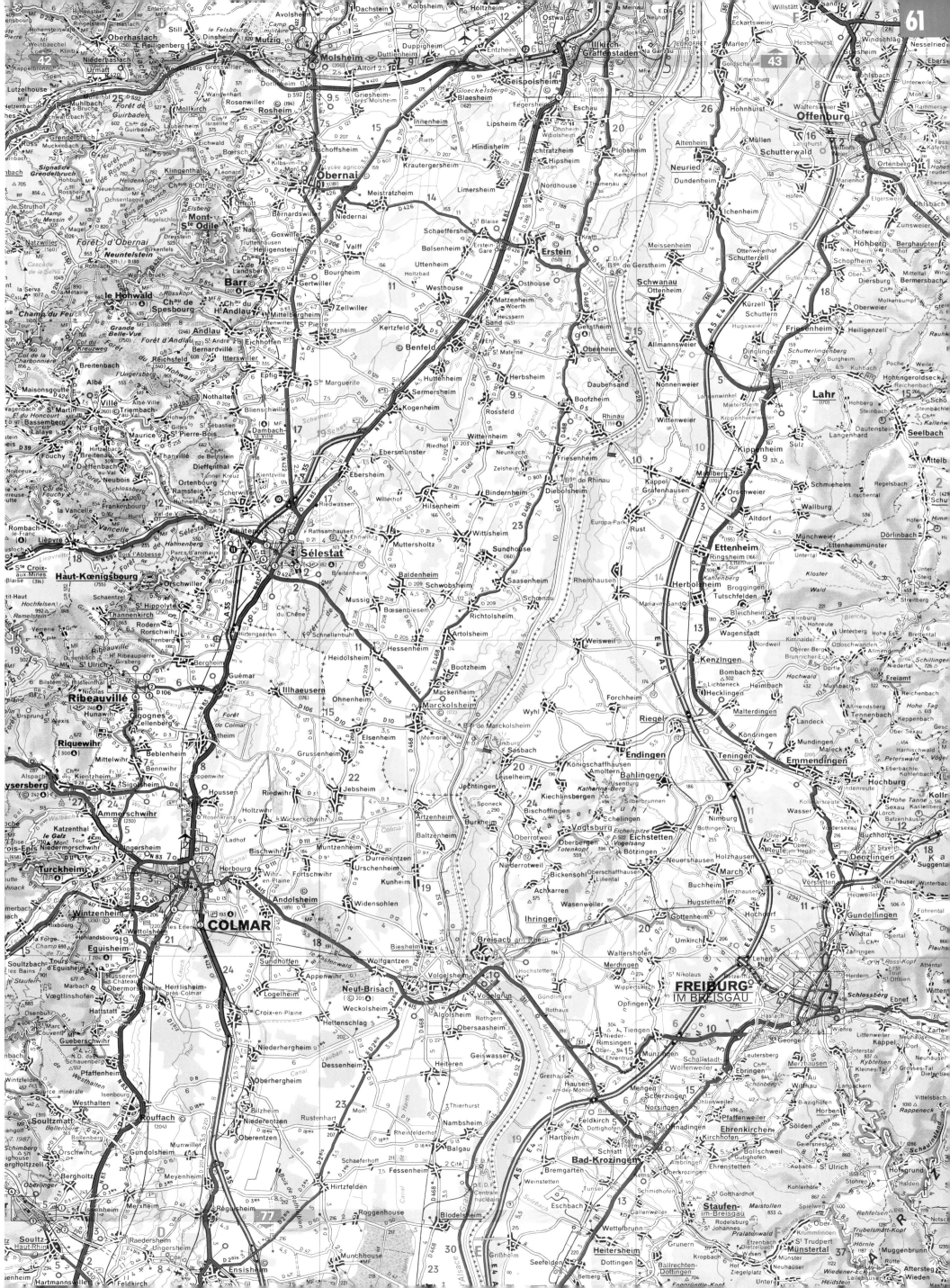

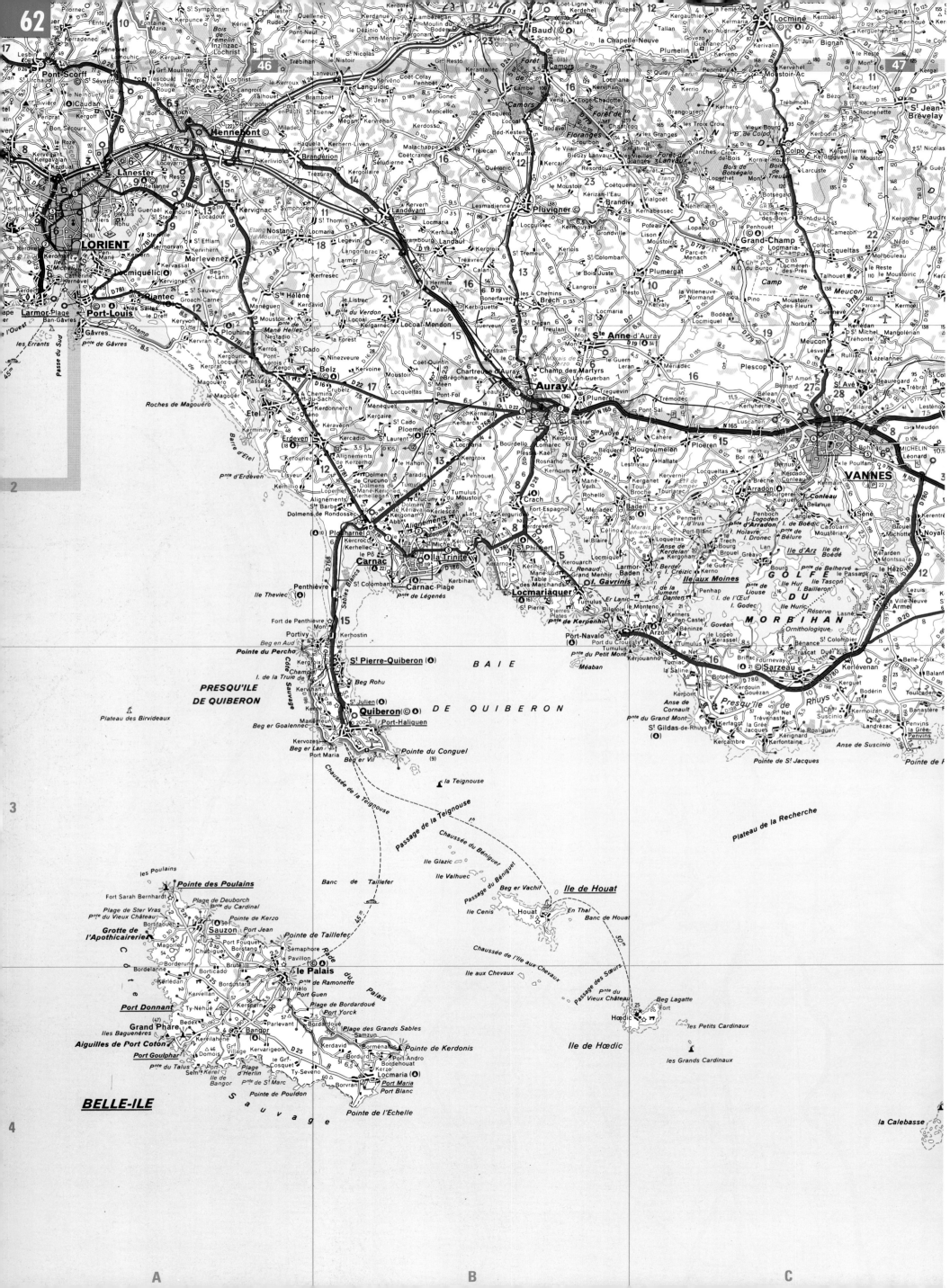

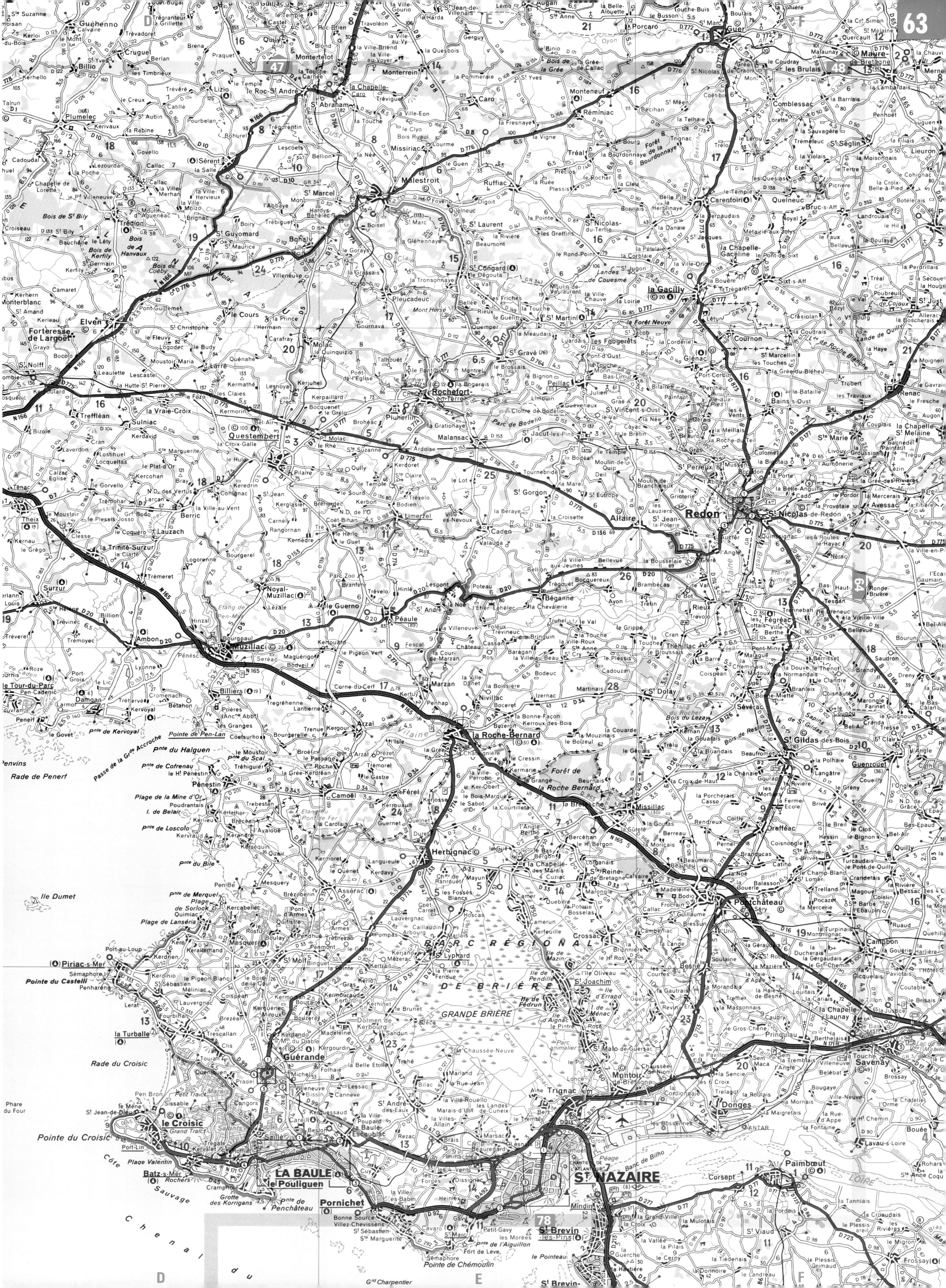

ST NAZAIRE

LA BAULE

le Croisic

le Pouliguen

Pornichet

Guérande

Redon

St Nicolas-de-Redon

la Roche-Bernard

Rochefort-en-Terre

Malestroit

Questembert

Muzillac

Pénestin

Piriac-s-Mer

la Turballe

la Gacilly

Pontchâteau

St Gildas-des-Bois

Missillac

Herbignac

St Brevin-les-Pins

Donges

Montoir-de-Bretagne

Trignac

Forteresse de Largoët

Elven

Sérent

PARC RÉGIONAL DE BRIÈRE

GRANDE BRIÈRE

Rade du Croisic

Pointe du Croisic

Rade de Penerf

Ile Dumet

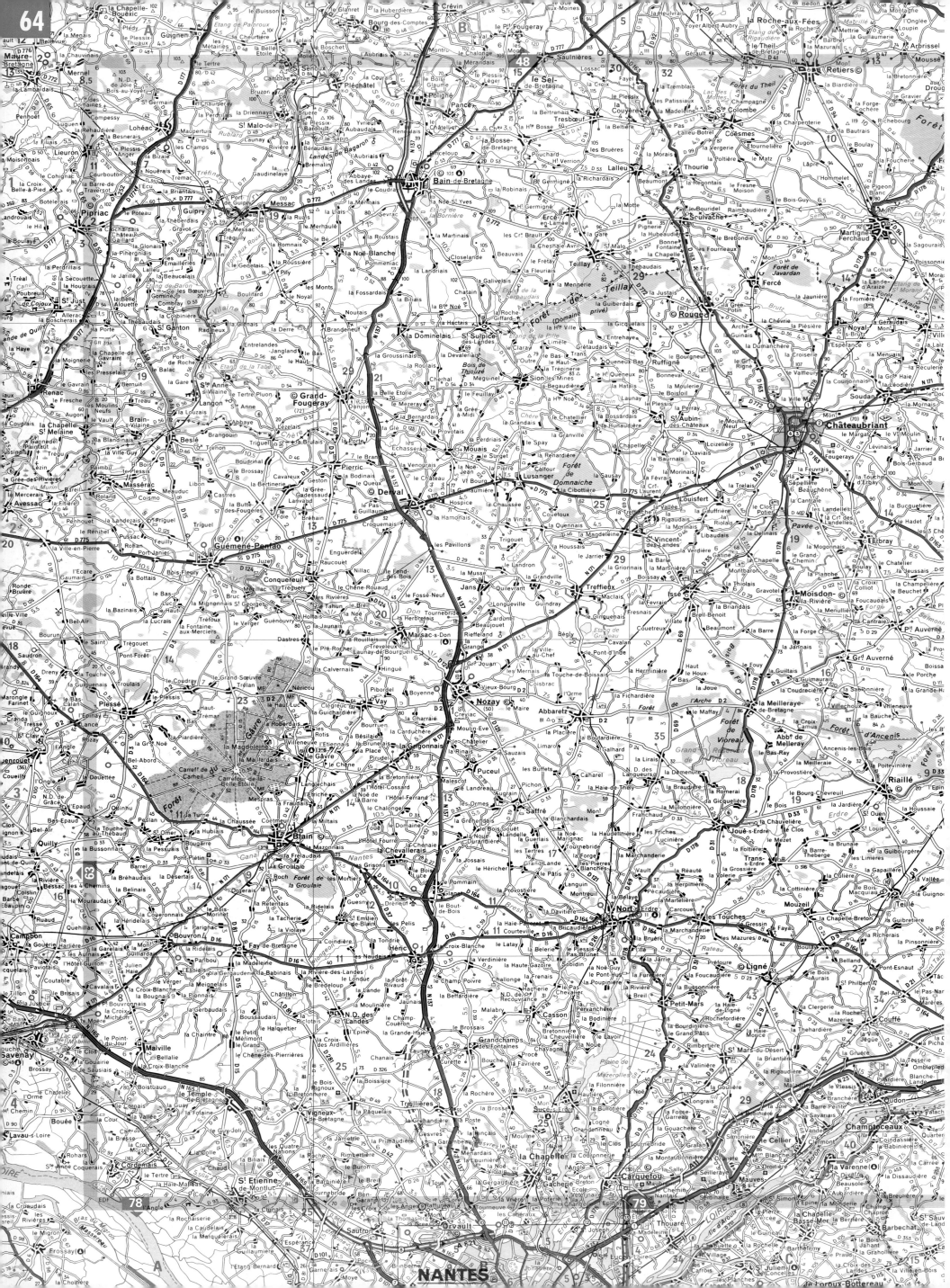

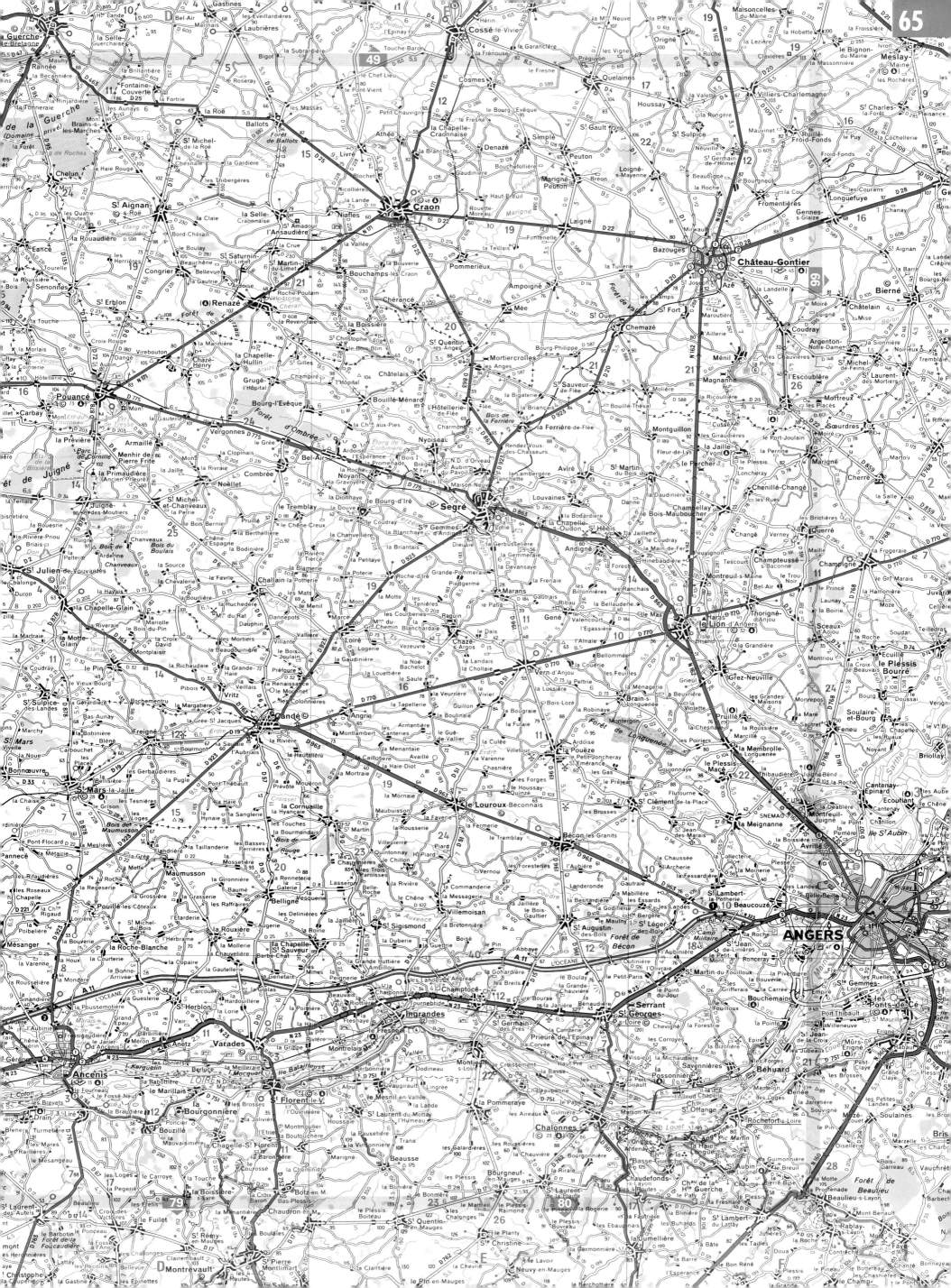

50

65

48

12

24

ANGERS

Sablé-s-Sarthe
Solesmes
la Flèche
Durtal
Baugé
Châteauneuf-s-Sarthe
Tiercé
Seiches-s-le-Loir
Malicorne-Sarthe
la Suze-s-Sarthe
Brûlon
Meslay-du-Maine
Bierné
Grez-en-Bouère
Beaufort-en-Vallée
Longué
les Rosiers
Gennes
Cunault
Brissac-Quincé
les Ponts-de-Cé
Trélazé
Mûrs-Érigné
Avrillé
Cantenay-Épinard
Briollay
Écouflant
Écharcon
Jarzé
Échemiré
Baune
Mazé
Brion
Jumelles
Vernantes
Noyant
Clefs
Vaulandry
Chavaignes
Lasse
Chigné
Parnay
Genneteil
Courcelles-la-Forêt
Villaines-s-Malicorne
Bousse
Arthezé
Louailles
Précigné
Morannes
Daumeray
Chenillé-Changé
Bazouges
Pincé
Juigné-s-Sarthe
Parcé-s-Sarthe
Avoise
Vion
Poillé-s-Vègre
Asnières-s-Vègre
Cheviré-le-Rouge
Beauvau
Corzé
Soucelles
Villevêque
Pellouailles-les-vignes
St Sylvain-d'Anjou
Andard
Corné
Bauné
Cornillé-les-Caves
Fontaine-Milon
St Georges-du-Bois
Fontaine-Guérin
Cuon
Mouliherne
Linières-Bouton
Vernoil
Blou
St Philbert-du-Peuple
Gée
Montgeoffroy
Brain-s-l'Authion
la Bohalle
la Daguenière
St Mathurin-s-Loire
la Ménitré
St Rémy-la-Varenne
St Sulpice
Gohier
Juigné-s-Loire
St Jean-des-Mauvrets
St Saturnin
Chemellier
Coutures
Montsabert
le Thoureil
Grézillé
St Georges-des-Sept-Voies
St Clément-des-Levées
Chênehutte-les-Tuffeaux
Trèves-Cunault
St Martin-de-la-Place
Allonnes
Neuillé
Mézeray
Cérans-Foulletourte
Oizé
la Fontaine-St Martin
Requeil
Luché-Pringé
Thorée-les-Pins
Savigné-s-le-Lude
Mareil-s-Loir
Crosmières
Clermont-Créans

80

81

LE MANS

TOURS

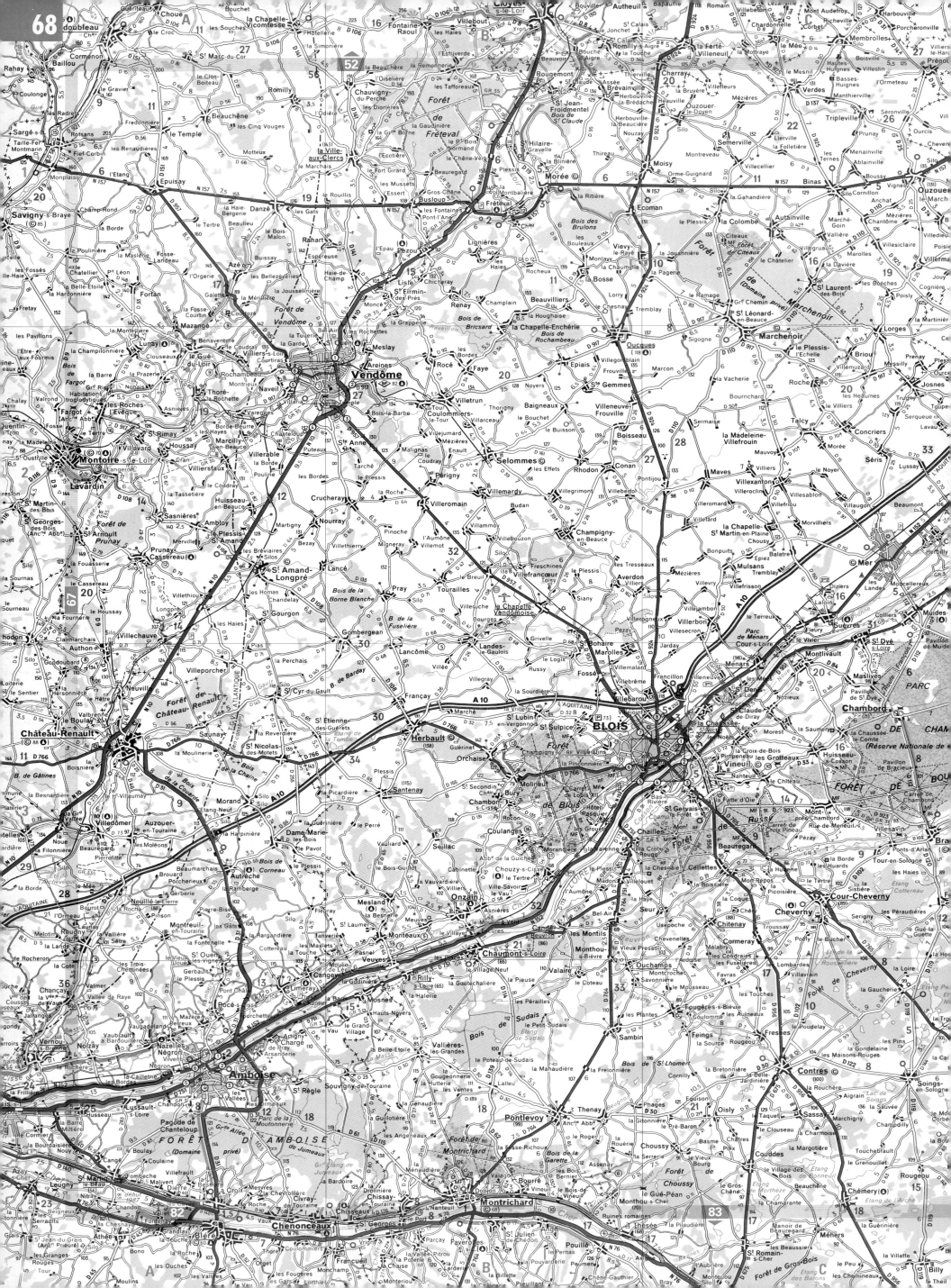

Migennes
Cheny
Charmoy
Épineau-les-Voves
Bonnard
Bassou
Hauterive
Mont-St Sulpice
Chéu
Vergigny
Jaulges
Butteaux
Percey
Flogny-la-Chapelle
Bernon
Chesley
Coussegrey
Lignières
Forêt de Pontigny
Pontigny
Seignelay
Chemilly-s-Yonne
Héry
Rouvray
Venouse
Ligny-le-Châtel
Varennes
Carisey
Villiers-Vineux
Roffey
Bernouil
Dyé
Tronchoy
Cheney
Dannemoine
Mélisey
Thorey
Rugny
Molosmes
St Martin-s-Armançon
Épineuil
Tonnerre
Tanlay
Guerchy
Appoigny
Branches
Chichery
Gurgy
Montigny-la-Resle
Villy
Lignorelles
Maligny
Fontenay-près-Chablis
Collan
Tissey
Serrigny
Junay
Vézinnes
Vézannes
Fleury-la-Vallée
Monéteau
Villeneuve-St Salves
La Chapelle-Vaupelteigne
Bleigny-le-Carreau
Beine
Chablis
Fleys
Viviers
Béru
Yrouerre
Argentenay
Lézinnes
Ancy-le-Libre
Charbuy
Perrigny
St Georges-s-Baulche
Venoy
AUXERRE
Villefargeau
Quenne
Courgis
Chichée
Préhy
Chemilly-s-Serein
Poilly-s-Serein
Sambourg
Fresnes
Pacy-s-Armançon
Argenteuil-s-Armançon
Vireaux
Chevannes
Vallan
Augy
Vaux
Chitry
St Bris-le-Vineux
St Cyr-les-Colons
Ste Vertu
Molay
Annay-s-Serein
Moulins-en-Tonnerrois
Villiers-les-Hauts
Escamps
Gy-l'Évêque
Champs-s-Yonne
Jussy
Irancy
Escolives-Ste Camille
Vincelottes
Vincelles
Lichères-près-Aigremont
Aigremont
Noyers
Censy
Pasilly
Étivey
Coulangeron
Coulanges-la-Vineuse
Migé
Val-de-Mercy
Cravant
Bazarnes
Vermenton
Sacy
Nitry
Sarry
Jouancy
Merry-Sec
Mouffy
Charentenay
Accolay
Ste Pallaye
Prégilbert
Lucy-s-Cure
Essert
Grimault
Villiers-la-Grange
Châtel-Gérard
Annoux
Massangis
Molesmes
Courson-les-Carrières
Fouronnes
Fontenay-s-Fouronnes
Trucy-s-Yonne
Mailly-le-Château
Sery
Bessy-s-Cure
Arcy-s-Cure
Joux-la-Ville
Dissangis
L'Isle-s-Serein
St Moré
Voutenay-s-Cure
Précy-le-Sec
Thory
Ste Colombe
Angely
Thizy
Santigny
Pisy
Festigny
Merry-s-Yonne
Châtel-Censoir
Brosses
Bois-d'Arcy
Sermizelles
Girolles
Lucy-le-Bois
Provency
Montréal
Coulanges-s-Yonne
Crain
Andryes
Surgy
Lucy-s-Yonne
Lichères-s-Yonne
Montillot
Blannay
Givry
Annéot
Avallon
Étaule
Sauvigny-le-Bois
Athie
Guillon
Toutry
Asnières-s-Bois
Asquins
Vézelay
Domecy-s-le-Vault
Pontaubert
Magny
Étrée
Cussy-les-Forges
St André-en-Terre-Plaine
Savigny-en-Terre-Plaine
Vieux-Château
Clamecy
Armes
Chevroches
Dornecy
St Père
Fouilles des Fontaines Salées
Menades
Island
Ste Magnance
Foissy-lès-Vézelay
Pierre-Perthuis
Bussières
Rouvray
Breugnon
Brèves
Villiers-s-Yonne
Asnois
Metz-le-Comte
Fontenay-près-Vézelay
Domecy-s-Cure
St Germain-des-Champs
Beauvilliers
St Andeux
Ouagne
Tannay
Teigny
Nuars
St Aubin-des-Chaumes
Bazoches
Chastellux-s-Cure
St André-en-Morvan
St Léger-Vauban
St Germain-de-Modéon
Beuvron
St Didier
Flez-Cuzy
Vignol
Neuffontaines
Empury
Marigny-l'Église
Quarré-les-Tombes
Lys
Talon
Grenois
Asnan
Monceaux-le-Comte
Moissy-Moulinot
Pouques-Lormes
Anthien
Chalaux
Lormes
Dun-les-Places
St Agnan
Magny-Lormes
Chevannes
Taconnay

Vauvillers • Vougécourt • Fontenois-la-Ville • Dampvalley

Fayl-Billot • Jussey • Combeaufontaine • Port-sur-Saône • **VESOUL**

Scey-sur-Saône-et-St-Albin • Montigny-lès-Vesoul • Pusey

Champlitte • Dampierre-sur-Salon • Autrey-lès-Gray • **Gray** • Rioz

Pesmes • Marnay • Gy • Audeux

Luxeuil-les-Bains
Fougerolles
St Loup-s-Semouse
Le Val-d'Ajol
Rupt-s-Moselle
Le Thillot
Bussang
St Maurice-s-Moselle
Ballon d'Alsace
Faucogney-et-la-Mer
Servance
Melisey
Giromagny
Lure
Ronchamp
Champagney
Valdoie
BELFORT
VESOUL
Noroy-le-Bourg
Villersexel
Héricourt
Montbéliard
Sochaux
Audincourt
Valentigney
Mandeure
Rougemont
Montbozon
L'Isle-s-le-Doubs
Clerval
Baume-les-Dames
Pont-de-Roide
St Hippolyte
Maîche
Roulans
Marchaux
Sancey-le-Grand
Montagnes du Lomont

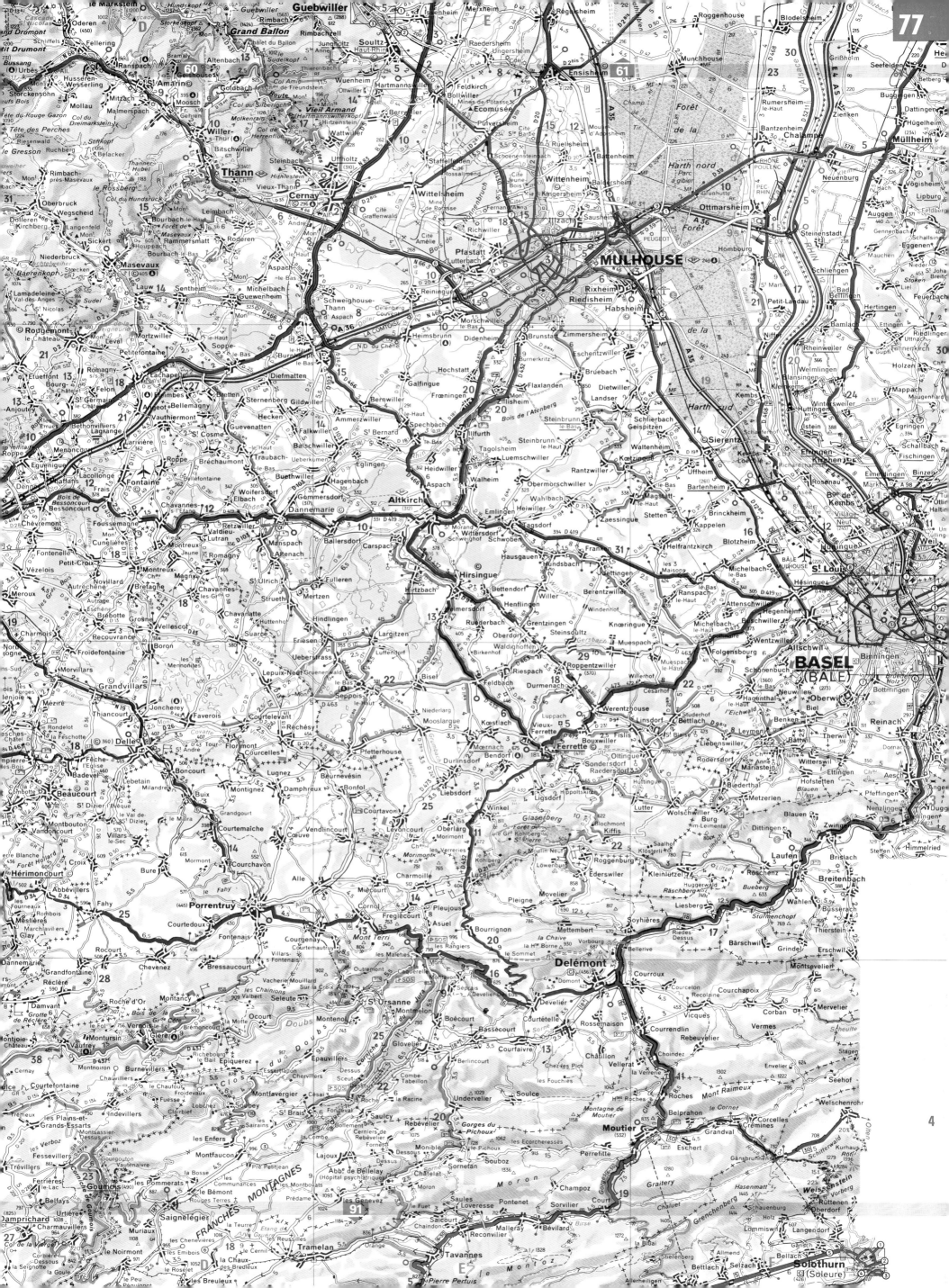

A   B   C

Pornichet

St Brevin-les-Pins

St Brevin-l'Océan

Grd Charpentier   63   64

St Père-en-Retz

St Michel-Chef-Chef

Tharon-Plage

Pointe de St Gildas

la Plaine-s-Mer

Préfailles

Côte de Jade

Ste Marie

Pornic

le Clion-s-Mer

Forêt de Princé

Chauvé

Rouans   Messan

le Pelletin

Chéméré

Arthon-en-Retz

Ste Pazanne   St Mars-de-Coutais

St Hilaire-de-Chaléons

BAIE DE BOURGNEUF

Pierre Moine

la Bernerie-en-Retz

les Moutiers

Pré-Vincent

Prigny

Lyorne

Bourgneuf-en-Retz

Pnte de l'Herbaudière

Guérande

l'Herbaudière

Bois de la Chaise

Noirmoutier-en-l'Île

Fresnay-en-Retz

Machecoul

ÎLE DE NOIRMOUTIER

la Vendette

l'Épine

Guérinière

le Bonhomme

Bois-de-Céné

Paulx

Barbâtre

Passage du Gois
(Route praticable à basse mer)

les Onchères

Port du Bec

la Frandière

la Fosse

Beauvoir-s-Mer

Châteauneuf

Froidfond

St Étienne-de-Mer-Morte

Péage

Pnte de la Fosse

Fromentine

St Gervais

Pnte N.D. de Monts
la Grande Côte

la Barre-de-Monts

St Urbain

Challans

Forêt des Pays de Monts

Sallertaine

les Marguerites

Grde Croix

le Perrier

N.D.-de-Monts

St Christophe-du-Lig

Marais de Monts

Plage de la Tonnelle

Soullans

PONT D'YEU

St Jean-de-Monts

Plage des Demoiselles

Commequiers

ÎLE D'YEU

Port-Joinville

Ker Châlon

Grd Phare

le Vx Château

Port-de-Meule

Plage des Sabias

Pointe des Corbeaux

Côte Sauvage

Apremont

N.D.-de-Riez

St Maixent-s-Vie

Sion-s-l'Océan

St Hilaire-de-Riez

le Fenouiller

St Gilles-Croix-de-Vie

Croix-de-Vie

l'Aiguillon-s-Vie

Givrand

la Chapelle-Hermier

N.D.-des-Dunes

Beaumarchais

la Chaize-Giraud

Landevieille

Bretignolles

St Nicolas-de-Brem

St Martin-de-Brem   Vairé   92

NANTES
Orvault
Sautron
Couëron
St Herblain
Basse-Indre
Indre
la Montagne
Bouguenais
Rezé
St Sébastien
Basse-Goulaine
Thouaré
Ste Luce-s-Loire
Carquefou
St Julien-de-Concelles
le Loroux-Bottereau
Barbechat
Landemont
St Laurent-des-Autels
St Sauveur-de-Landemont
la Chapelle-Basse-Mer
St Christophe-la-Couperie
la Boissière-du-Doré
Montrevault
St Pierre-Montlimart
la Salle-et-Chapelle
Beaupréau
Goulaine
Haute-Goulaine
Vertou
la Chapelle-Heulin
Vallet
la Regrippière
Gesté
la Chapelle-du-Genêt
les Sorinières
Haie-Fouassière
St Fiacre-s-Maine
Mouzillon
le Pallet
Tillières
Villedieu-la-Blouère
St Philbert-en-Mauges
Pont-St Martin
St Aignan-Grandlieu
Lac de Grand-Lieu
Passay
la Chevrolière
Châteauthébaud
Monnières
Maisdon-s-Sèvre
Gorges
Clisson
St Crespin-s-Moine
St Germain-s-Moine
Montfaucon
Aigrefeuille-s-Maine
Montbert
Geneston
Remouillé
Gétigné
Cugand
Montigné-s-Moine
Roussay
la Romagne
St Philbert-de-Grand-Lieu
St Colomban
la Bernardière
Boussay
Torfou
Tiffauges
la Bruffière
St Hilaire-de-Loulay
Treize-Septiers
St Philbert-de-Bouaine
Corcoué-sur-Logne
Vieillevigne
Montaigu
Boufféré
St Georges-de-Montaigu
la Boissière-de-Montaigu
les Landes-Genusson
la Verrie
Rocheservière
Touvois
Legé
Bois-Chevalier
St André-Treize-Voies
Mormaison
l'Herbergement
St Sulpice-le-Verdon
Chavagnes-en-Paillers
Bazoges-en-Paillers
Beaurepaire
la Gaubretière
les Brouzils
la Chabotterie
les Herbiers
Mont des Alouettes
St Fulgent
la Rabatelière
Copechagnière
les Lucs-s-Boulogne
Beaufou
St Denis-la-Chevasse
Chauché
St André-Goule-d'Oie
Vendrennes
Grand'Landes
Palluau
St Etienne-du-Bois
la Chapelle-Palluau
Saligny
Belleville-s-Vie
Boulogne
Ste Florence
les Essarts
Mouchamps
Rochetrejoux
le Poiré-s-Vie
la Merlatière
Aizenay
Dompierre-s-Yon
la Génétouze
Mouilleron-le-Captif
Ste Cécile
St Vincent-Sterlanges
la Ferrière
St Martin-des-Noyers
St Germain-de-Princay
Venansault
LA ROCHE-S-YON
Beaulieu-s-la-Roche
Landeronde
Chantonnay
Sigournais
la Chaize-le-Vicomte
Fougeré
St Georges-de-Pointindoux
la Mothe-Achard
les Clouzeaux
Ste Flaive-des-Loups
Aubigny
Nesmy
Bournezeau
Thorigny
St Hilaire-le-Vouhis
St Philbert-du-Pont-Charrault
Forêt de Touvois
Forêt de Grasla
Forêt du Détroit
Forêt de l'Herbergement
Forêt de Leppo
Forêt de la Foucaudière
64
65
92
93
80

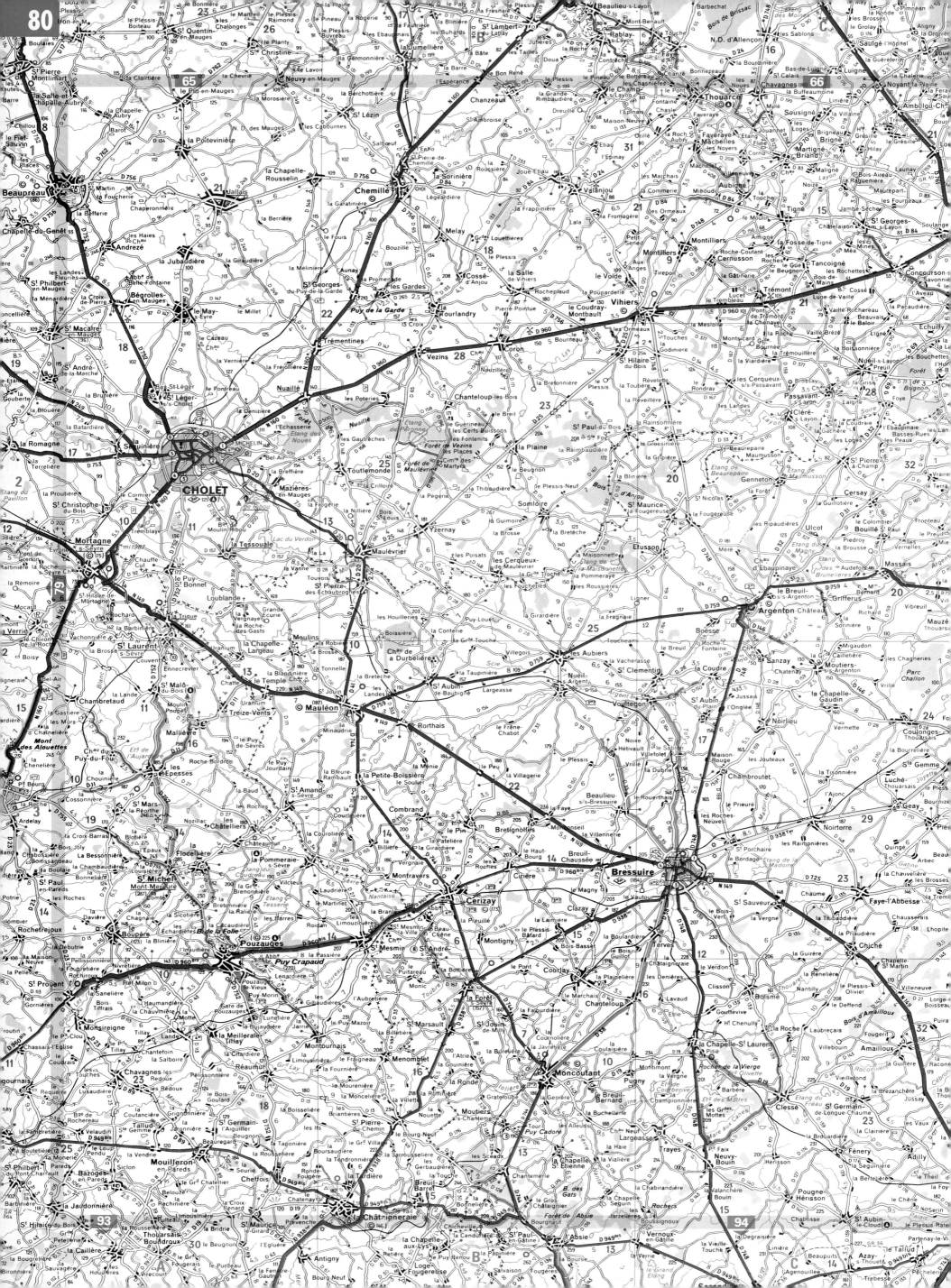

SAUMUR

Doué-la-Fontaine
Montreuil-Bellay
Allonnes
Bourgueil
Chinon
Ussé
Candes-St-Martin
Montsoreau
Fontevraud-l'Abbaye
Richelieu
l'Ile-Bouchard
Champigny-s-Veude
Marcay
les Trois-Moutiers
Loudun
Thouars
St-Jacques-de-Thouars
St-Varent
Airvault
St-Généroux
Moncontour
St-Jouin-de-Marnes
Marnes
St-Jean-de-Sauves
Mirebeau
Lencloître
Monts-s-Guesnes
Guesnes
Aulnay
Martaizé
Thénezay
Neuville-de-Poitou
Vouillé
Jaunay-Clan
Parthenay
St-Loup-Lamairé

66   67   24   94   95   82

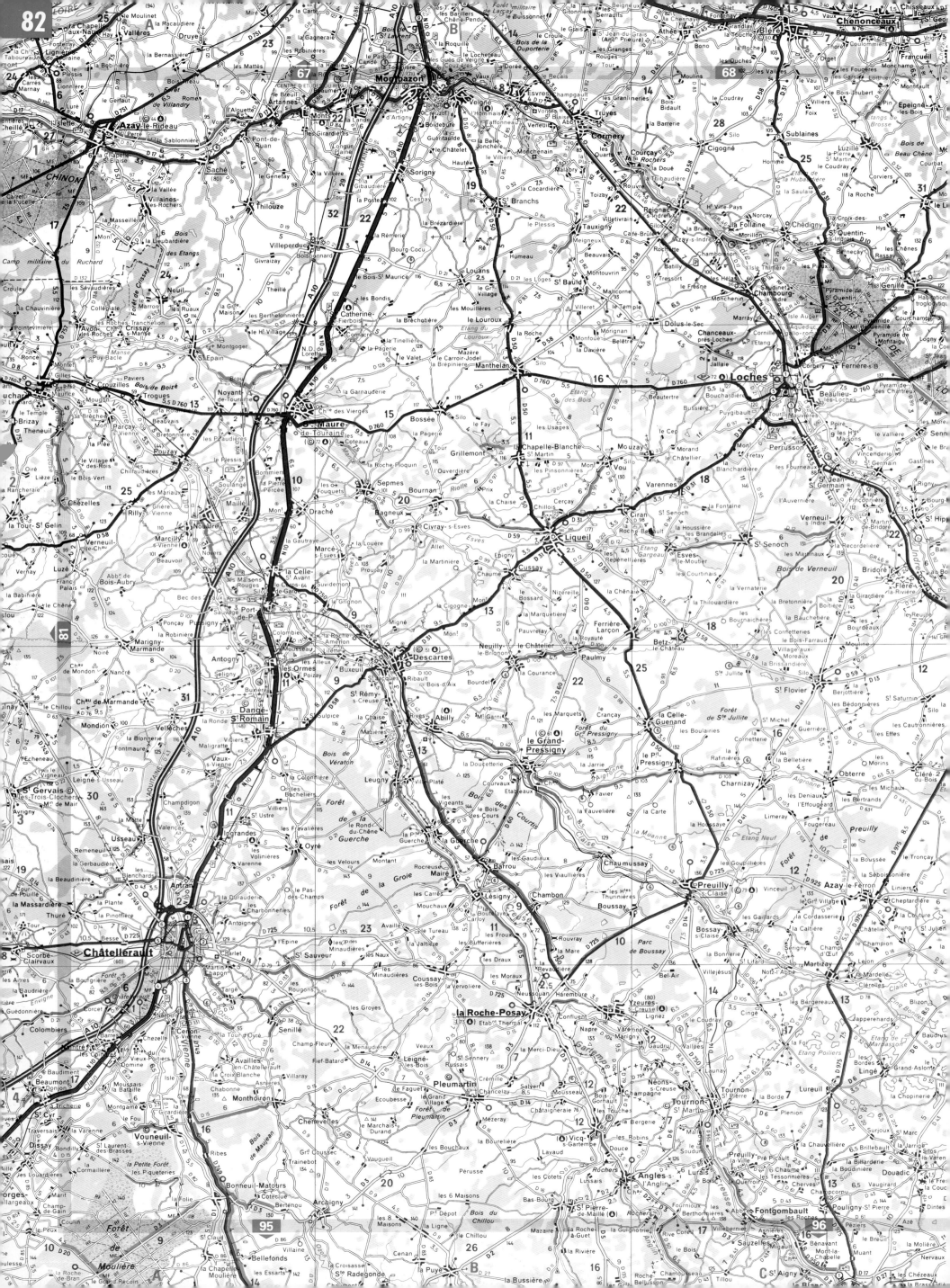

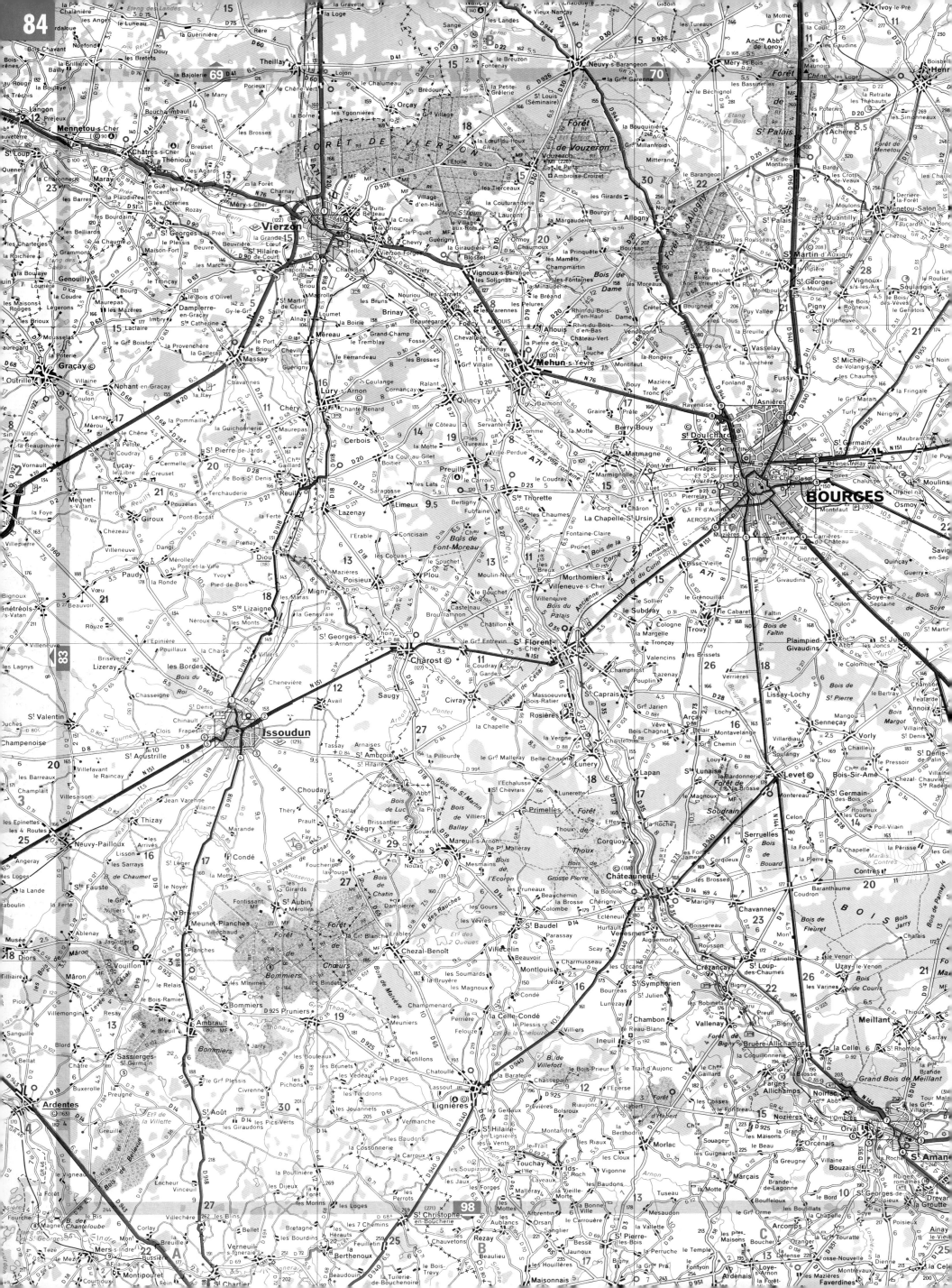

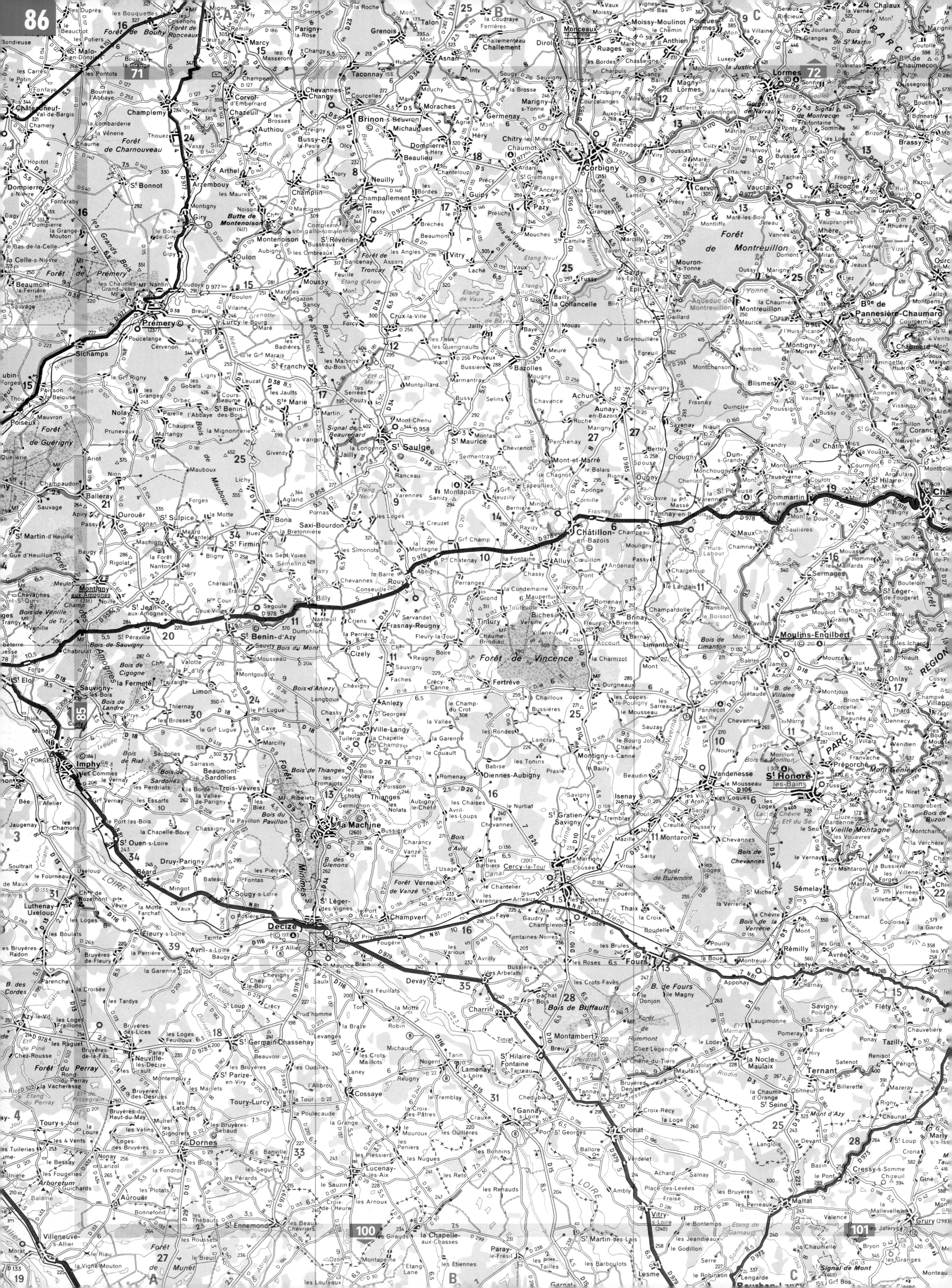

71
72
85
100
101
A
B
C
Châteauneuf-Val-de-Bargis
Champlemy
Forêt de Bouhy
Forêt de Ronceaux
Forêt de Charnouveau
Marcy
Parigny-la-Rose
Grenois
Talon
Asnan
Challement
Monceaux-le-Comte
Dirol
Ruages
Moissy-Moulinot
Anthien
Pouques-Lormes
Lormes
Taconnay
Chevannes-Changy
Corvol-d'Embernard
Chazeuil
Brinon-s-Beuvron
Michaugues
Moraches
Germenay
Chitry-les-Mines
Corbigny
Magny-Lormes
Arthel
Arzembouy
St Bonnot
Giry
Butte de Montenoison
Montenoison
Champlin
Neuilly
Champallement
Guipy
Pazy
Cervon
Vauclaix
Gâcogne
Forêt de Montreuillon
St Révérien
Forêt de Prémery
Prémery
Lurcy-le-Bourg
Moussy
Crux-la-Ville
Vitry
Epiry
Montreuillon
Bon de Pannesière-Chaumard
Sichamps
St Franchy
Bazolles
Achun
Aunay-en-Bazois
Blismes
Montigny-en-Morvan
Nolay
Forêt de Guérigny
Poiseux
St Benin-des-Bois
Ste Marie
St Saulge
St Maurice
Mont-et-Marré
Forêt de Mauboux
Balleray
Ourouër
Saxi-Bourdon
Montapas
Châtillon-en-Bazois
Tamnay-en-Bazois
Dommartin
Châtin
St Hilaire-en-Morvan
St Firmin
Montigny-aux-Amognes
St Jean-aux-Amognes
Billy
Rouy
Alluy
Sermages
Moulins-Engilbert
St Benin-d'Azy
Frasnay-Reugny
Tintury
Biches
Forêt de Vincence
Limanton
Onlay
Sauvigny-les-Bois
La Fermeté
Cizely
Anlezy
Fertrêve
St Eloi
Imphy
Beaumont-Sardolles
Trois-Vèvres
Ville-Langy
Diennes-Aubigny
Montigny-s-Canne
Vandenesse
St Honoré-les-Bains
Préporché
PARC
La Machine
Thianges
St Gratien-Savigny
Isenay
Montaron
Chevannes
Sémelay
St Ouen-s-Loire
Druy-Parigny
Béard
Sougy-s-Loire
St Léger-des-Vignes
Decize
Champvert
Cercy-la-Tour
Fours
Rémilly
LOIRE
Fleury-s-Loire
Avril-s-Loire
Devay
Bois de Briffault
Forêt de Ruremont
La Nocle-Maulaix
Ternant
Tazilly
Luthenay-Uxeloup
St Germain-Chassenay
Montambert
St Hilaire-Fontaine
Lamenay-s-Loire
Cossaye
St Parize-en-Viry
Toury-Lurcy
Dornes
Gannay-s-Loire
Cronat
Maltat
Cressy-s-Somme
Grury
Lucenay-lès-Aix
St Ennemond
Vitry-s-Loire
Forêt de Munet
Villeneuve-s-Allier
Paray-le-Frésil
St Martin-des-Lais
Lesme

Saulieu
AUTUN
le Creusot
Montceau-les-Mines
Arnay-le-Duc
Nolay
Epinac
Sully
Montchanin
Montcenis
Torcy
Blanzy
Marmagne
Mesvres
Couches
Luzy
Toulon-s-Arroux
Issy-l'Évêque
Uxeau
Liernais
Lucenay-l'Évêque
Anost
Montsauche
les Settons
Moux
MORVAN
Mt Beuvray
St Léger-s-B.
Signal d'Uchon
Forêt de Planoise
Forêt de Thoisy
Thoisy-la-Berchère
Pouilly-en-A.
Châteauneuf
Commarin
Cussy-la-Colonne
Bligny-sur-Ouche
72
73
88
101
102

DIJON
Quetigny
Chenôve
Longvic
Neuilly-lès-Dijon
Sombernon
Marsannay-la-Côte
Gevrey-Chambertin
Clos de Vougeot
Nuits-St-Georges
Genlis
Auxonne
St-Jean-de-Losne
Seurre
Beaune
Savigny-lès-Beaune
Meursault
Nolay
la Rochepot
Chagny
Santenay
Verdun-s-le-Doubs
Givry
CHALON-S-SAÔNE
St-Marcel
Buxy
Sennecey-le-Grand
St-Germain-du-Plain
St-Germain-du-Bois
Louhans
Pierre-de-Bresse
Bligny-sur-Ouche
Châteauneuf
Forêt de Cîteaux
Forêt de Chagny
Forêt de Givry
Forêt de la Ferté
Forêt de Gergy
73
74
87
102
103

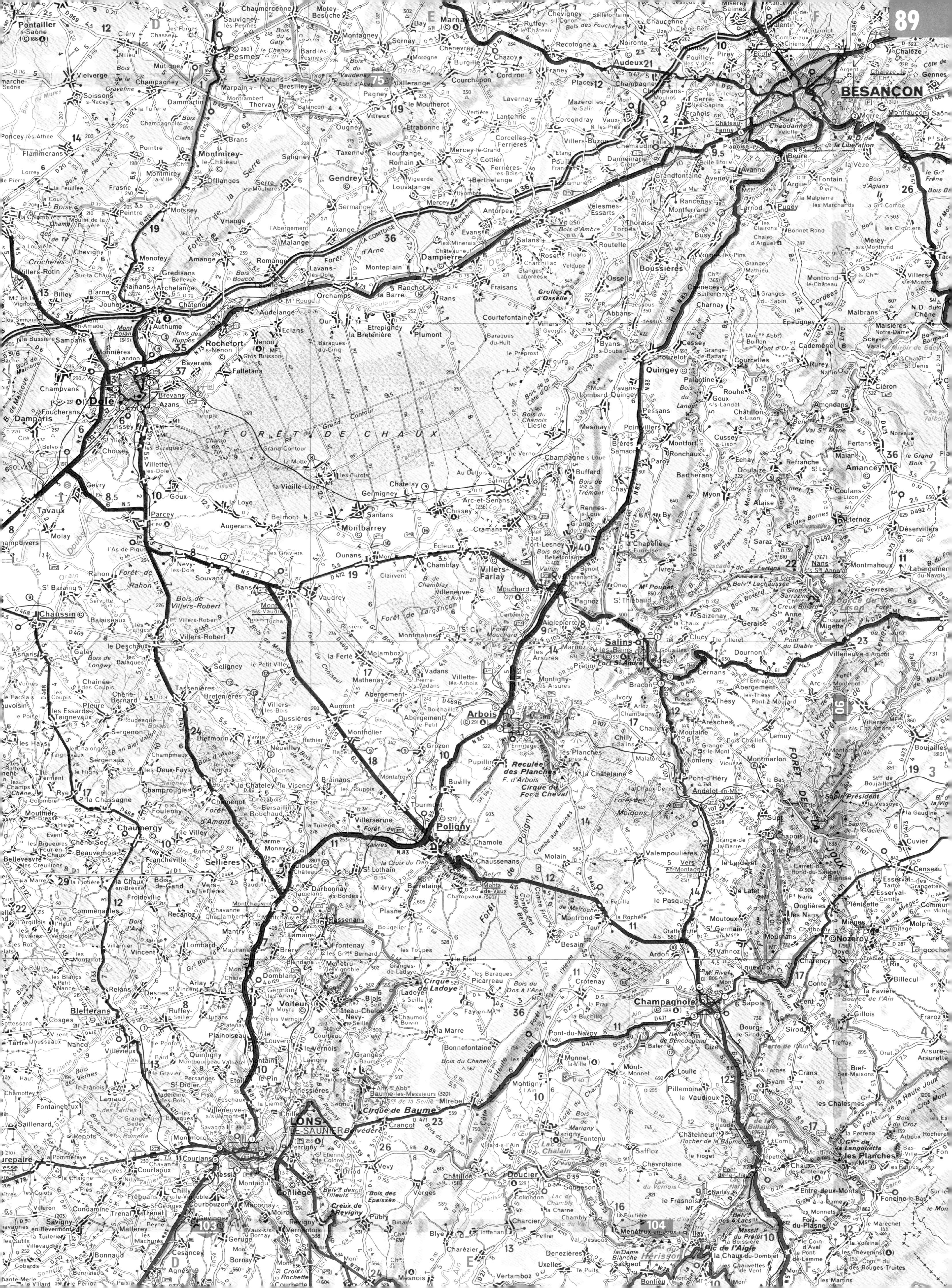

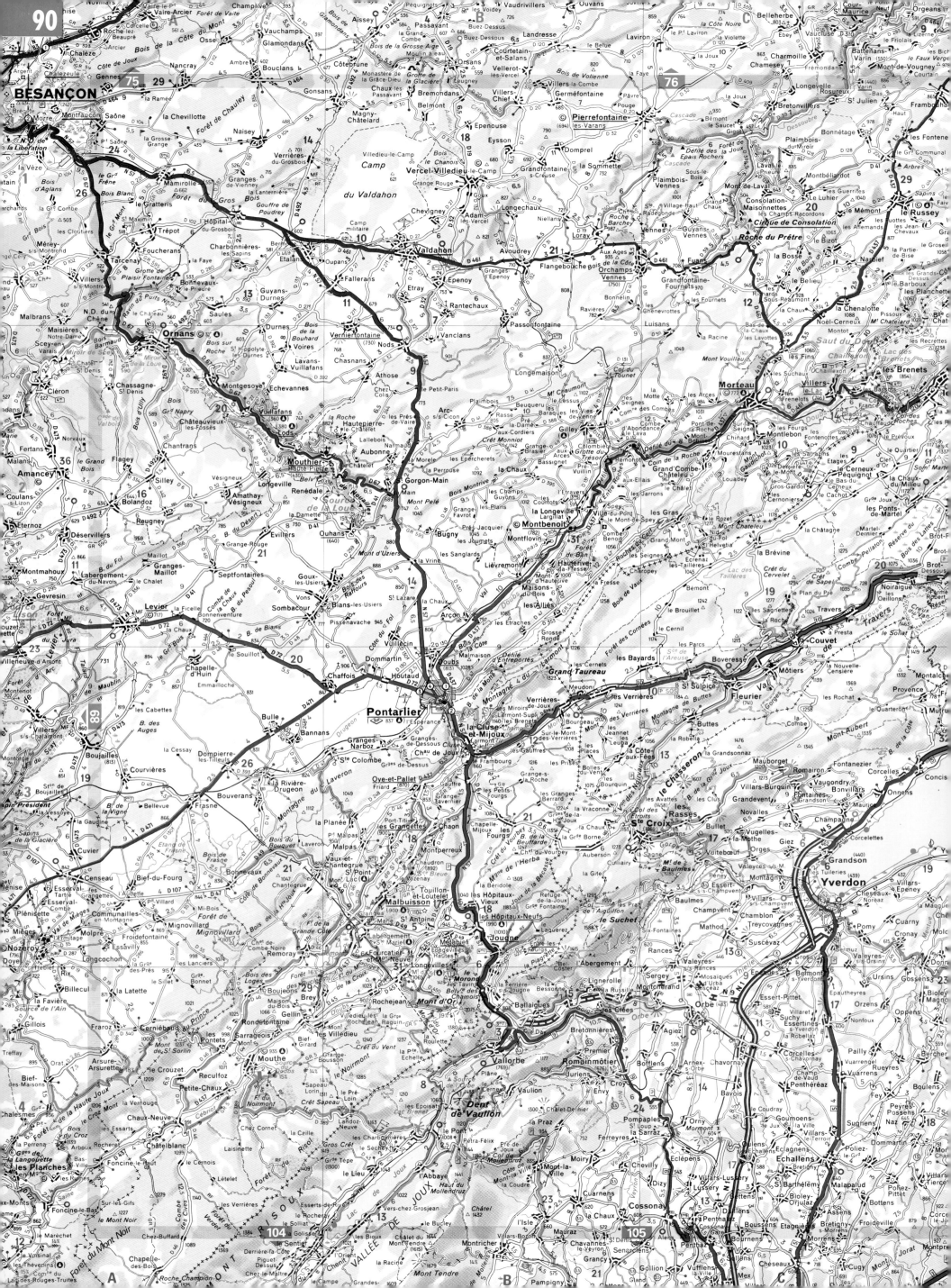

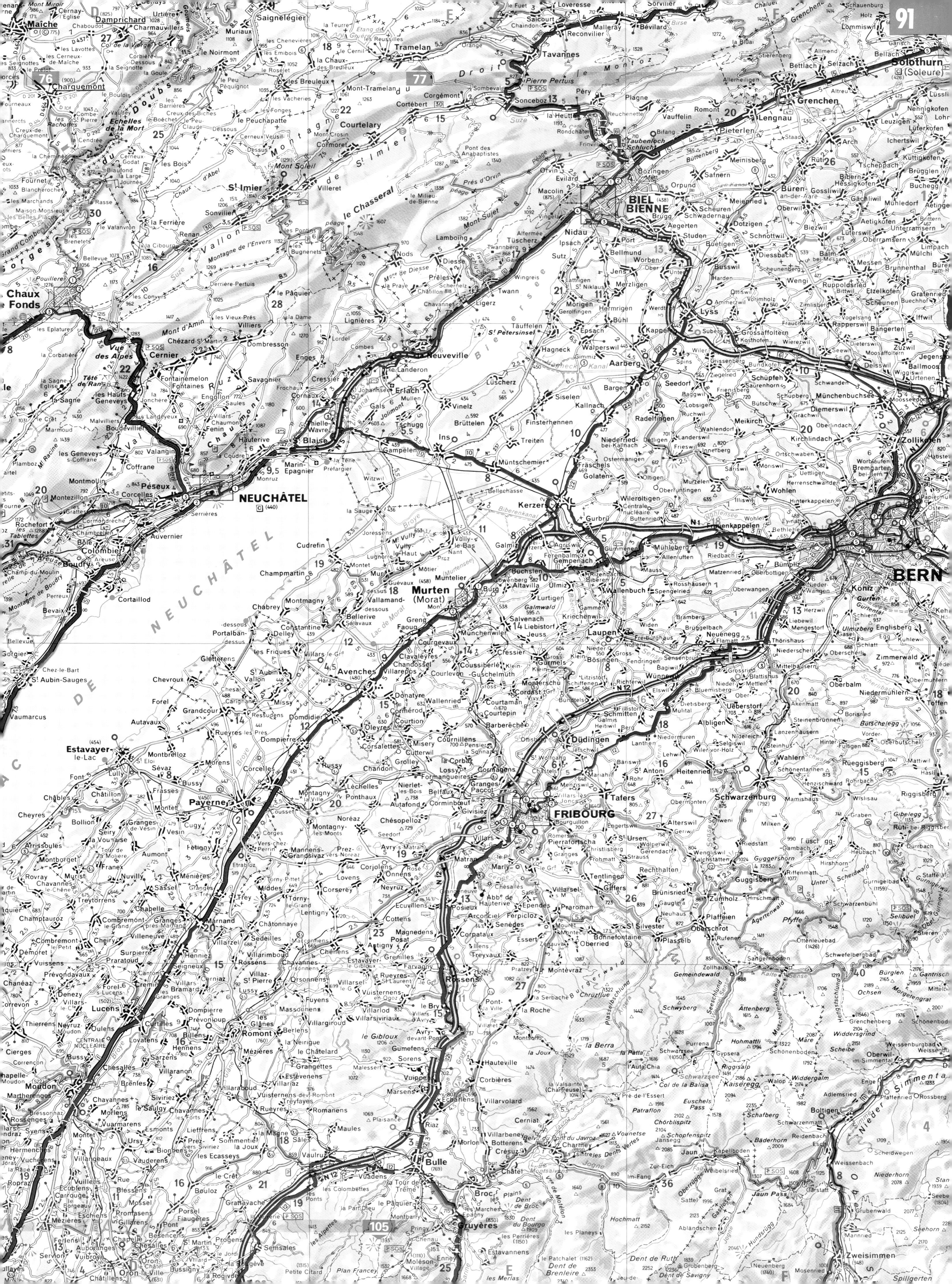

Maîche
Damprichard
Saignelégier
Tramelan
Tavannes
Bévilard
Solothurn
(Soleure)
Grenchen
Charquemont
76
77
Courtelary
St Imier
Mont Soleil
Chasseral
Lengnau
Pieterlen
BIEL
BIENNE
Nidau
Chaux
de Fonds
Lignières
La Neuveville
Bielersee
Aarberg
Lyss
Cernier
Erlach
Ins
Kerzers
St Blaise
NEUCHÂTEL
Peseux
Colombier
Boudry
LAC DE NEUCHÂTEL
Cudrefin
Murten
(Morat)
Laupen
BERN
Köniz
Avenches
Estavayer-le-Lac
Payerne
Düdingen
FRIBOURG
Tafers
Schwarzenburg
Romont
Lucens
Moudon
Bulle
Gruyères
Zweisimmen
Boltigen
105

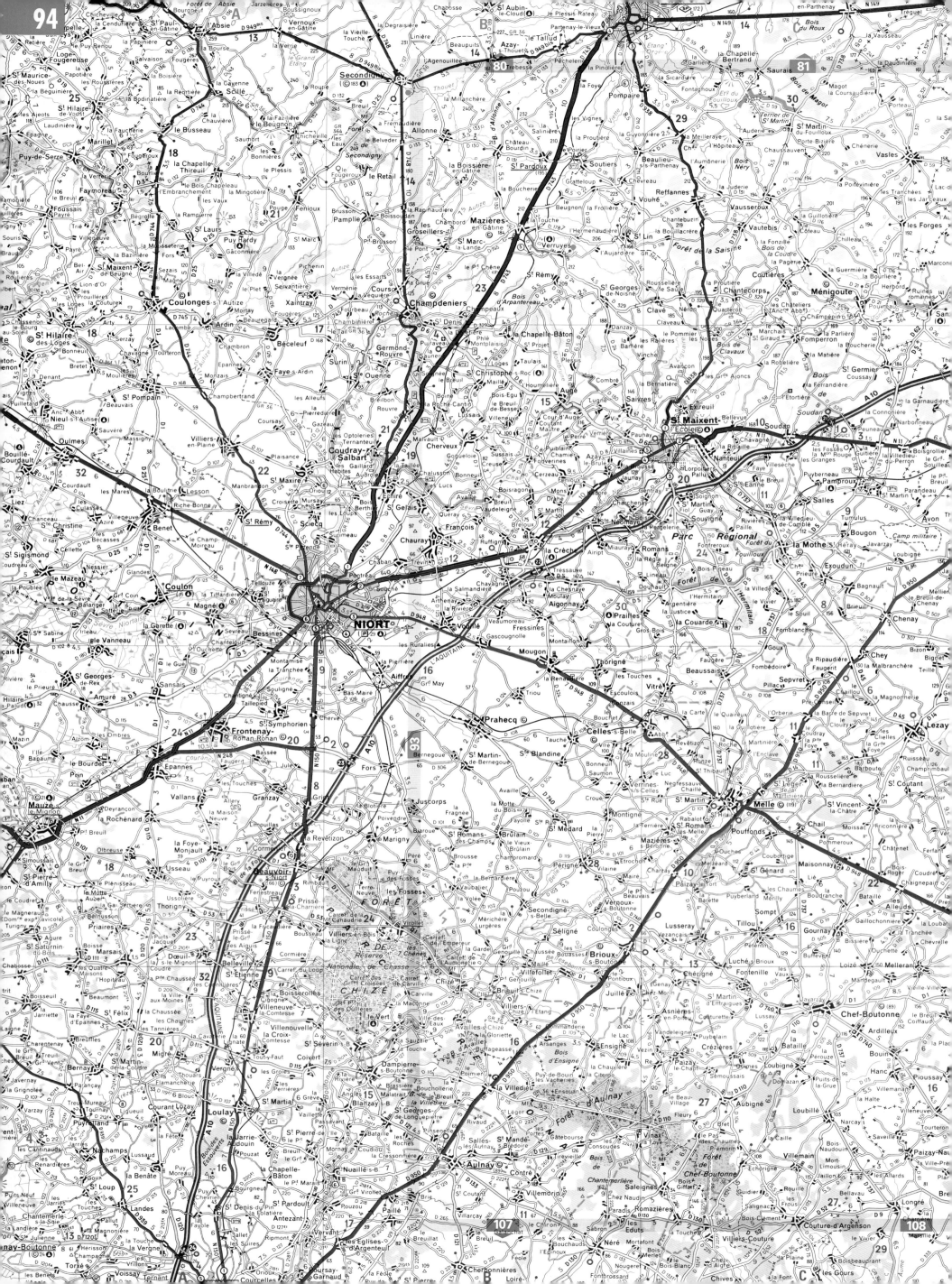

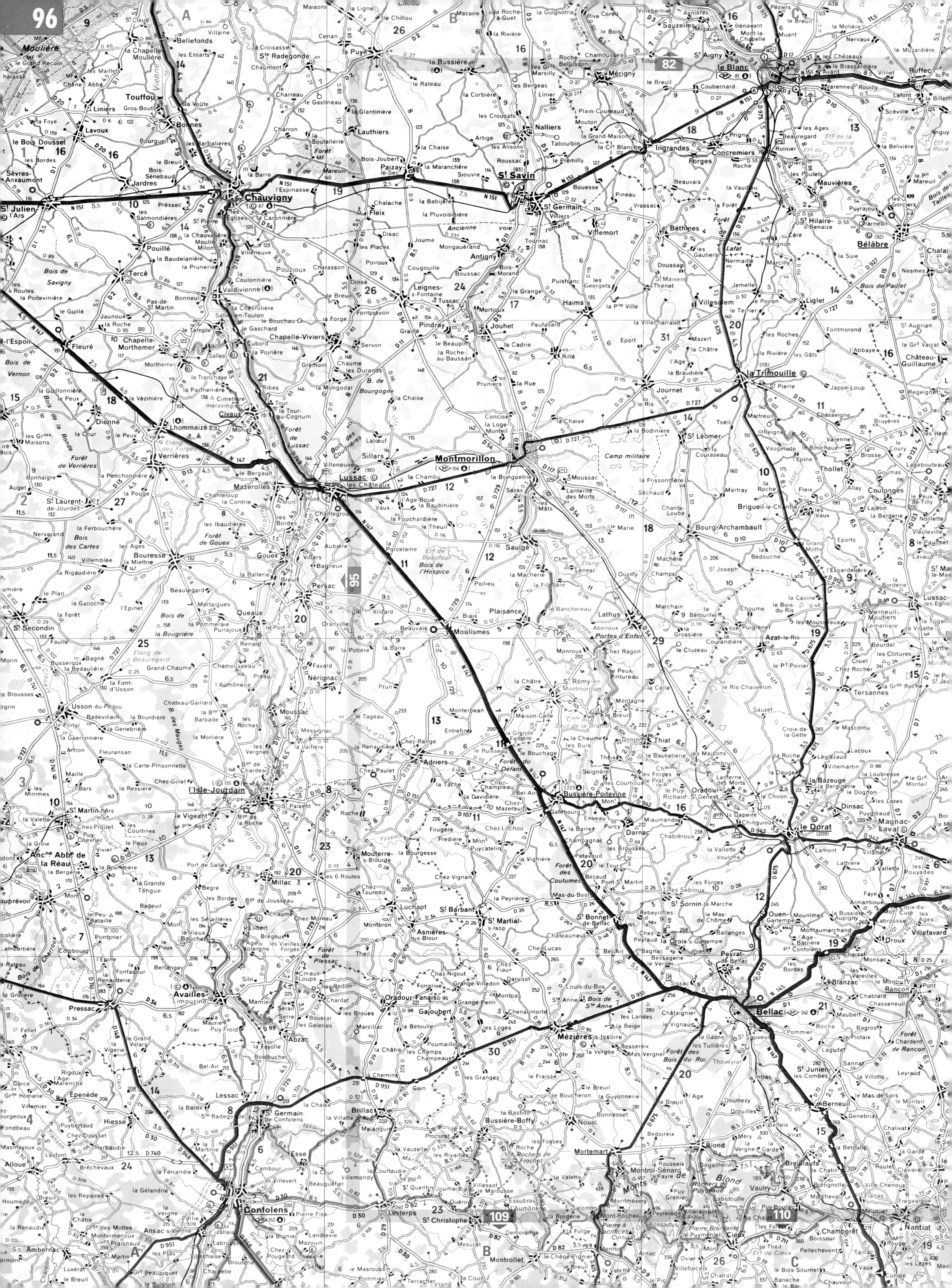
Chauvigny
St Savin
St Germain
le Blanc
Ingrandes
Concremiers
Mérigny
Nalliers
Lussac-les-Châteaux
Montmorillon
la Trimouille
Bélâbre
Coulonges
Lussac-les-Églises
Le Dorat
Magnac-Laval
Bellac
Bussière-Poitevine
l'Isle-Jourdain
Availles-Limouzine
Confolens
Mézières-s-Issoire
Moulismes
Persac
Gouex
Civaux
Lhommaizé
Verrières
Fleuré
Dienné
Jardres
Bonnes
Touffou
Usson-du-Poitou
Pressac
St Germain-de-Confolens
St Christophe
Nantiat
Berneuil
Villefavard
Darnac
Lathus
Adriers
Moussac
Millac
Luchapt
Brillac
Bussière-Boffy
Nouic
Mortemart
Blond
Montrol-Sénard
Vaulry
Thiat
Oradour-St-Genest
Azat-le-Ris
Tersannes
Jouhet
Pindray
Antigny
Villemort
Béthines
Haims
Journet
Liglet
Mauvières
Saulgé
Plaisance
Queaux
Ruffec
St Julien-l'Ars
Sèvres-Anxaumont
Moulière
Lesterps
Montrollet
Cieux
Ambernac
Abzac
Esse
Lessac
82
95
109
110

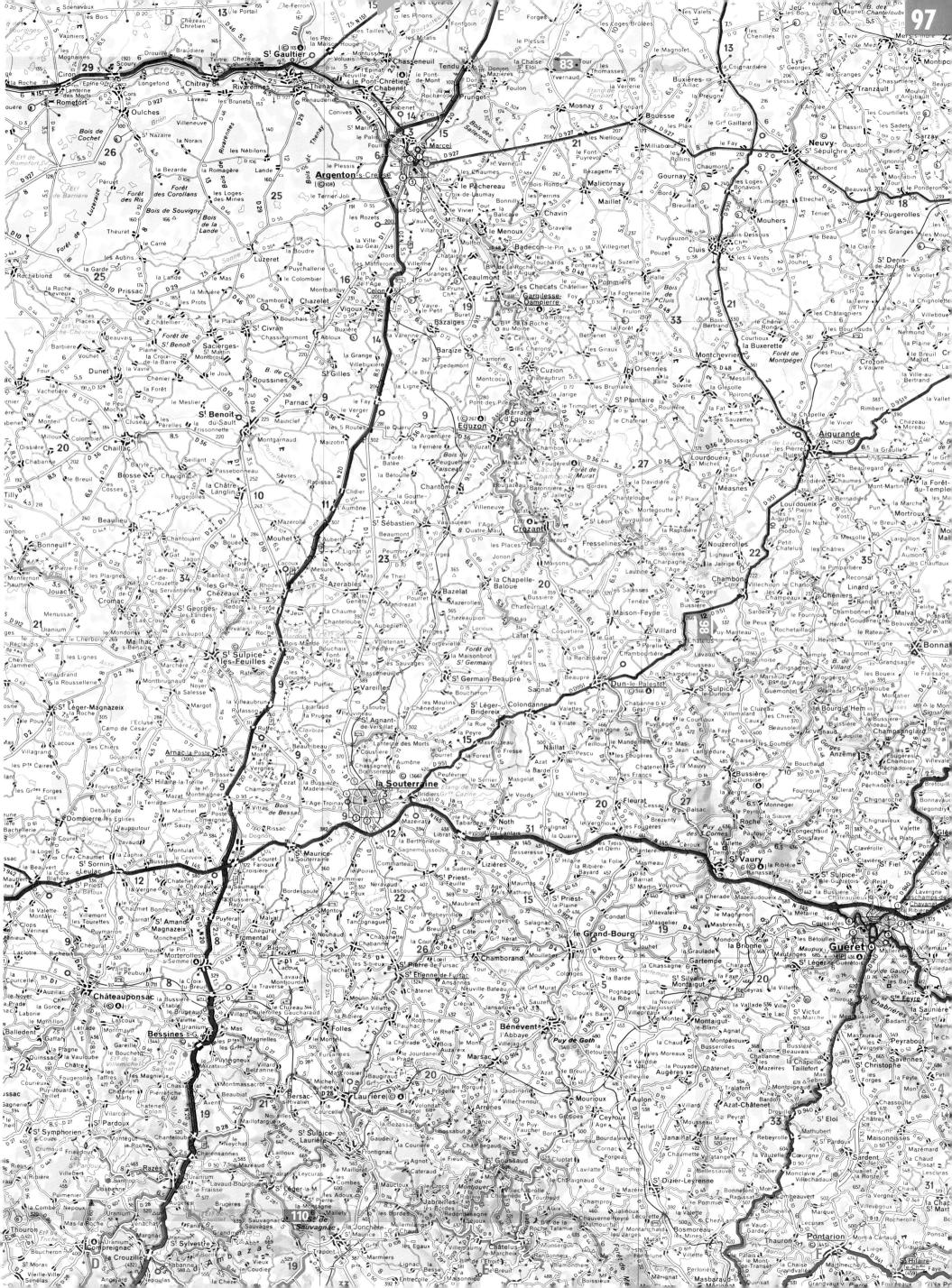

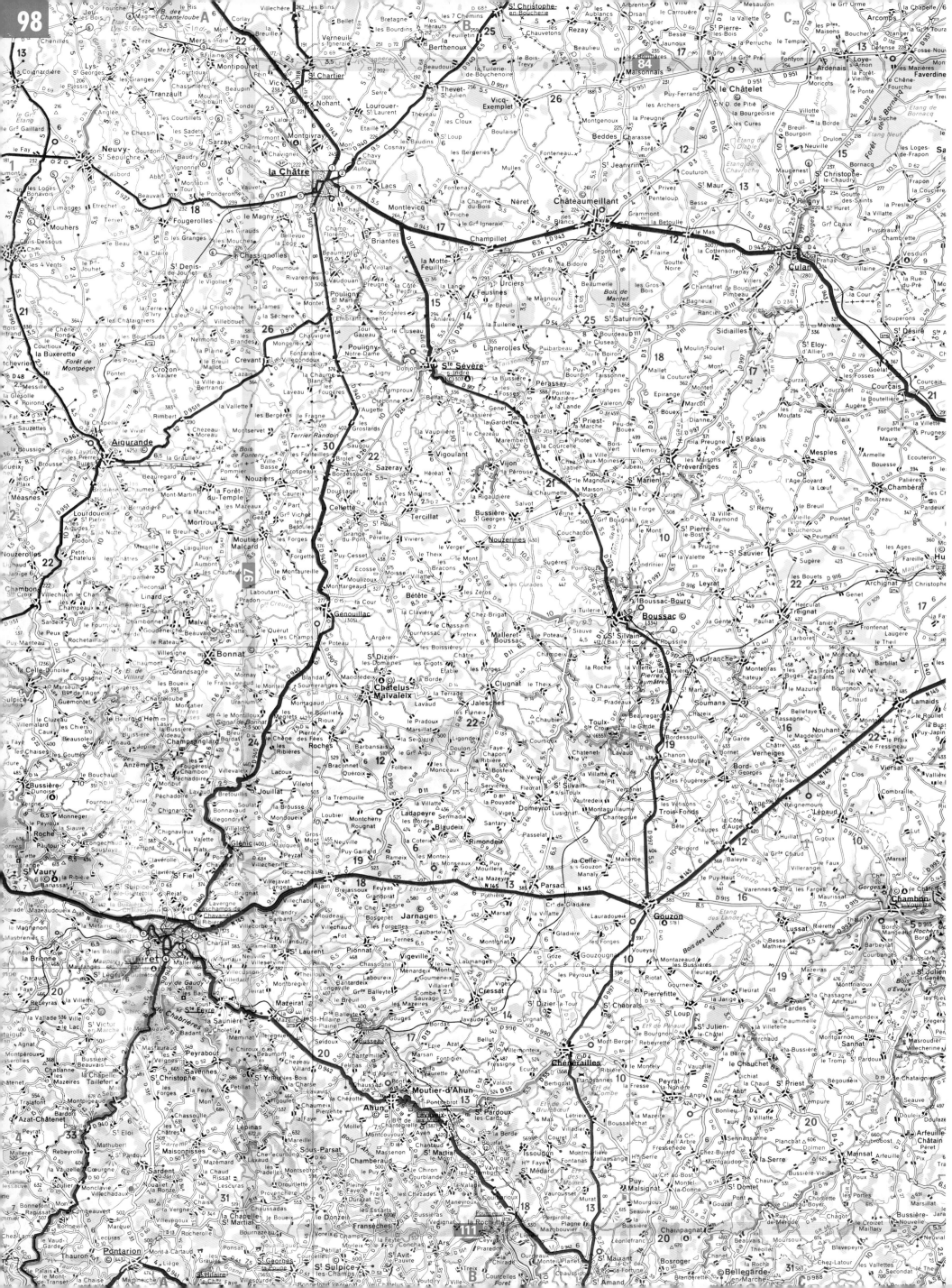

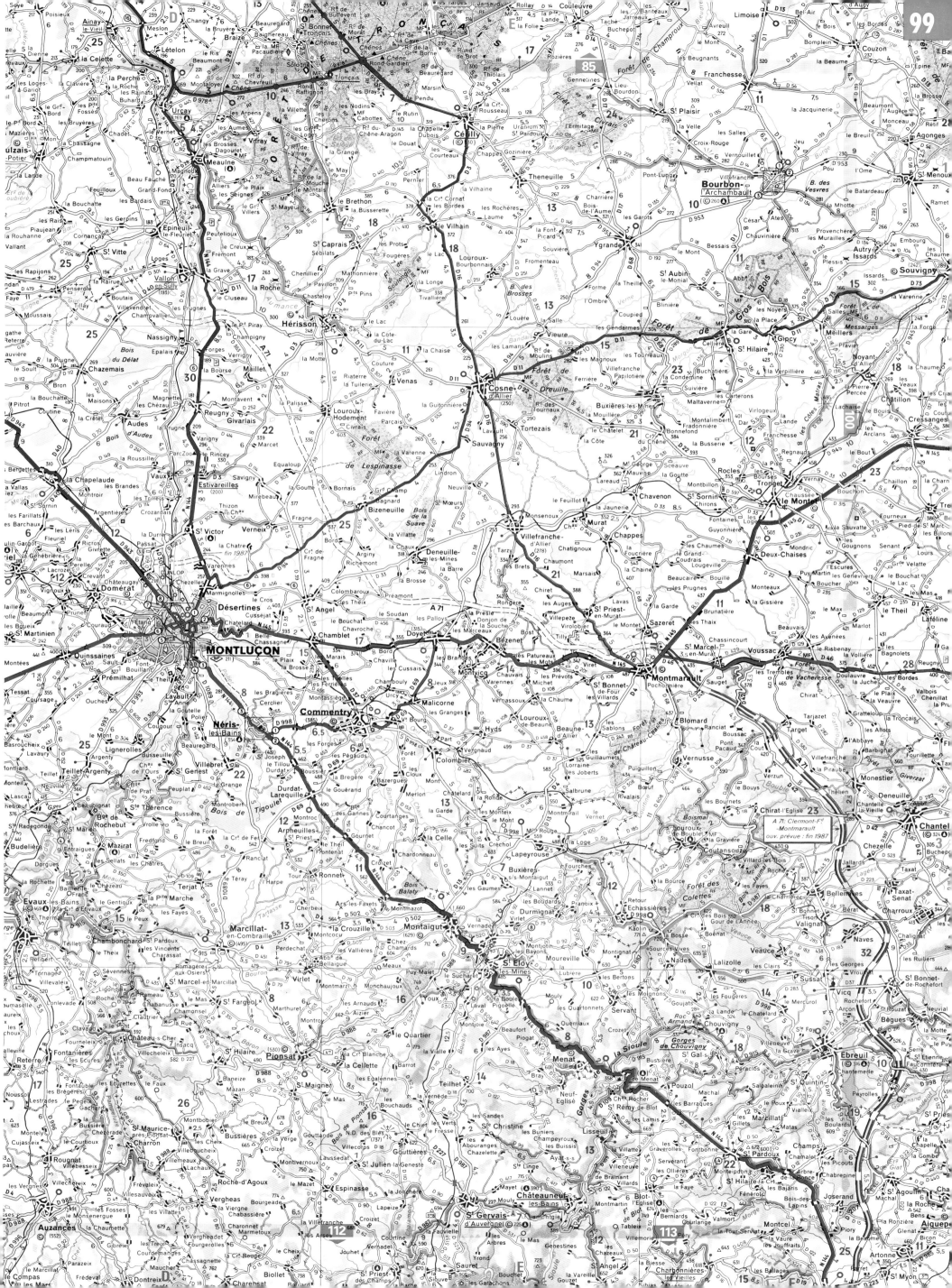

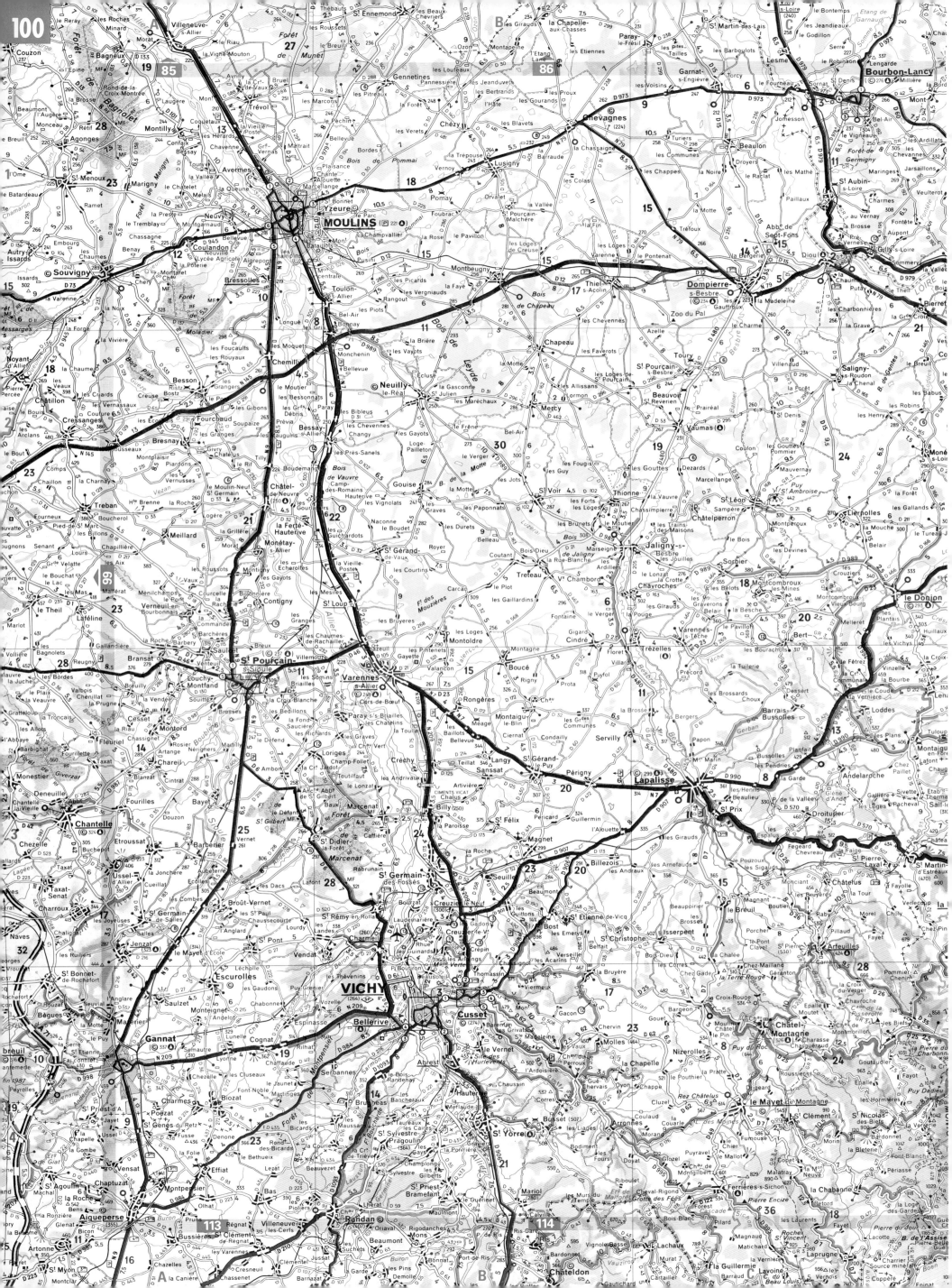

This page is a detailed road map of the Mâcon–Tournus–Cluny region in France (map section 102). It contains hundreds of place names and road numbers rather than continuous prose text.

Key localities visible include:

- TOURNUS
- MÂCON
- CLUNY
- Villefranche-s-Saône
- Beaujeu
- Cuisery
- Pont-de-Vaux
- Sennecey-le-Grand
- Monsols
- Matour
- Mont St Vincent
- St Gengoux-le-National
- Cormatin
- Lugny
- Châtillon-s-C
- Belleville
- Thoissey
- Pont-de-Veyle

Louhans
Châteaurenaud
Sagy
Montpont-en-Bresse
Beaufort
Cuiseaux
St Amour
Coligny
Orgelet
Clairvaux-les-Lacs
Moirans-en-Montagne
St Julien
Arinthod
Dortan
Oyonnax
Treffort
Ceyzériat
Bourg-en-Bresse
Brou
Péronnas
Viriat
Montrevel-en-Bresse
Attignat
Pont-d'Ain
Ambronay
Ambérieu-en-Bugey
Chalamont
Nantua
Izernore
Thoirette
Poncin
Cerdon
Hauteville-Lompnes
Brénod
Châtillon-en-Michaille
St Rambert-en-Bugey
Forêt de Seillon
A 40: Charey Pont-d'Ain ouv. prévue fin 88

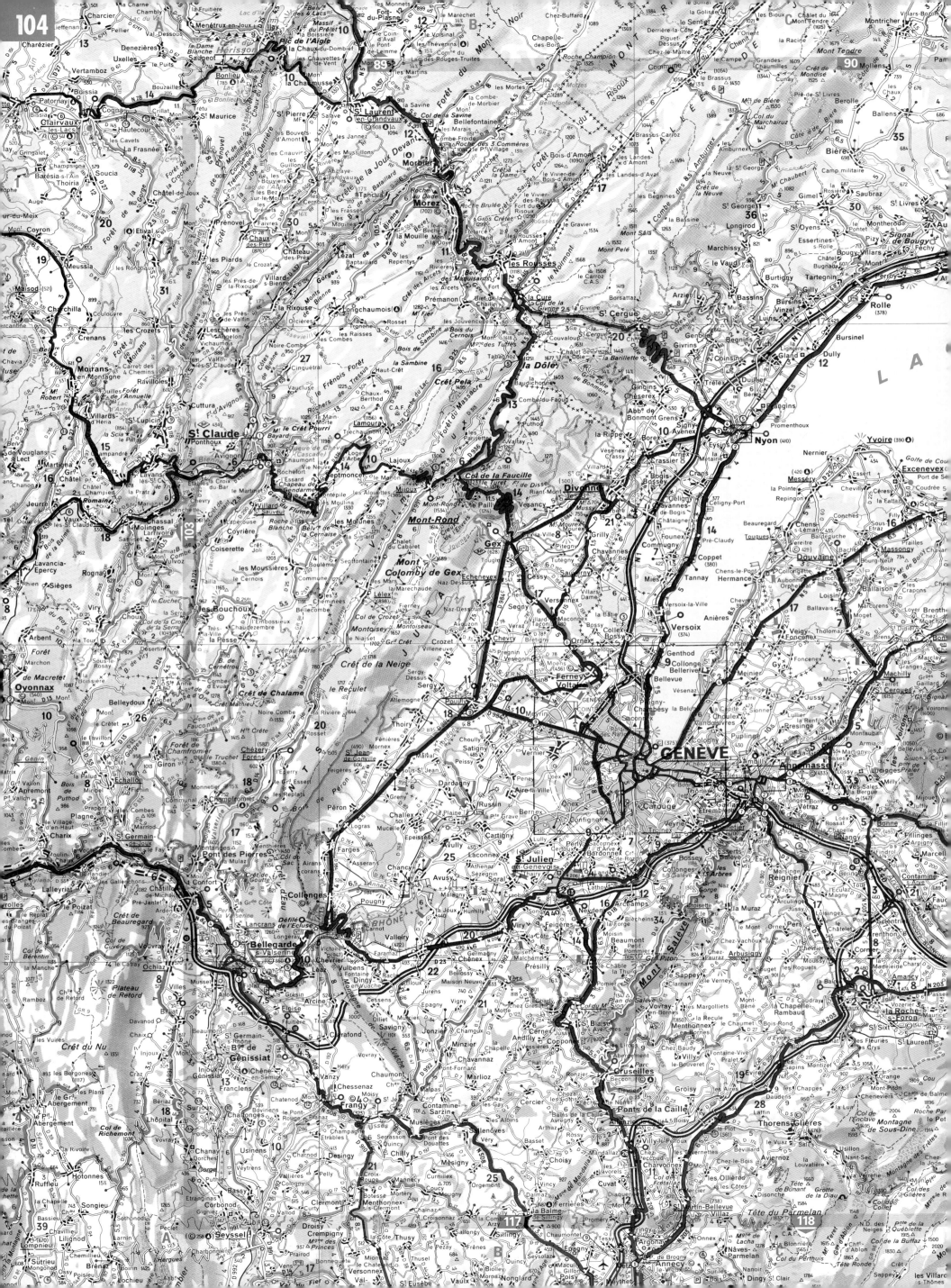

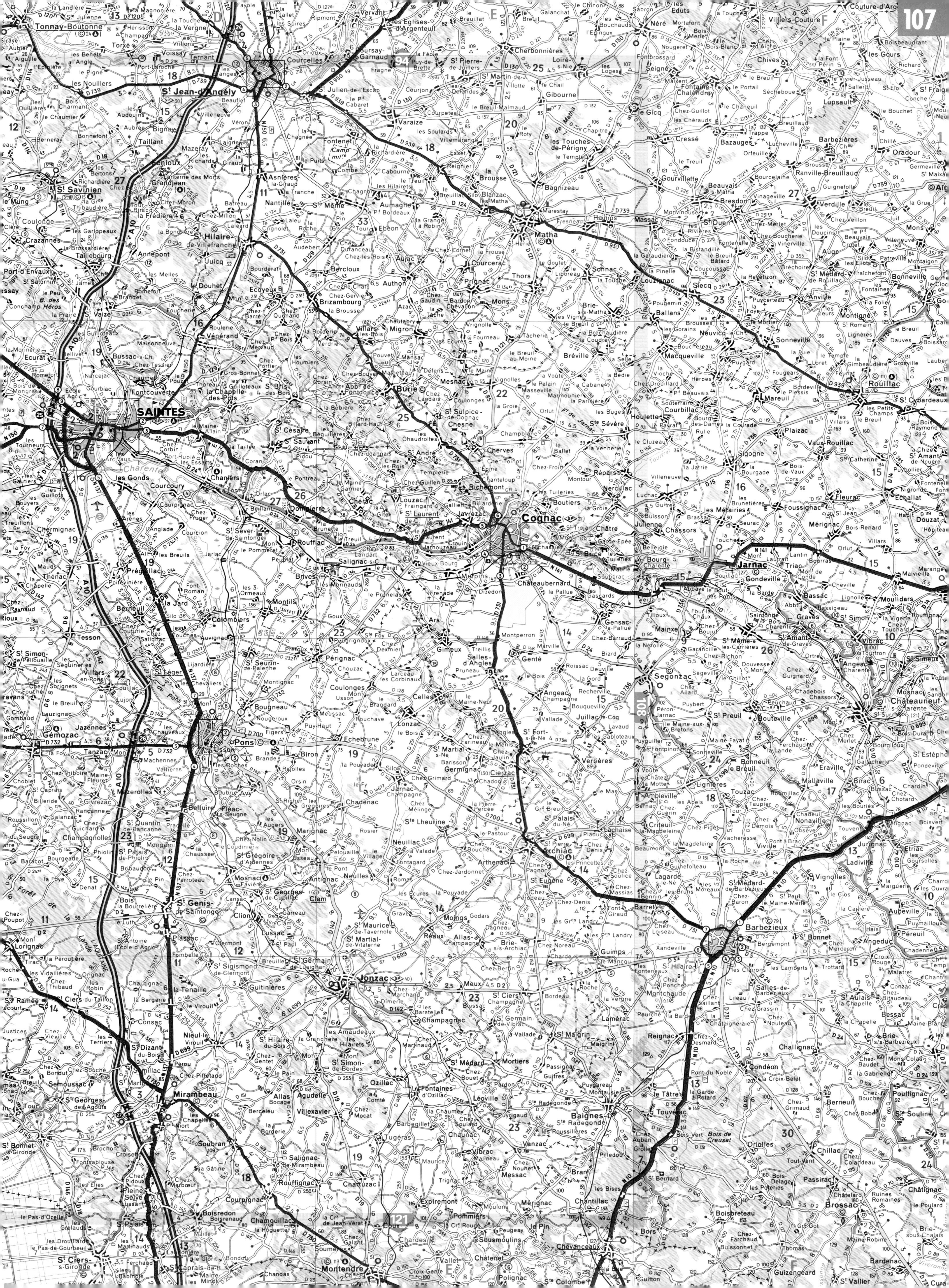

SAINTES

St Jean-d'Angély

St Savinien

Tonnay-Boutonne

Cognac

JARNAC

Matha

Rouillac

Verdille

Burie

Pons

Gémozac

Archiac

Jonzac

Barbezieux

Mirambeau

Montendre

Châteauneuf-s-Charente

Segonzac

Baignes-Ste-Radegonde

Chevanceaux

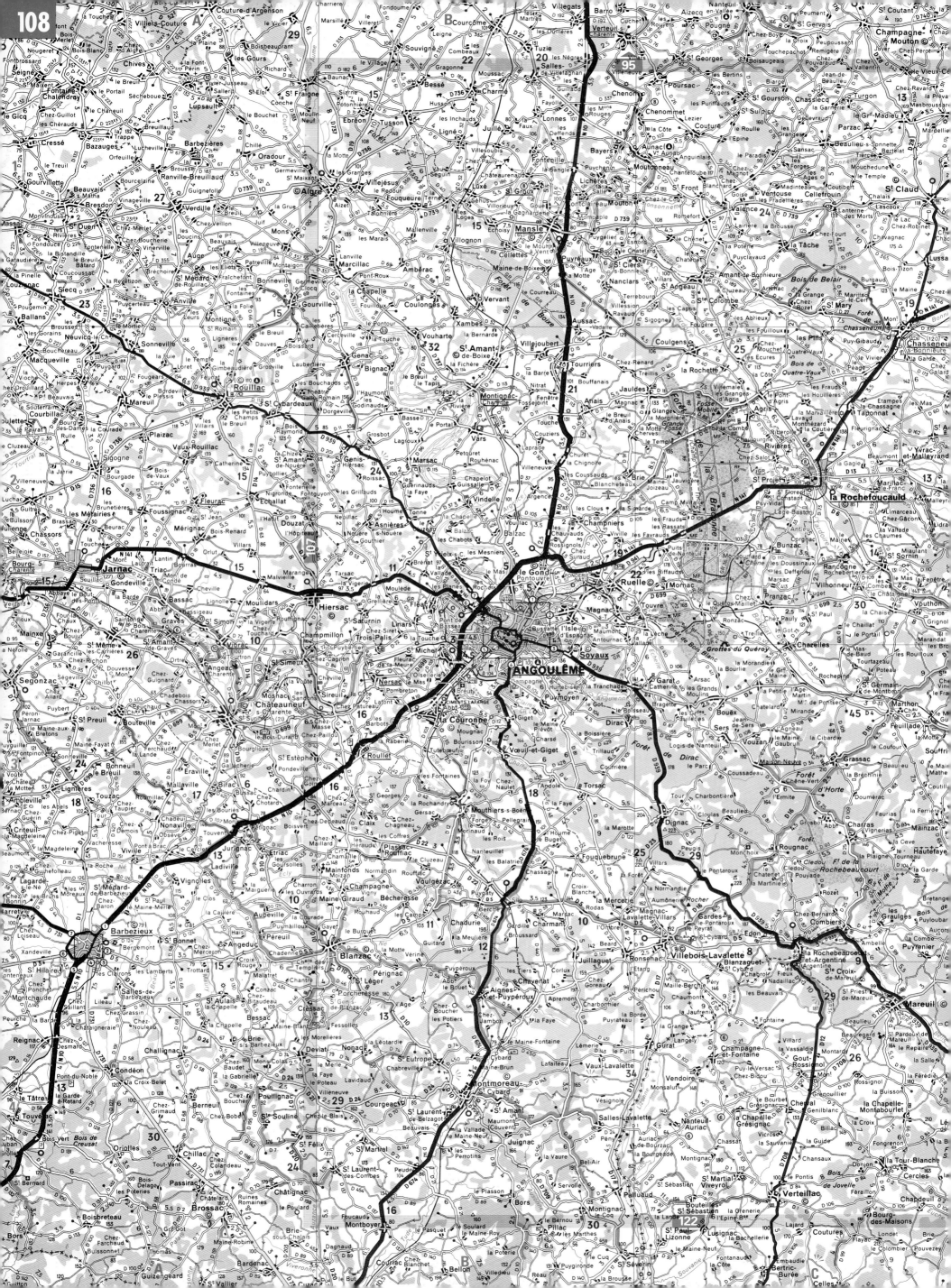

95
96
123

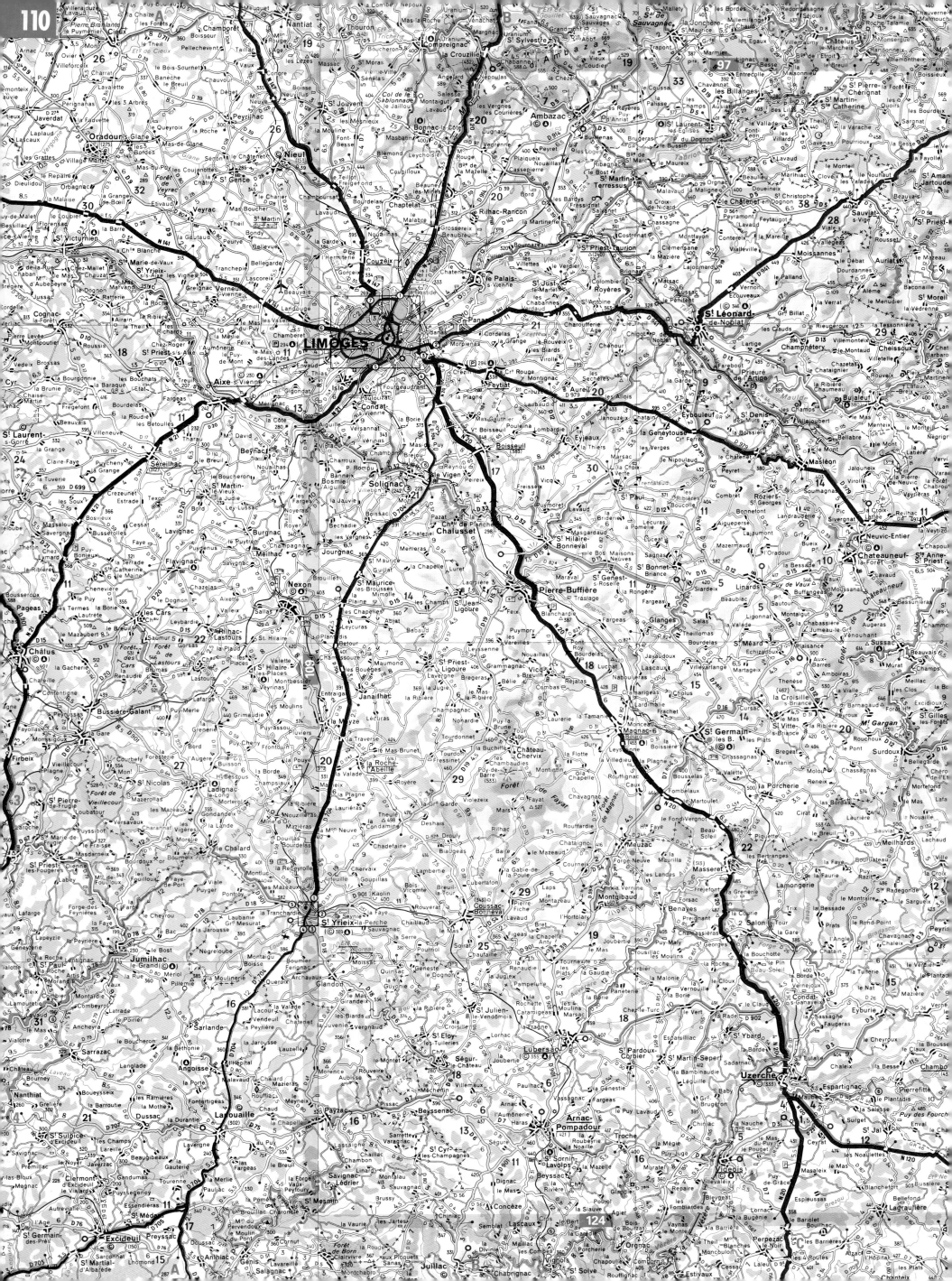

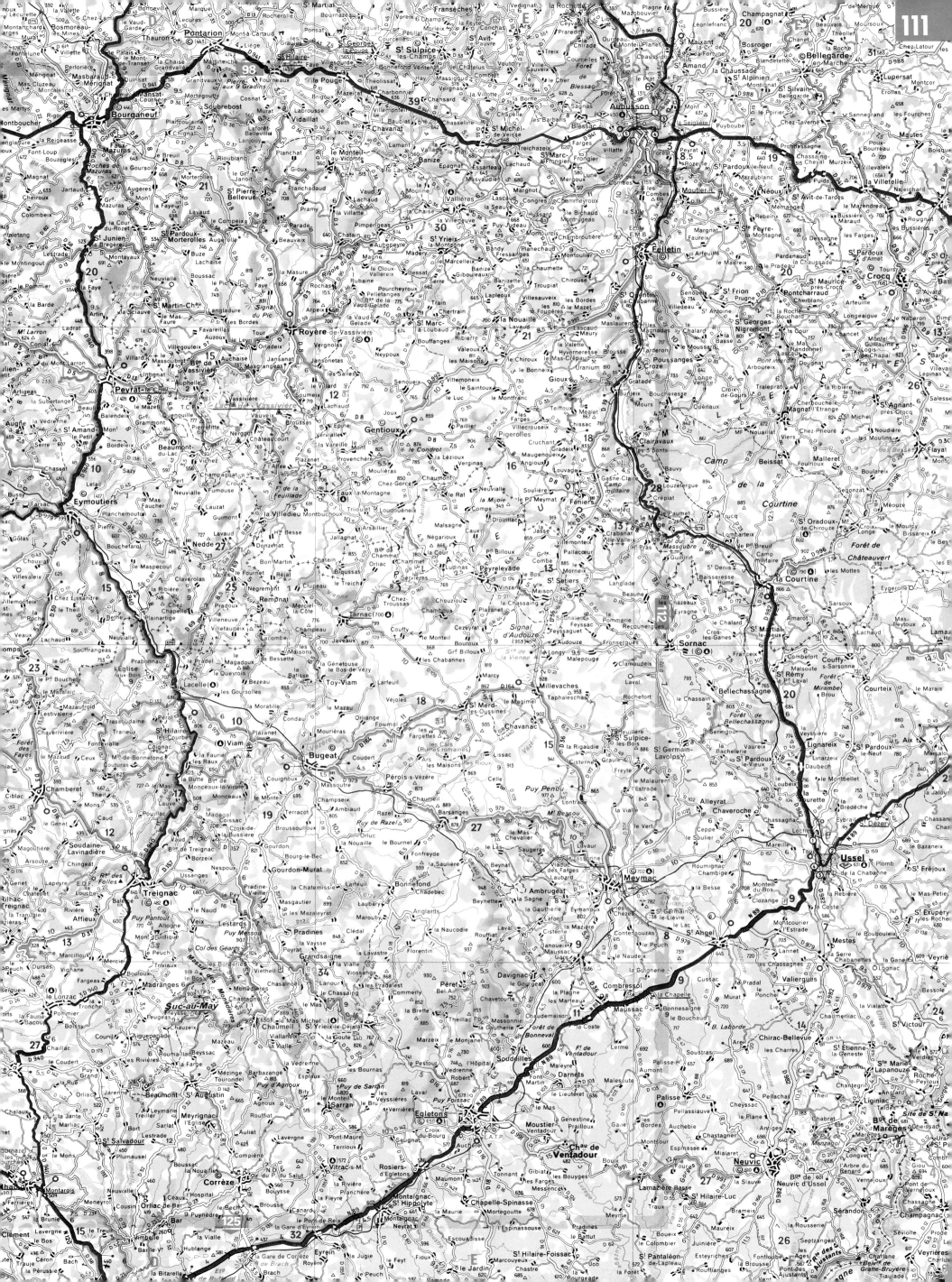

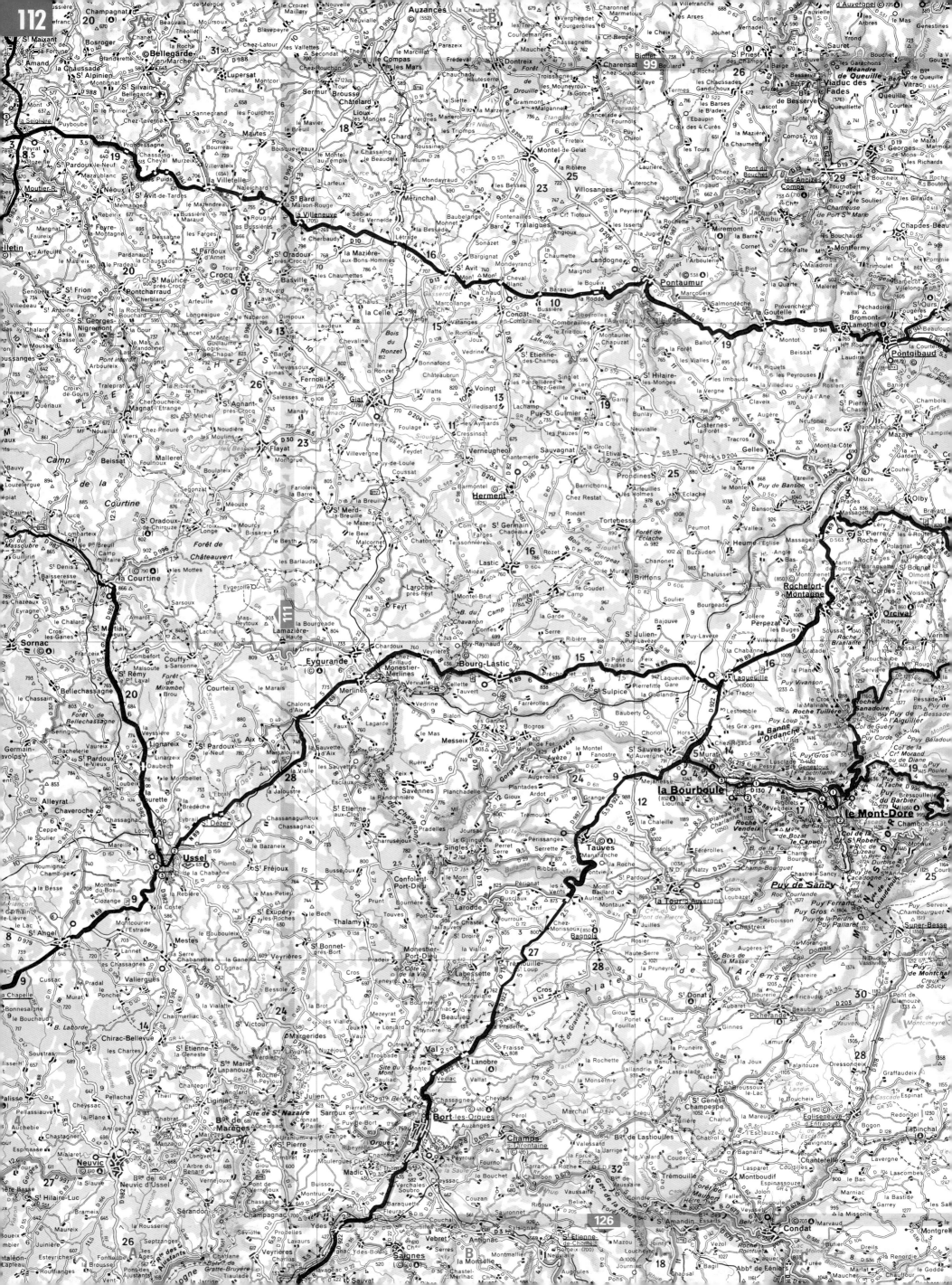

CLERMONT-FERRAND

Cournon-d'Auvergne

RIOM · Mozac · Châtelguyon · Ennezat · Marsat

Thiers · Puy-Guillaume · Châteldon · Randan

Combronde · Manzat · Parc régional des Volcans

Puy de Dôme · Royat · Chamalières · Beaumont · Aubière · Romagnat

Lezoux · Maringues · Courpière · St Dier d'Auvergne · Cunlhat

Billom · Vertaizon · Pont-du-Château · Vic-le-Comte · St Amant-Tallende

Issoire · Champeix · St Nectaire · Murol · Besse-en-Chandesse

Parc Naturel Régional des Volcans d'Auvergne

Sauxillanges · Jumeaux · Auzon · St Germain-Lembron · Ardes

Brassac-les-Mines · Blesle · Lempdes

LIVRADOIS · MONTS DU FOREZ · CÉZALLIER

St Germain-l'Herm

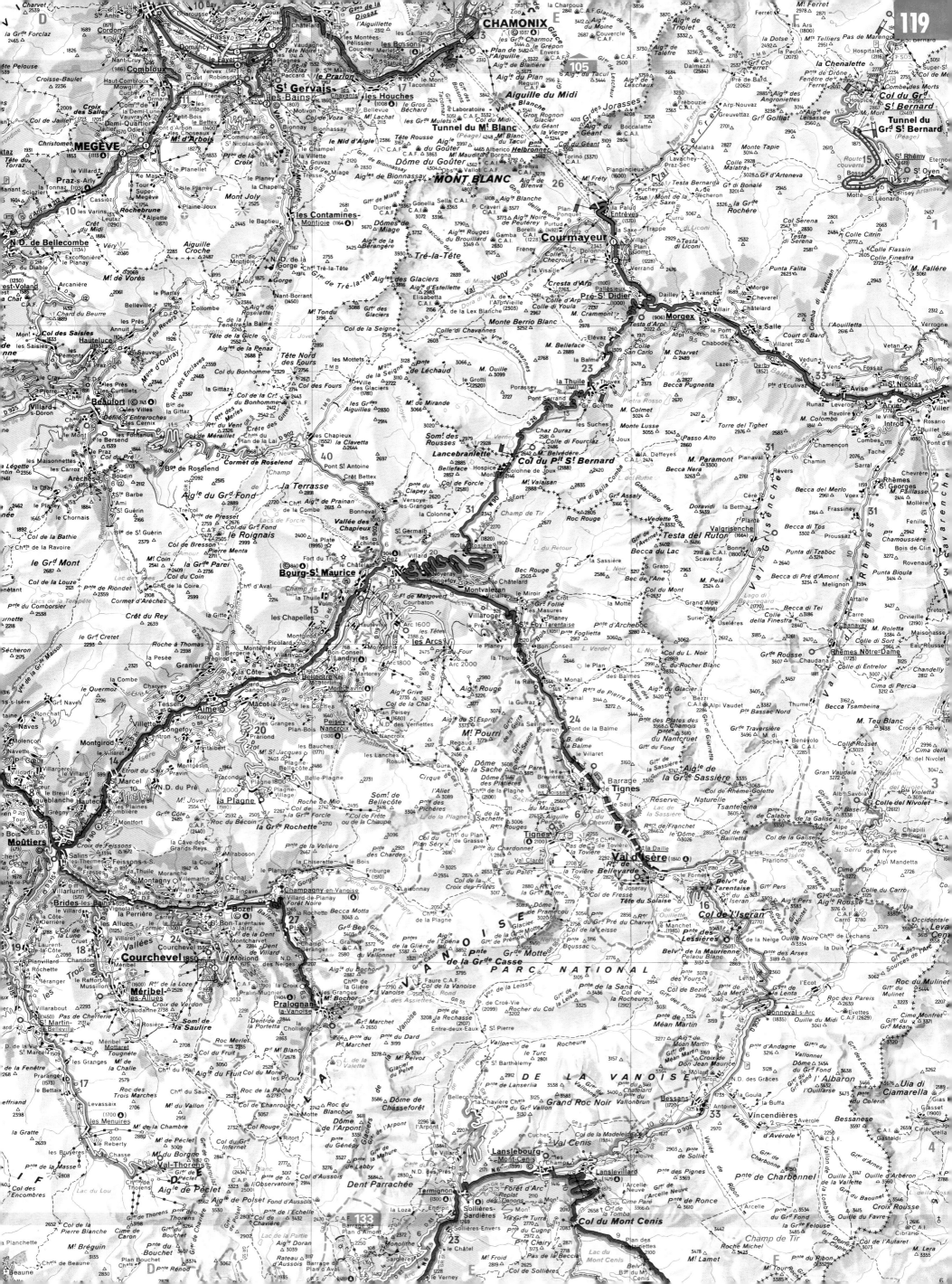

A B

1

Lesparre-Médoc

106

Forêt du Junca
St-Isidore
la Bresquette
le Pin-sec
Hourtin-Plage
le Contaut
les Genêts
Piqueyrot
Pt Mont
C.F.M. MF
Hourtin
Naujac-s-Mer
Lande de Vignolles

Lac d'Hourtin-Carcans

Forêt d'Hourtin
le Crohot de France
la Gracieuse
Phares d'Hourtin

Lachanau
Pey-de-Camin
Berle de
Lupian
St Laurent
et-Benon

le Crohot-des-Cavales
Bombannes

Carcans-Plage
Maubuisson
le Pouch
Carcans
Cap-de-Ville
Mayne-Pauvre
le Montaut
13
Brach

Réserve naturelle
l'Alexandre
Devinas
12

2

Lacanau-Océan
Ile Huga
les Pins
Carreyre
le Moutchic
Talaris
le Tedey
le Port
Lacanau
Grande Escoure
les Nerps
Longarisse
le Bernos

Castelnau-de-Médoc

Ste Hélène

Landes de Méogas
Landes du Bourg
Narsot
Mèjos
Taussac

Lède du Grd Bernos
Mistre
Landes de Lacousteyre
Landes du Gartiou-Croutat
Grd Bos
Saumos
Landes d'Eyron

le Porge-Océan
le Gressier
Etang de Batourton
Etang de Lade Basse
Maisonneuve
Vignas
Lescarran
le Temple
Serigas
Sautuges

3

le Porge
Laruau
Lauros
le Pas-du-Bouc

Camp militaire de Souge

Terrain militaire

Grand Crohot Océan
Lège-Cap-Ferret
d'Arpech
St Jean-d'Illac
le Las

Ares
Jane-de-Boy
Claouey
la Pignada
la Grde Heyre
le Chalet
D 106
les Nargues

Andernos-les-Bains
le Mauret
BASSIN
Taussat
PARC RÉGIONAL

D'ARCACHON
le Canon
l'Herbe
les Jacquets
le Grd Piquey
le Pt Piquey
Ile aux Oiseaux
23
Cassy
le Nan
Lanton
22
Lubec
Croix-d'Hins

4

le Truc Vert
Villa Algérienne
la Vigne
Parc d'attractions
Pte de Branne
Audenge
la Courbe
Marcheprime
DES

ARCACHON
Réservoirs
Poissons
Babalon
les Trucailles
les Argentières

Cap Ferret
les Abatilles
le Moulleau
Gujan-Mestras
Parc ornithologique Biganos
Ruat
le Teich
Facture
les Douils

Pyla-s-Mer
la Teste
134
Meyran
Lamothe

Pilat-Plage
Banc
d'Arcachon
le Truc
les Miquelots
Balanos
LANDES

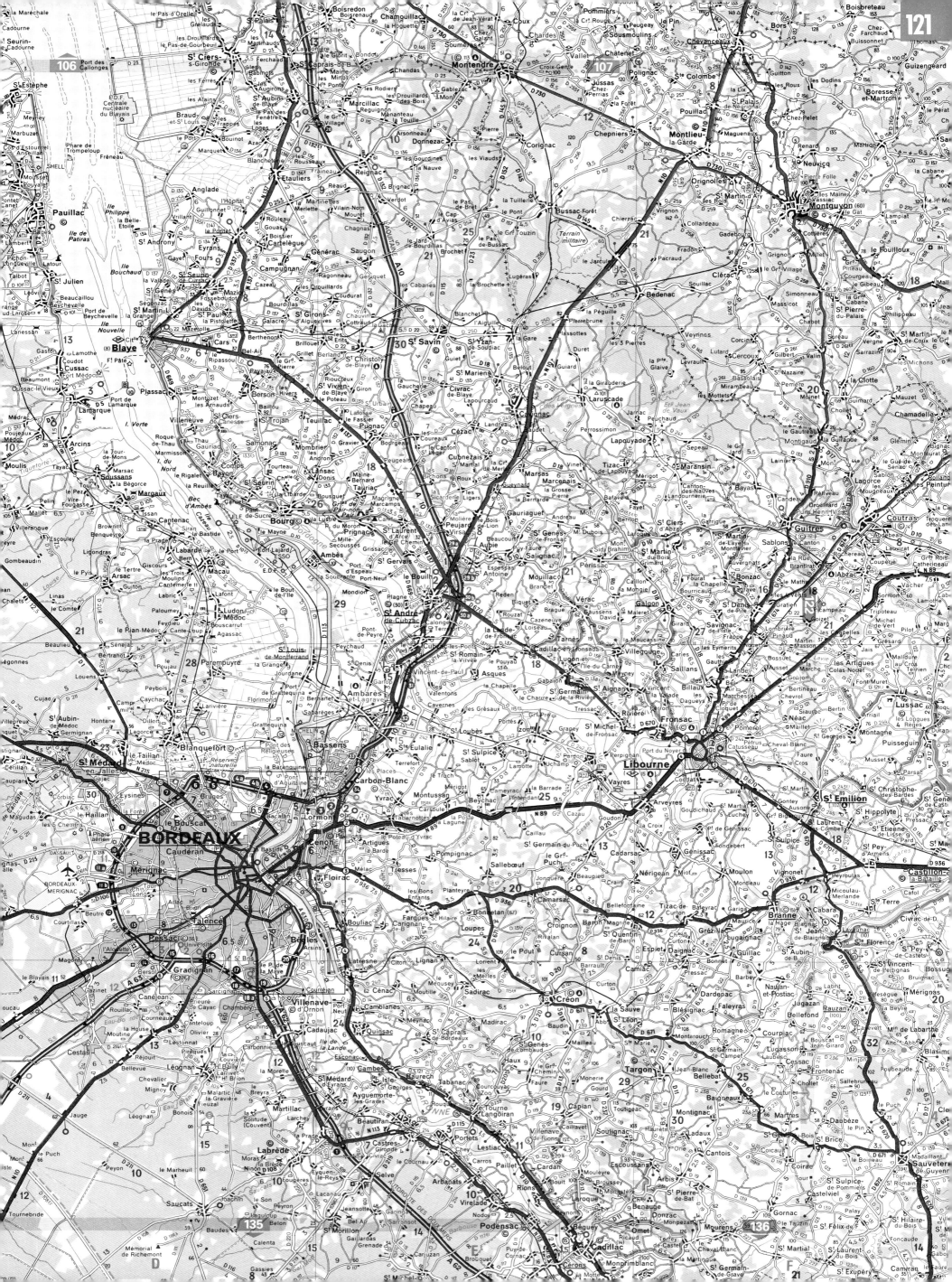

Tulle
Naves
Gimel
Laguenne
St Priest-de-Gimel
Clergoux
Marcillac-la-Croisille
Lapleau
Soursac
Mauriac
Bge de l'Aigle
Chalvignac
la Roche-Canillac
St Martin-la-Méanne
Bge du Chastang
Servières-le-Château
St Privat
Pleaux
Beynat
Albussac
Argentat
Tours de Merle
St Cirgues
Monceaux
Mercœur
Laroquebrou
St Étienne-Cantalès
Ytrac
Beaulieu-s-D.
Sioniac
Vayrac
Bretenoux
Castelnau
Gouffre de Padirac
St Céré
Montal
Sousceyrac
St Mamet-la-Salvetat
Latronquière
Gramat
Lacapelle-Marival
Maurs
Assier
Livernon
Cardaillac
Figeac
Calvinet
Boisset
Cayrols
Dordogne
Gorges de la Dordogne
Forêt de Miers
Camp militaire
Puy du Bassin
Puy de Bouvals
Gorges de la Cère
Cirque d'Autoire
Grotte de Presque
N 120
N 122
N 140
111
126
139

Brioude
Lavaudieu
LIVRADOIS
FOREZ
la Chaise-Dieu
Craponne-s-Arzon
Paulhaguet
Allègre
Bellevue-la-Montagne
Vorey
St Paulien
Langeac
Lavoûte-Chilhac
Pinols
Loudes
LE PUY
Espaly
Polignac
St Germain-Laprade
Solignac-s-Loire
Saugues
Monistrol d'A.
Cayres
Costaros
Le Monastier-s-Gazeille
Le Malzieu-Ville
St Alban-s-Limagnole
Grandrieu
Auroux
Langogne
Pradelles
Coucouron
St Amans
Châteauneuf-de-Randon
St Étienne-de-Lugdarès
Mt Mouchet
Forêt d'Auvers
Gorges de l'Allier
Lac du Bouchet
Roc de Fenestre
MARGERIDE
DEVÈS
124
142
143

Serrières
Sablons
St Rambert-d'Albon
Epinouze
Manthes
Lens-Lestang
Marcollin
Viriville
Thodure
116
Camp de Chambaran
Annonay
Davézieux
Andance
Andancette
Anneyron
Albon
St Sorlin-en-Valloire
Moras-en-Valloire
Hauterives
Palais Idéal
le Grand-Serre
Roybon
Forêt de Chambaran
St Vallier
Sarras
Beausemblant
Laveyron
Claveyson
Ratières
St Uze
Ponsas
St Donat-s-l'Herbasse
Crépol
Montrigaud
St Christophe-et-le-Laris
Miribel
Forêt de Thivolet
St Antoine
St Marcellin
Tain-l'Hermitage
Tournon
Mercurol
Chanos-Curson
Clérieux
Romans-s-Isère
Bourg-de-Péage
Peyrins
Génissieux
St Paul-lès-Romans
Eymeux
St Nazaire-en-Royans
Pont-en-Royans
St Jean-en-Royans
Rochechinard
Châteauneuf-s-Isère
Pont-de-l'Isère
Chateaubourg
Cornas
St Péray
Valence
Bourg-lès-Valence
Guilherand
Crussol
Alixan
Chabeuil
Montélier
Charpey
Barbières
Rochefort-Samson
Léoncel
Col de la Bataille
Malissard
Châteaudouble
Combovin
Montvendre
Barcelonne
Portes-lès-Valence
Beaumont-lès-Valence
Montéléger
Beauvallon
Étoile-s-Rhône
Montmeyran
Upie
Ourches
Vaunaveys-la-Rochette
Gigors
Beaufort-s-Gervanne
Plan-de-Baix
Omblèze
Soyons
Charmes-s-Rhône
St Georges-les-Bains
Chau de Pierre-Gourde
Beauchastel
la Voulte-s-Rhône
Livron-s-Drôme
Loriol-s-Drôme
Allex
Grâne
Eurre
Crest
Aouste-s-Sye
Mirabel-et-Blacons
Saillans
Chabrillan
Autichamp
Divajeu
Le Pouzin
Baix
Chomérac
Privas
Flaviac
Saulce-s-Rhône
Mirmande
Cliousclat
les Tourrettes
Cruas
Marsanne
Condillac
Roynac
Puy-St Martin
Soyans
Saou
la Répara
Pontaix
Barsac
Aubenasson
Piégros-la-Clastre
Espenel
St Benoît-en-Diois
144
145
Rhône
Isère
Drôme
A7
N7
N86
N532
N104

Col du Mont Cenis
Mt CENIS
MASSIF
Lac du Mont Cenis
Sardières
Aussois
Bramans
Modane
Fourneaux
Valfréjus
Orelle
Forêt d'Orelle
Valmeinier
Aigle de Scolette
Tunnel du Fréjus
Mt Thabor
Roche Bernaude
Bardonècchia
Moncenisio
Novalesa
Rocciamelone
Susa
Bussoleno
Mompantero
Giaglione
Chiomonte
Exilles
Salbertrand
Oulx
Sauze d'Oulx
M. Orsiera
Fenestrelle
Usseaux
Pragelato
M. Albergian
Sestriere
M. Fraitève
Cesana Torinese
Claviere
Montgenèvre
Col de Montgenèvre
Bric Ghinivert
Perrero
Prali
Névache
Chantemerle
Serre Chevalier
Le Monêtier-les-Bains
BRIANÇON
Puy-St-André
Cervières
Pic du Grd Glaiza
Bric Froid
Grd Queyron
Bric Bouchet
Vallouise
Puy-St-Vincent
L'Argentière-la-Bessée
Col d'Izoard
Pic de Rochebrune
Abriès
Aiguilles
Château-Queyras
Château-Ville-Vieille
Molines-en-Queyras
St-Véran
PARC REGIONAL DU QUEYRAS
Belvre du Cirque
M. Granero
M. Viso
Le Pain de Sucre
Ceillac
Tête des Toillies
Pontechianale
Casteldelfino
Bric de Rubren
Guillestre
Mont Dauphin
St-Crépin
Champcella
Vars
Risoul
Pic de Rochelaire
Châteauroux
Pic de la Font Sancte
Bellino
119
147

Cap Ferret
Pilat-Plage
la Teste
Arcachon
Banc du Toulinguet
Banc d'Arguin (Réserve ornithologique)
Dune du Pilat
le Truc de la Truque
Les Miquelots
Forêt usagère de la Teste
Dunes de Ginestras
Gaillouneys
Pointe d'Arcachon
Cazaux
Champ de Tir
Montmorency
Forêt Nezer
120
Meyran
Lamothe
Facture
les Douils
Balanos
Mios
Petit Caudos
Peyot
Moura
Gassian
Castendet
Caze
Arnauton
Lillet
Peylon
Peylahon
Argilas
Larrieu
DE GASCOGNE
LANDES
Mougnet
Jaugut
Castor
Lavignolle
Marguit
Paris
Peybidau
Perrin
Salles
Badet
Arnautille
Caudos
Caplanne
la Salie
Forêt de la Teste
Curepipe
Dunes des Places
Champ de Tir
Lette de Lous-Lamanon
Etang de Cazaux et de Sanguinet
Langeot
Bernon
Louse
Quatre-Vents
Forêt de Lagnereau
le Pt Lagnereau
Lagnereau
Sanguinet
Lombard
Méoule
le Bougès
Once
Courneilley
le Clerc
Sillac
Forêt de Salles
Lugos
Bilos
le Mayne
Lanot
Béguey
le Bran
l'Hospitalet
Garot
la Costé
Vieux-Lugo
Graoux
Caverne
Belin-Béliet
la Bertrine
Hillan
Mons
Les Hautes Rives
Port-Maguide
Biscarrosse-Plage
Petite Male
Ispes
en Mayotte
Navarrosse
Goubern
Bosque
Millas
en Belliard
la Broutasse
Forêt usagère de Biscarrosse
Canal
Narp
Silo
Gare de Lugos
Forêt de Lugos
Camontès
Marian
Nigon
le Puch
Boutox
le Meynieu
CENTRE D'ESSAIS
Lilaire
Peyrin
Etang de Biscarrosse
Trappe
en Bergoin
en Hill
Biscarrosse
Forêt de Biscarrosse
Hourtiquets
en Bonnet
Lubiosse
le Muret
Saugnacq-et-Muret
Bidaou
la Crabette
Mirador
Hourson
Lesquire
la Nave
CENTRE D'ESSAIS DES LANDES
Etang de Biscarrosse et de Parentis
Zone militaire interdite
Lahitte
les Moulès
le Bôo
Naoutoy
Bourrugue
Parentis-en-Born
le Lac
Poms
les Espalanques
Herran
Mothes
Malet
Ychoux
Castelnau
Marianne
Moustey
Richet
Gastes
Hillan
Maynage
Esleys
Lucats
les Forges
Haou
Bourdieu
Liposthey
Lavigne
Dupouy
Menroux
Pissos
Pignada
Pelouche
Lafont
Mongaillard
Forêt de Piche
St Trosse
Forêt de Ligautenx
Forêt de Ste Eulalie
Ste Eulalie-en-Born
P. de l'Oustaline
Grd Ligautenx
Pt Ligautenx
Tuyas
Escourssolles
Daugnague
Lette de St Biat
Guirosse
Souleyraou
Bestaven
Pontenx-les-Forges
Menaut
Baxente
Silo
Cantegrit
Etang d'Aureilhan
Jean-de-Crabe
Bouricos
Fne miraculeuse
Canteloup
Gaillard
les Houssats
Mimizan-Plage
Merquedey
Vigon
Daricau
Aureilhan
St Paul-en-Born
la Barde
Haza
Larrousseau
Lüe
Villenave
Médous
Gillet
Cantaure
Grué
Mariné
Labouheyre
Guisoua
Labrit
Guidenson
Trensacq
Mimizan
Baschoc
Méneou
Terrenave
Capbat
Commensacq
Lesturgues
Réserve
Forêt de Mimizan
Salin
Esting
Cheou
Archus
Lette d'Esting
Leych
Gaye
Angoulin
Jouanicot
Escource
Mont
Marquèze (Écomusée)
Lespecier
Bias
Jouanon
Bouheben
Cap-de-Pin
Solférino
Musée
Sabres
Capas
Lisacq
Forêt de St Julien-en-Born
Larden
Salbert
Lestajaou
Marais du Platet
Peyticq
Contis-Plage
Rose
Tresse
Lesbordes
Silo
la Lette
le Clisson
Contis-les-Marais
Tuquelets du Nord
Tuquelets du Sud
Caoule
Guetch
Mézos
Castets
St Julien-en-Born
Lafitte
Onesse-et-Laharie
Lairt
les Pignats
Cornalis
Luglon
Cap-de-l'Homy Plage
Lit-et-Mixe
Uza
le Cout
Laharie
Hourre
Plaisance
Sangla
Grand Coulin
Harenoin
Sindères
Morcenx
Bezin
Padaou
Lévignacq
Choux
Arjuzanx
Yons
Miquéou
Moulin-Vieux
More
Garrosse
Morcenx-Bourg
Lignite
E.D.F.
Bagatelle
Arengosse
la Chapelle
Lugadets
Mixe
Naboude
Vignacot
Carpit
le Bouscat
Malecraste
Castillon
Frouas
Louise
Bernadic
le Souquet
Finoh
Forêt de Lit-et-Mixe
Forêt de
St Girons-Plage
Mathiouic
St Girons
Caillaube
148
Lesperon
149
Villenave
Chinan
Ygos-St Saturnin
Jaougue
Comne de Vielle-St Girons
Bernadon
Vielle-St Girons
Jeantot
Gracian
Labaste
Crière
Cerbouèyres
Serroun
Mougnoc
la Basède
Ousse-Suzan
Rey
Piroc
Péliou
Suzan

129 · 130

Salviac

Marsanne

Montélimar

le Teil

Rochemaure

Dieulefit

la Bégude-de-Mazenc

Viviers

Donzère

Grignan

Valréas

Nyons

St Montan

Bourg-St Andéol

Pierrelatte

St Paul-Trois-Châteaux

Vinsobres

Mirabel-aux-Baronnies

Mondragon

Bollène

Suze-la-Rousse

Tulette

Bagnols-s-Cèze

Pont-St Esprit

Rochegude

Ste Cécile-les-Vignes

Cairanne

Rasteau

Vaison-la-Romaine

Séguret

Mornas

Piolenc

Camaret-s-Aigues

Sablet

Beaumes-de-Venise

Malaucène

ORANGE

Vacqueyras

Gigondas

Châteauneuf-du-Pape

Roquemaure

Sorgues

Bédarrides

Courthézon

Sarrians

Carpentras

Pernes-les-Fontaines

Venasque

Villeneuve-lès-Avignon

158 · 159

143

CANNES

GRASSE

Vence

St Paul

Draguignan

Fréjus

St Raphaël

Ste Maxime

St Tropez

Castellane

Bge de Castillon

Vidauban

les Arcs

le Muy

St Aygulf

les Issambres

la Napoule-Plage

Théoule-s-Mer

Miramar

le Trayas

Agay

Anthéor

Cap du Dramont

Golfe de Fréjus

Golfe de Napoule

Golfe Juan

Iles de Lérins

Ile Ste Marguerite

Ile St Honorat

MASSIF DE L'ESTEREL

Pic de l'Ours

Pic du Cap Roux

MAURES

MILITAIRE DE CANJUERS

Comps-s-Artuby

Fayence

Seillans

Bargemon

Callas

Figanières

Callian

Montauroux

Mons

St Vallier

Cabris

Mougins

Vallauris

le Cannet

Grimaud

Cogolin

la Garde-Freinet

Plan-de-la-Tour

Roquebrune

Puget-s-Argens

Corniche

147
165

147
146
162
163
Colmars
Beauvezer
Thorame-Haute
Allos
Annot
Entrevaux
Puget-Théniers
Guillaumes
Valberg
Beuil
PARC
NATIONAL
Barrême
Senez
St André-les-Alpes
Castellane
Clue de Rouaine
Clue de Vergons
Clue de St Auban
Clue d'Aiglun
Clue du Riolan
Gorges de Daluis
Gorges du Cians
Comps-s-Artuby
Point Sublime
Balcons de la Mescla
Falaise des Cavaliers
VERDON
CAMP MILITAIRE DE CANJUERS
Route Napoléon
Trigance
Bargème
Fayence
Callas
Draguignan
Mons
St Vallier de Thiey
Pas de la Faye
Gréolières
Gourdon
GRASSE
Cabris
Mandelieu
Mouans-Sartoux
Montauroux
Seillans
Bargemon
Ampus
Tourtour
Montferrat
Col du Bel-Homme
Grottes de St Cézaire
Lac de St Cassien
Massif du Tanneron
Thorenc
Séranon
St Auban
Castellet-lès-Sausses
Val-de-Chalvagne
Roquesteron
Cipières
Draix
la Javie
Prads
Châteauneuf-Grasse
la Napoule
Théoule-s-Mer

Map (Côte Basque / Pamplona region)

CÔTE BASQUE

St JEAN-DE-LUZ

Guéthary (27)

Ciboure

Hendaye
Hendaye Plage

Hondarribia
Fuenterrabía

Irún

San Marcial

Biriatou

Ascain

la Rhune

Vera de Bidasoa

Sare

Ainhoa

Espelette

Souraide

Ustaritz

St Pée-s-Nivelle

Cambo-les-Bains

Itxassou

Hasparren

Urdax

Zugarramurdi

Bidarray

Ossès

St Martin-d'Arrossa

Maya del Baztán

Alcurruna

Lesaca

Echalar

Yanci

Ventas de Yanci

Sumbilla

Montes de Bidasoa

Santesteban

Bértiz-Arana
Oyereguy

Narvarte

Elizondo (196)

Irurita

Baztán

Arizcun

Les Aldudes

St Étienne
de Baïgorry

**St Jean-
Pied-de-Port**

Uhart-Cize

Ahaxe

Aincille

St Michel

Bascassan

Estérencuby

Valcarlos

Zubieta

Ituren

Legasa

Donamaría

Almándoz

Berroeta

Venta de Arraras

Abartán

Aldudes

Urepel

Banca

Roncesvalles
(Roncevaux)

Burguete
(Auritz-Berry)

Espinal-
Auritz-Berry

Puchotecogañe

Fuerte de Velate

Puerto de Velate

 Venta Quemada

Algorrieta

Suráin

Ochaverri

Collado de
Urquiaga

Ventas de Artaiz

Alcoz

Lanz

Ulzama

Larráinzar

Anué

Olagüe

Egozcue

Eugui

Zubiri

Larrasoaña

Esteribar

Villanueva

Aoiz

Ostiz

Oláibar

Anoz

Olabe

Burutáin

Imbuluzqueta

Arre

Villava

Huarte

PAMPLONA

Cizur

Badostáin

Egüés

Aranguren

Tajonar

Noáin

Sierra de Alaiz

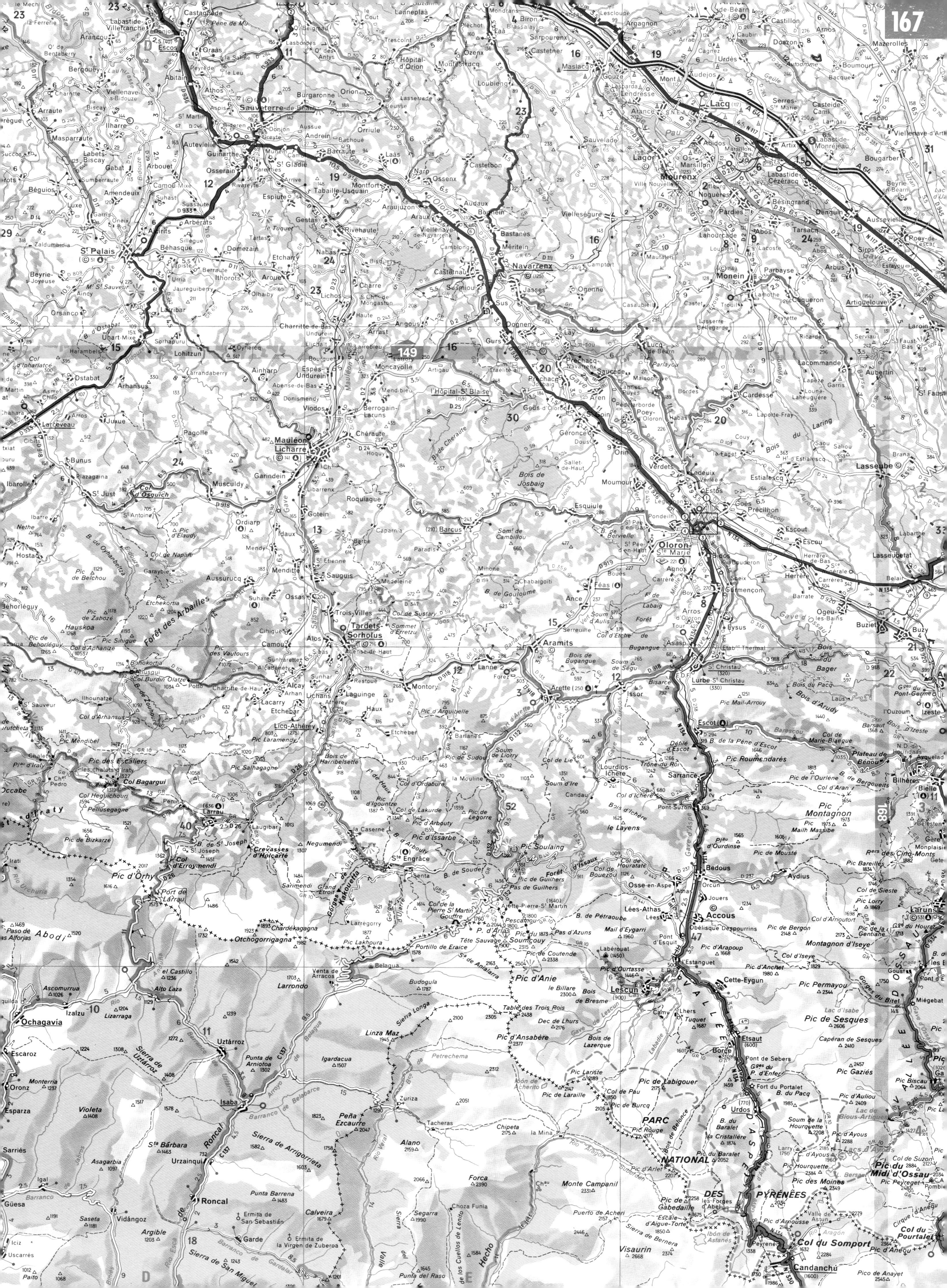

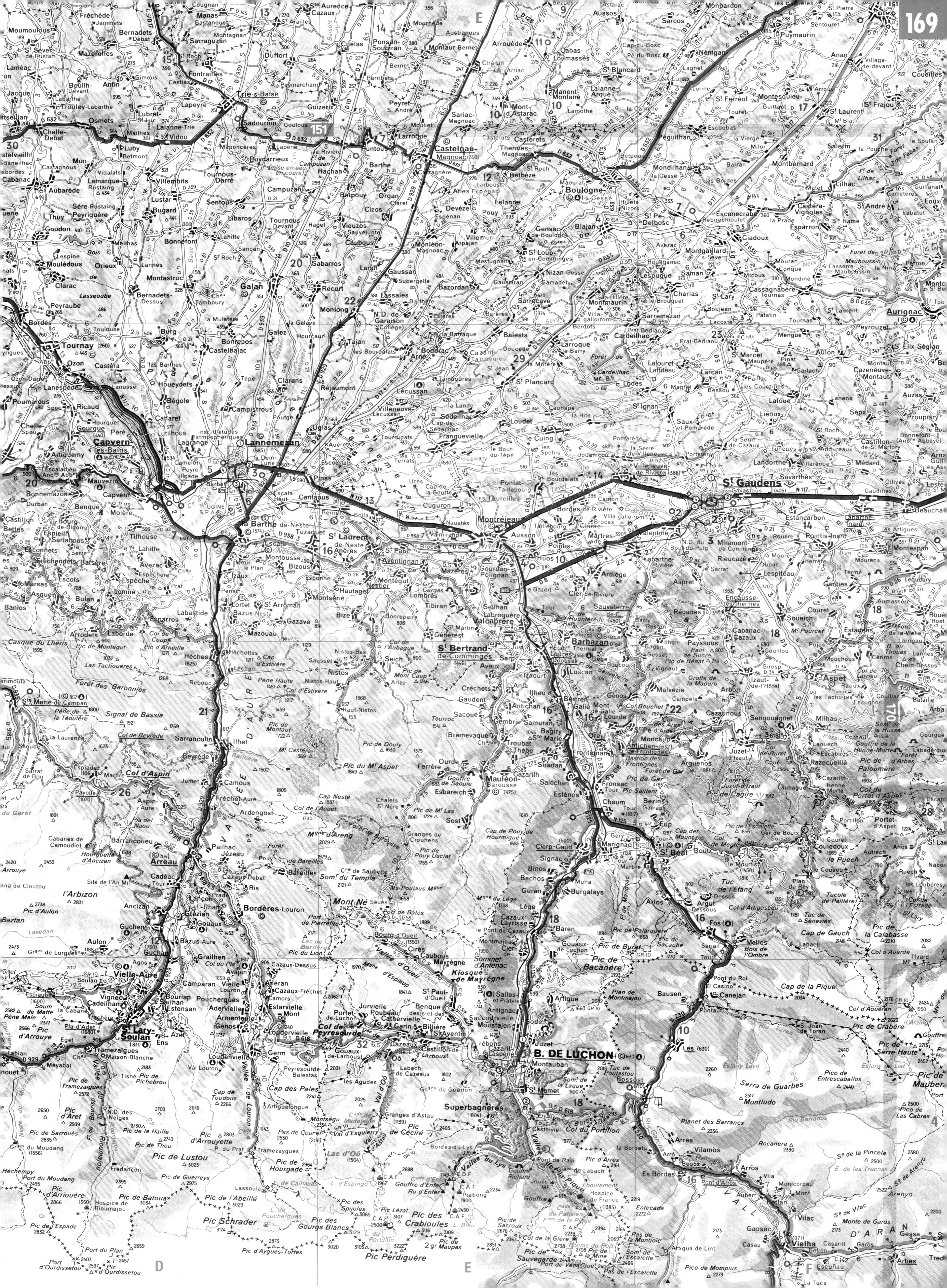

CARCASSONNE

la Cité

Montolieu · Mas-Cabardès · Conques-sur-Orbiel · Peyriac-Minervois · Minerve · Olonzac · Lézignan-Corbières

Limoux · St Hilaire · Lagrasse · Durban-Corbières

Couiza · Arques · Mouthoumet · Tuchan

Quillan · Pic de Bugarach · Château de Peyrepertuse · Grau de Maury · Maury

Axat · Caudiès-de-Fenouillèdes · St Paul-de-Fenouillet · Latour-de-France · Estagel · Rivesaltes

Sournia · Força Réal

PERPIGNAN

Port-la-Nouvelle
Sigean
Leucate · Cap Leucate
Leucate-Plage
Port-Leucate
Port-Barcarès
le Barcarès
St Laurent-de-la-Salanque
Torreilles-Plage
Ste Marie-Plage
Canet-Plage
St Cyprien-Plage
St Cyprien
Argelès-Plage
Argelès-s-Mer
Collioure
Port-Vendres · Cap Béar
Banyuls-s-Mer
Cap Rederis
Cerbère · Cap Cerbère
Portbou
Colera · Cap Ras
Llançà

Tuchan
Padern
Cucugnan
Paziols
Maury
Grau de Maury
Latour-de-France
Estagel
Rivesaltes
Salses
Fort de Salses
Espira-del-Agly
Cases-de-Pène
Baixas
Peyrestortes
St Estève
Millas
Néfiach
Thuir
Toulouges
Canohès
Pollestres
Villeneuve-de-la-Raho
Théza
Alénya
Corneilla-del-Vercol
Montescot
Elne
Bages
Ponteilla
Trouillas
Terrats
Llupia
Castelnou
Ste Colombe
Fourques
Passa
Tresserre
Banyuls-dels-Aspres
Brouilla
Ortaffa
Palau-del-Vidre
St André
le Boulou
Maureillas-las-Illas
les Cluses
le Perthus
La Jonquera
Céret
Amélie-les-Bains-Palalda
Arles
Coustouges
St Laurent-de-Cerdans
Prats-de-Mollo
Capmany
Agullana
Darnius
Macanet de Cabrenys
Boule-d'Amont
Prieuré de Serrabone
Bouleternère
Corbère
St Michel-de-Llotes
Ille-s-Têt
Vingrau
Tautavel
Durban-Corbières
Villeneuve-les-Corbières
Fraissé-des-Corbières
Fitou
Caves
Feuilla
Treilles
Roquefort-des-Corbières
Lapalme
Villesèque-des-Corbières
Albas
Cascastel-des-Corbières
Quintillan
St Jean-de-Barrou
Embres-et-Castelmaure

Côte Vermeille
Roussillon
La Catalane

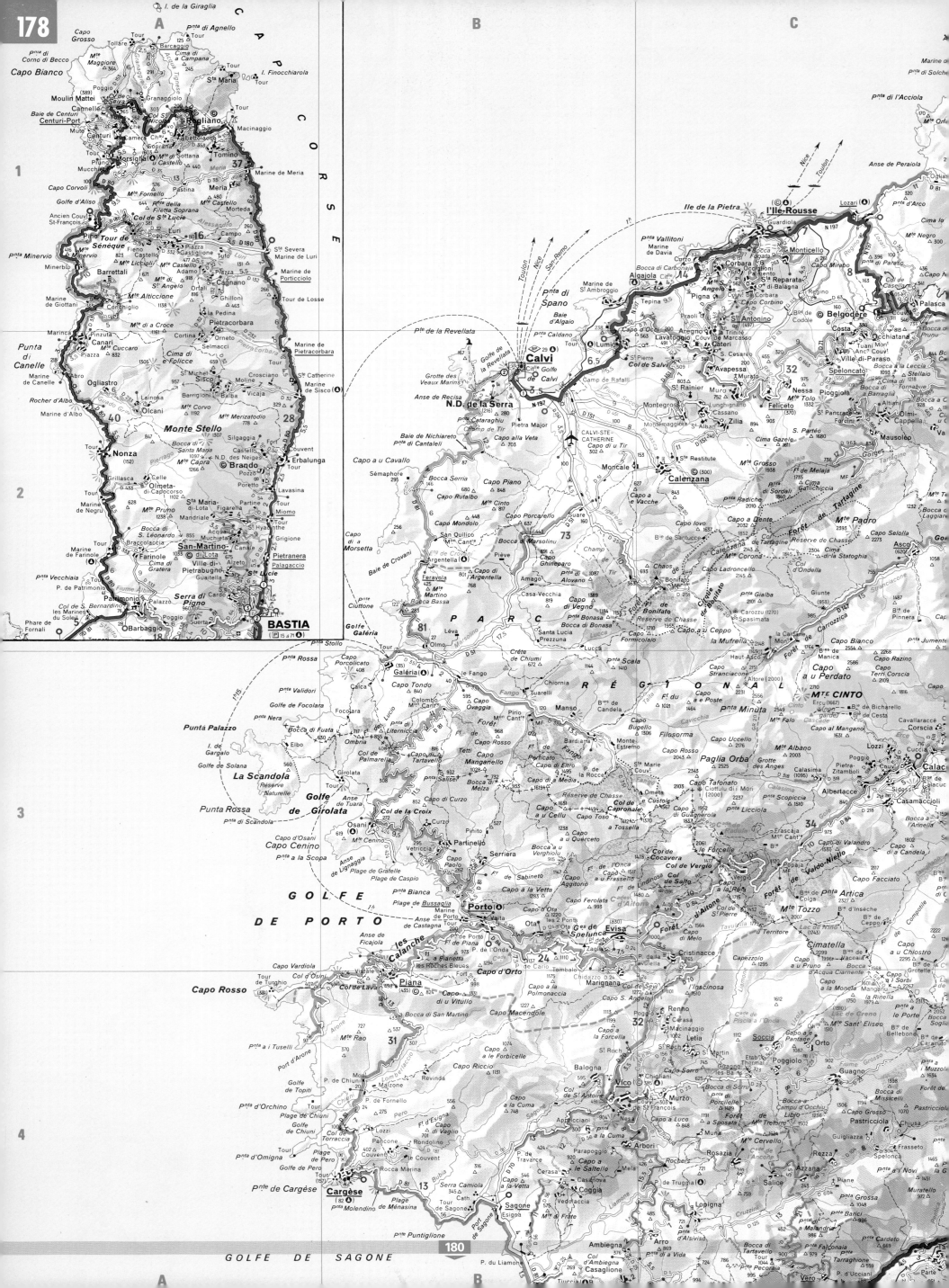

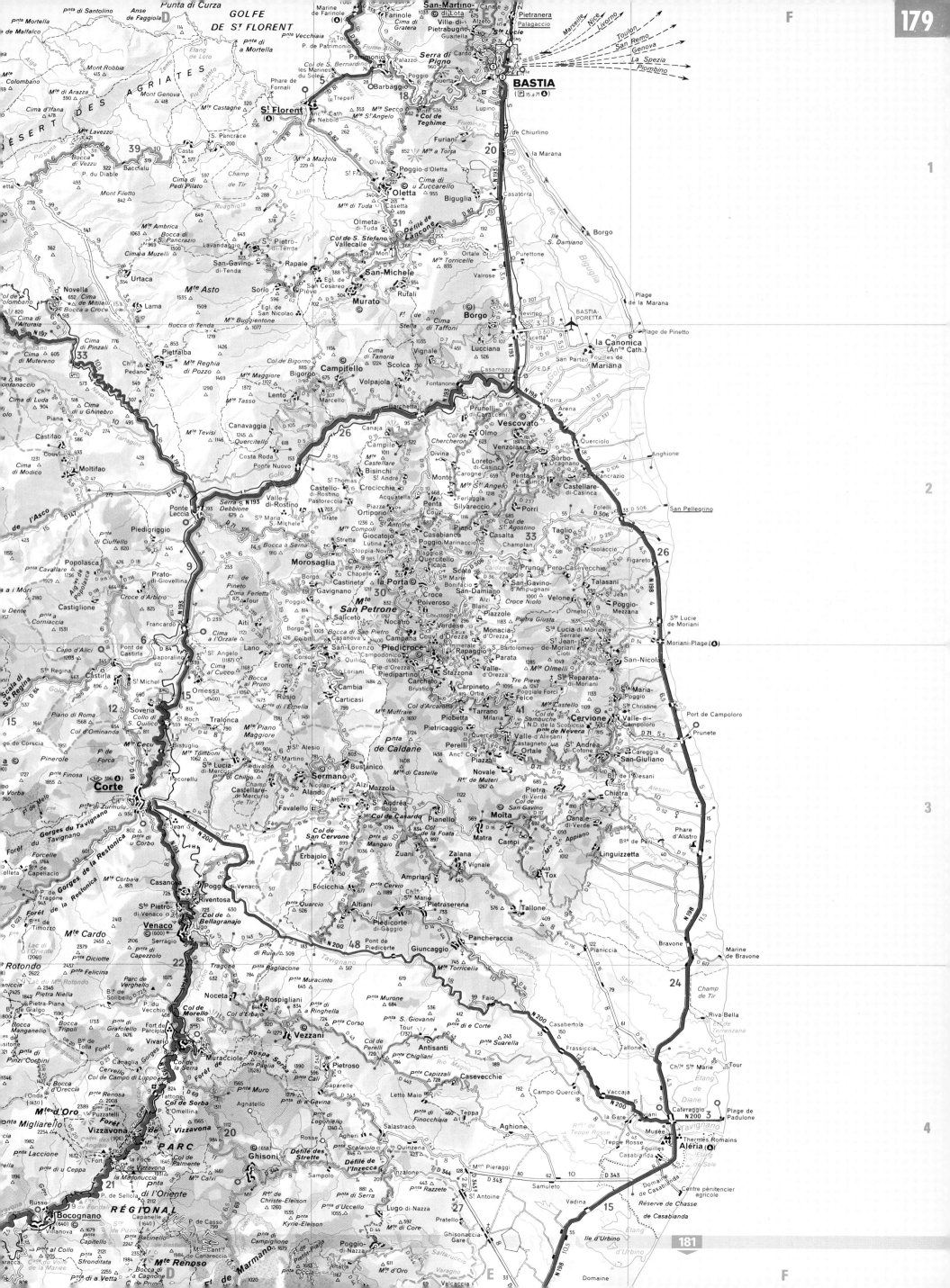

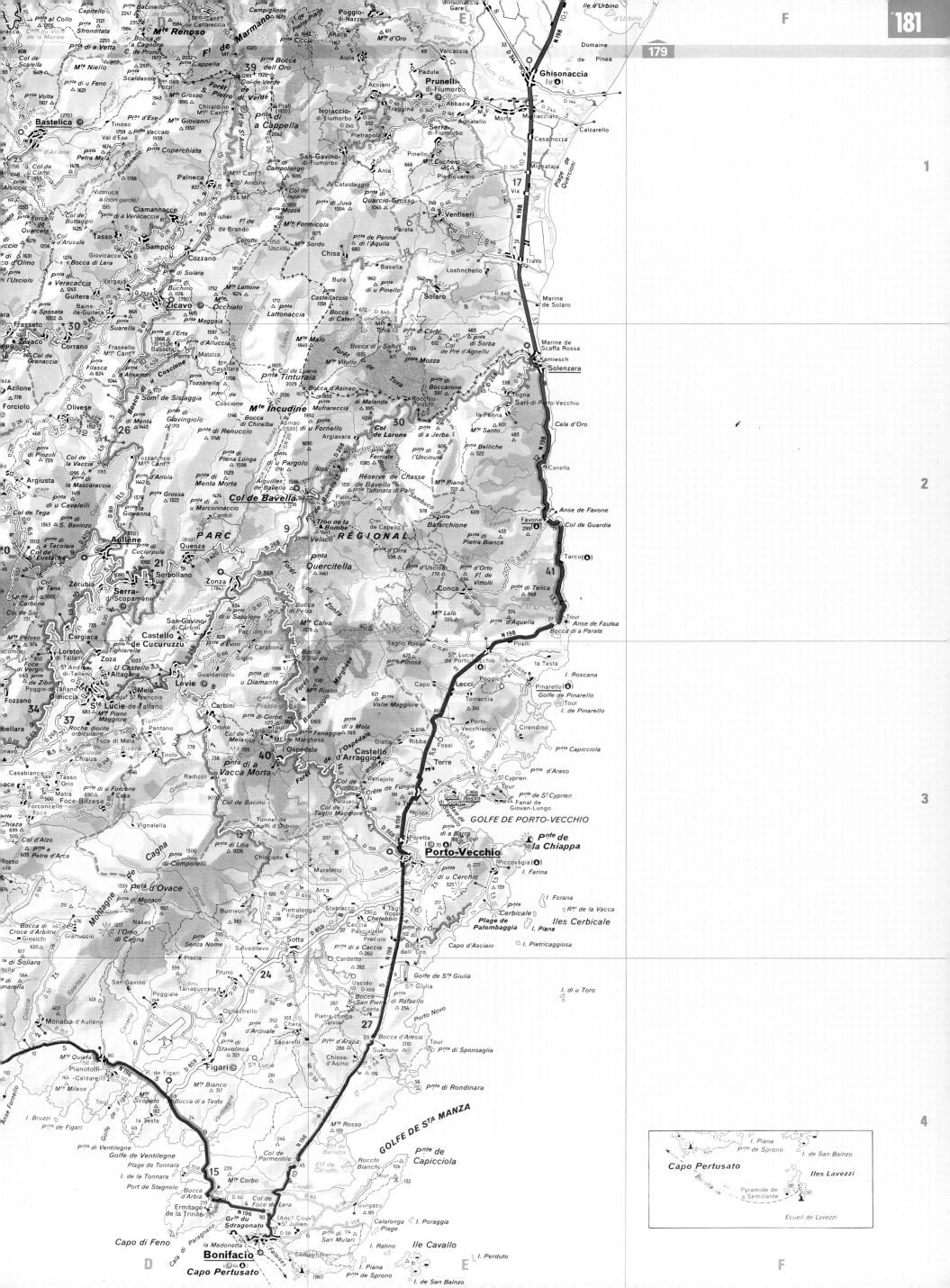

Index Register

Comment se servir de cet index
How to use this index
Toelichting bij het register
Zum Gebrauch des Registers

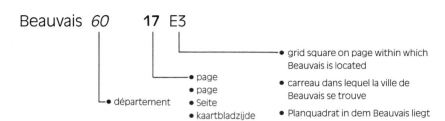

Beauvais *60* **17** E3

- département
- page / page / Seite / kaartbladzijde
- grid square on page within which Beauvais is located
- carreau dans lequel la ville de Beauvais se trouve
- Planquadrat in dem Beauvais liegt
- vak op de kaartbladzijde waarin Beauvais te vinden is

Les localités de cet index ont un bureau de poste distributeur.

Les sorties de ville indiquées par un numéro cerné de noir sont identiques sur les plans et les cartes au 1/200 000.

This index lists all prefectures, sub-prefectures and postal centres in France.

The prominent black numbers in circles at the sides of the city maps correspond with the numbers given for main routes on the 1:200 000 maps.

Dit register bevat de namen van de belangrijkste plaatsen, namelijk de vestigingsplaatsen van de Franse overheden (préfecturen en onderprefecturen) alsmede alle plaatsen met een belangrijk postkantoor.

De overzichtskaartjes van de grote steden geven de verbindingen aan voor het doorgaande verkeer. De omcirkelde zwarte cijfers aan de zijkant van deze kaartjes verwijzen naar de cijfers van de uitvalswegen op de kaartbladzijden in deze atlas.

Die im Register enthaltenen Orte sind entweder Präfekturen, Unterpräfekturen oder Postleitzentren in Frankreich.

Die in schwarz gedruckten und durch Kreise hervorgehobenen Zahlen an den Seitenleisten der Übersichtspläne der wichtigsten Städte entsprechen in den Karten 1:200.000 der für Durchgangsstraßen verwendeten Numerierung.

A

Abbeville 80 — 6 C3
Ablis 78 — 53 E1
Ablon-sur-Seine 94 — 36 A4
Abondance 74 — 105 E2
Abondant 28 — 34 C4
Abreschviller 57 — 42 B4
Les Abrets 38 — 117 D3
Abriès 05 — 133 F3
Abscon 59 — 8 C2
L'Absie 79 — 80 B4
Achères 78 — 35 E3
Acheux-en-Amiénois 80 — 7 F3
Achiet-le-Grand 62 — 8 A3
Acigné 35 — 48 C3
Aclou 27 — 33 F1
Adriers 86 — 96 B3
Agassac 31 — 152 A4
Agde 34 — 173 F1
Agen 47 — 137 D3
Agon-Coutainville 50 — 30 C2
Agonac 24 — 123 D1
Aguessac 12 — 141 E4
Ahun 23 — 98 B4
L'Aigle 61 — 33 E4
Aignan 32 — 150 C3
Aignay-le-Duc 21 — 73 F2
Aigre 16 — 108 A1
Aigrefeuille-d'Aunis 17 — 93 D3
Aiguebelle 73 — 118 C3
Aigueblanche 73 — 119 D3
Aigueperse 63 — 100 A4
Aigues-Mortes 30 — 157 D5
Aigues-Vives 30 — 157 D2
Aiguilles 05 — 133 E3
Aiguillon 47 — 136 C3
L'Aiguillon-sur-Mer 85 — 92 C2
Aillant-sur-Tholon 89 — 71 F1
Ailly-le-Haut-Clocher 7 D3
Ailly-sur-Noye 80 — 17 F2
Ailly-sur-Somme 80 — 7 E4
Aimargues 30 — 157 D2
Aime 73 — 119 D3
Airaines 80 — 7 D4
Aire-sur-l'Adour 40 — 150 A2

Aire-sur-la-Lys 62 — 3 D3
Airvault 79 — 81 D3
Aix-les-Bains 73 — 117 F2
Les Aix-d'Angillon 18 — 85 D1
Aix-en-Othe 10 — 56 A3
Aix-en-Provence 13 — 159 E3
Aixe-sur-Vienne 87 — 110 A2
Aizenay 85 — 79 D4
Ajaccio 2A — 180 B2
Ajain 23 — 98 B3
Alata 2A — 180 B1
L'Albaron 13 — 157 E3
Albens 73 — 117 F1
Albert 80 — 8 A4
Albertville 73 — 118 C2
Albestroff 57 — 42 A2
Albi 81 — 153 F1
Albias 82 — 138 C4
Aboussière 07 — 129 F3
Albussac 19 — 123 E4
Alby-sur-Chéran 74 — 118 B1
Alençon 61 — 51 D2
Aléria 2b — 179 F4
Alès 30 — 143 D4
Alet-les-Bains 11 — 176 B1
Alexain 53 — 49 D3
Alfortville 94 — 36 A4
Algrange 57 — 21 E3
Alise-Ste-Reine 21 — 73 E3
Alizay 27 — 16 A4
Allaire 56 — 63 E2
Allanche 15 — 127 D1
Allassac 19 — 124 C1
Allauch 13 — 159 E4
Allègre 43 — 128 B1
Alleins 13 — 159 D2
Allemagne-en-Provence 04 — 162 B2
Allemond 38 — 132 B1
Allennes-les-Marais 59 — 3 F4
Allevard 38 — 118 B4
Alleyras 43 — 128 B3
Allonnes 49 — 66 C1
Allonnes 49 — 81 E1
Allos 04 — 147 D3
Allouagne 62 — 3 D4
Les Angles 30 — 58 B1
L'Alpe-d'Huez 38 — 132 B2

Altkirch 68 — 77 E2
Alzon 30 — 156 A1
Alzonne 11 — 171 F1
Amancey 25 — 89 F2
Amanvillers 57 — 41 D1
Ambarès-et-Lagrave 33 — 121 E3
Ambazac 87 — 110 B1
Ambérieu-en-Bugey 01 — 103 E4
Ambert 63 — 114 B3
Ambès 33 — 121 E2
Ambierle 42 — 101 D4
Ambleteuse 62 — 2 A2
Amboise 37 — 68 A4
Ambrières-les-Vallée 53 — 50 A2
Amélie-les-Bains-Palalda 66 — 177 D4
Amfreville-la-Campagne 27 — 34 A1
Amfreville-la-Mi-Voie 76 — 16 A4
Amiens 80 — 7 E4
Amnéville 57 — 21 E4
Amou 40 — 149 E3
Ampus 83 — 161 E1
Ancenis 44 — 65 D4
Ancerville 55 — 39 F4
Ancizan 65 — 169 D3
Les Ancizes-Comps 63 — 113 E1
Ancy-le-Franc 89 — 72 C2
Andelot-Blancheville 52 — 58 B3
Les Andelys 27 — 34 C1
Andernos-les-Bains 33 — 120 B4
Andeville 60 — 35 F1
Andilly 95 — 36 A3
Andorra-la-Vella — 174 A4
Andrest 65 — 150 C4
Andrésy 78 — 35 E3
Andrézieux-Bouthéon 42 — 115 D3
Anduze 30 — 156 A1
Anet 28 — 34 C4
Angers 49 — 65 F1
Angerville 91 — 53 F3
Anglards-de-Salers 15 — 126 B1
Angles 30 — 58 B1
Anglet 64 — 148 B3

Anglure 51 — 56 A1
Angoulême 16 — 108 B3
Angoulins 17 — 92 C4
Angres 62 — 8 A1
Aniche 59 — 8 C2
Anizy-le-Château 02 — 19 E3
Anlezy 58 — 86 B3
Annecy 74 — 118 B1
Annemasse 74 — 104 C3
Anneullin 59 — 3 F4
Annonay 07 — 129 F1
Annot 04 — 164 B2
Anor 59 — 9 F3
Anost 71 — 87 D2
Anse 69 — 115 F1
Antheuil-Portes 60 — 18 B3
Antibes 06 — 165 D4
Antony 92 — 35 F4
Anvin 62 — 2 C4
Apinac 89 — 71 F1
Apt 84 — 167 E2
Aramits 64 — 167 E2
Aramon 30 — 158 A1
Arbois 39 — 89 E3
L'Arbresle 69 — 115 F1
L'Arbret 62 — 7 F2
Arc-en-Barrois 52 — 74 B1
Arc-et-Senans 25 — 89 E2
Arc-sur-Tille 21 — 74 C4
Arcachon 33 — 120 B4
Arcey 25 — 76 C4
Arches 88 — 60 A3
Archiac 17 — 107 E3
Arcis-sur-Aube 33 — 120 B4
Les Arcs 83 — 119 E2
Les Arcs 83 — 161 E1
Arcueil 94 — 35 F4
Ardentes 36 — 84 A4
Ardes 63 — 113 D4
Ardres 62 — 2 B2
Arès 33 — 120 B4
Arfeuilles 03 — 101 D2
Argelès-Gazost 65 — 169 D3
Argelès-sur-Mer 66 — 177 F3
Argences 14 — 32 B2
Argent-sur-Sauldre 18 — 70 B3
Argentan 61 — 51 D1
Argentat 19 — 125 D2
Argenteuil 95 — 35 F3
Les Angles 30 — 58 B1
L'Argentière-la-Bessée 05 — 133 D3

Argenton-Château 79 — 80 C2
Argenton-l'Église 79 — 81 D2
Argenton-sur-Creuse 36 — 97 E1
Argentré 53 — 50 A4
Argentré-du-Plessis 35 — 49 E4
Argis 01 — 117 D1
Arguel 76 — 16 C3
Arinthod 39 — 103 F2
Arlanc 63 — 114 B4
Arles 13 — 157 F2
Arles-sur-Tech 66 — 177 D4
Arleuf 58 — 87 D2
Arleux 59 — 8 C2
Armentières 59 — 3 F3
Arnac-Pompadour 19 — 110 B4
Arnage 72 — 66 C1
Array-le-Duc 21 — 87 F2
Arnèke 59 — 3 D2
Arnouville-lès-Gonesse 95 — 36 A3
Aron 53 — 50 A3
Arpajon 91 — 54 A1
Arpajon-sur-Cère 15 — 126 B3
Arques 62 — 2 C3
Arques-la-Bataille 76 — 16 A1
Arradon 56 — 47 D4
Arras 62 — 8 A2
Arreau 65 — 169 D3
Arrest 60 — 6 C3
Arromanches-les-Bains 14 — 13 F5
Arrou 28 — 52 B4
Ars-en-Ré 17 — 92 B3
Ars-sur-Moselle 57 — 41 D2
Artenay 45 — 53 E4
Arthez-de-Béarn 64 — 149 F3
Artix 64 — 149 F3
Artres 59 — 9 D2
Arudy 64 — 168 A2
Arvert 43 — 113 E4
Arvillers 80 — 18 B2
Arzacq-Arraziguet 64 — 150 A3
Arzon 56 — 62 C2
Asasp-Arros 64 — 168 A2
Ascain 64 — 148 A4
Asco 2b — 180 C2
Asfeld 08 — 20 C3
Asnelles 14 — 13 F3

B

Asnières-sur-Seine 92 — 35 F3
Aspet 31 — 169 F1
Aspremont 06 — 165 D3
Aspres-sur-Buëch 05 — 147 F1
Assier 46 — 125 D4
Astaffort 47 — 137 D3
Athis-de-l'Orne 61 — 32 A3
Athis-Mons 91 — 36 A4
Attigny 08 — 21 E3
Aubagne 13 — 160 B3
Aube 61 — 33 E4
Aubenas 07 — 143 E1
Aubergenville 78 — 35 D3
Auberive 52 — 74 B2
Aubers 59 — 3 E3
Aubervilliers 93 — 36 A3
Aubière 63 — 113 D2
Aubiet 32 — 151 F3
Aubignan 84 — 144 C4
Aubigné 49 — 80 C1
Aubigné-Racan 72 — 67 D2
Aubigny-au-Bac 59 — 8 C2
Aubigny-en-Artois 62 — 7 F2
Aubigny-sur-Nère 18 — 70 A3
Aubin 12 — 140 A1
Auboué 54 — 40 C1
Aubusson 23 — 111 F1
Aucamville 31 — 152 B2
Auch 32 — 151 E3
Auchel 62 — 3 D4
Audenge 33 — 120 B4
Audierne 29 — 44 B2
Audincourt 25 — 76 C3
Audinghen 62 — 2 A1
Audruicq 62 — 2 C2
Audun-le-Roman 54 — 23 D4
Audun-le-Tiche 57 — 23 E3
Auffay 76 — 16 A2
Augerolles 63 — 114 B2
Aullène 2a — 181 D2
Aulnat 63 — 113 E2
Aulnay 17 — 94 B3
Aulnay-sous-Bois 93 — 36 A3
Aulnay-sur-Mauldre 78 — 35 D3
Aulnoye-Aymeries 59 — 9 E2
Ault 80 — 6 B3
Aumale 76 — 17 D1
Aumetz 57 — 23 E3
Aumont-Aubrac 48 — 127 E4
Aunac 16 — 108 C1

Auneau 28 — 53 E2
Auneuil 60 — 17 E4
Aups 83 — 161 D1
Auray 56 — 46 C4
Aurec-sur-Loire 43 — 115 D4
Aureilhan 65 — 168 C1
Auribeau-sur-Siagne 06 — 163 F2
Aurignac 31 — 169 F1
Aurillac 15 — 126 B3
Auriol 13 — 160 B2
Auros 33 — 135 F1
Auterive 31 — 152 C4
Authon-du-Perche 28 — 52 B3
Autrans 38 — 131 D1
Autun 71 — 87 E3
Auvers-sur-Oise 95 — 35 F3
Auvillar 82 — 137 E4
Auxerre 89 — 71 F2
Auxi-le-Château 62 — 7 D2
Auxonne 21 — 88 C1
Auzances 23 — 99 F4
Auzon 43 — 113 F4
Availles-Limouzine 86 — 109 F1
Avallon 89 — 72 B3
Aveluy 80 — 7 F3
Avermes 03 — 100 C3
Avesnes-le-Comte 62 — 7 F2
Avesnes-le-Sec 59 — 9 F3
Avesnes-sur-Helpe 59 — 9 F3
Avignon 84 — 158 B1
Avion 62 — 8 A1
Avize 51 — 38 B2
Avoine 37 — 81 F1
Avon 77 — 54 C2
Avord 18 — 85 E1
Avoriaz 74 — 105 E3
Avranches 50 — 30 C4
Ax-les-Thermes 09 — 174 C3
Axat 11 — 176 B2
Ay 51 — 38 B2
Aydat 63 — 113 D3
Ayen 19 — 124 B1
Aytré 17 — 92 C3
Azay-le-Rideau 37 — 82 A1
Azerables 23 — ...
Azzana 2a — 178 C4

B

Baccarat 54 — 60 B1
Bacqueville-en-Caux 76 — 16 A1
Baden 56 — 62 C2
Badonviller 54 — 60 B1
Bâgé-le-Châtel 01 — 102 C3
Bages 66 — 177 E3
Bagnac-sur-Célé 46 — 125 F4
Bagneaux-sur-Loing 77 — 54 C3
Bagnères-de-Bigorre 65 — 168 C2
Bagnères-de-Luchon 31 — 169 E4
Bagneux 92 — 35 F4
Bagnoles-de-l'Orne 61 — 50 B1
Bagnols 63 — 113 F1
Bagnols-les-Bains 48 — 142 B1
Bagnols-sur-Cèze 30 — 144 A3
Baho 66 — 177 E2
Baignes-Ste-Radegonde 16 — 107 E4
Baigneux-les-Juifs 21 — 73 E3
Baillargues 34 — 157 D3
Bailleul 59 — 3 E3
Bailleul-sur-Thérain 60 — 17 F4
Bailly 78 — 35 E4
Bain-de-Bretagne 35 — 64 B1
Bains-les-Bains 88 — 59 E4
Bais 35 — 49 D4
Bais 53 — 50 B3
Baisieux 59 — 4 B3
Baixas 66 — 177 E2
Balaruc-les-Bains 34 — 156 B4
Balbigny 42 — 115 D2
Ballancourt-sur-Essonne 91 — 54 B1
Ballée 53 — 66 A1
Balleroy 14 — 31 E1
Ballon 72 — 51 D3
Ballots 53 — 65 D1
Balma 31 — 152 C3
La Balme-de-Sillingy 74 — 104 B4
Balmont 74 — 118 B1
Bandol 83 — 160 B4
Bannalec 29 — 45 E2
Banon 04 — 145 E4
Ban-de-Laveline 88 — 60 C2
Banyuls-sur-Mer 66 — 177 F4
Bapaume 62 — 8 A3
Bar-le-Duc 55 — 39 F4
Bar-sur-Aube 10 — 57 E3
Bar-sur-Loup 06 — 165 D3
Bar-sur-Seine 10 — 57 D4
Baraqueville 43 — 115 D4
Barbâtre 85 — 78 B2
Barbazan 31 — 169 E1
Barbazan-Debat 65 — 168 C2
Barbentane 13 — 158 B1
Barberey-St-Sulpice 38 — 56 C2
Barbery 60 — 36 B1
Barbezieux-St-Hilaire 16 — 108 A3
Barbizon 77 — 54 B2
Barcelonnette 04 — 147 D4
Barcelonne-du-Gers 32 — 150 B2
Barentin 76 — 15 F3
Barenton 50 — 31 E4
Barfleur 50 — 12 A1
Barjac 30 — 143 E3
Barjols 83 — 160 C1
Barlest 65 — 168 B2
Barlin 62 — 3 E4
Barneville-Carteret 50 — 12 A5
La Barque 13 — 159 E3
Barr 67 — 61 D1
Barran 32 — 151 E3
La Barre-de-Monts 85 — 78 B3
La Barre-en-Ouche 27 — 33 E3
La Barthe-de-Neste 65 — 169 D2
Bas-en-Basset 43 — 115 D4
La Bassée 59 — 3 E4
Bassens 33 — 121 E3
Bastelica 2a — 181 D1
Bastia 2b — 179 E1
La Bastide-de-Sérou 09 — 170 C3
La Bastide-Puylaurent 48 — 142 C1

Batilly 54 — 40 C1
Batz-sur-Mer 44 — 63 D4
Baud 56 — 46 C3
Baugé 49 — 66 B3
Baugy 18 — 85 D2
La Baule 44 — 63 D4
Baume-les-Dames 25 — 76 A4
Bauvin 59 — 3 F4
Bavans 25 — 76 C3
Bavay 59 — 9 E2
Bavilliers 90 — 76 C2
Bayel 10 — 57 E3
Bayeux 14 — 13 F3
Bayon 54 — 59 F1
Bayonne 64 — 148 B3
Bazancourt 51 — 20 C4
Bazas 33 — 135 F2
Bazet 65 — 168 C1
Bazoches-lès-Bray 77 — 55 E2
Bazoches-sur-Hoëne 61 — 51 E1
La Bazoge 72 — 51 D4
Bazouges-la-Pérouse 35 — 48 C3
Le Béage 07 — 129 D3
Beaucaire 30 — 158 A2
Beaucamps-le-Vieux 80 — 17 D1
Beaucé 35 — 49 E2
Beauchamp 95 — ...
Beauchamps 80 — 6 B3
Beaucourt 90 — 77 D3
Beaufort 39 — 103 E1
Beaufort-en-Vallée 49 — 66 B4
Beaugency 45 — 69 D2
Beaujeu 69 — 102 B3
Beaulieu 43 — 70 C3
Beaulieu-sur-Dordogne 19 — 125 D3
Beaulieu-sur-Mer 06 — 165 E3
Beaumes-de-Venise 84 — 144 C4
Beaumesnil 27 — 33 F2
Beaumetz-lès-Loges 62 — 7 F2
Beaumont 24 — 123 D4
Beaumont 63 — 113 D2
Beaumont 07 — 143 D1
Beaumont 86 — 82 A4
Beaumont-de-Lomagne 82 — 152 A1
Beaumont-du-Gâtinais 77 — 54 B4
Beaumont-en-Auge 14 — 14 A4
Beaumont-le-Roger 27 — 33 F2
Beaumont-sur-Oise 95 — 35 F2
Beaumont-sur-Sarthe 72 — 51 D3
Beaumont-lès-Valence 26 — 130 B3
Beaune 21 — 88 A3
Beaune-la-Rolande 45 — 54 B4
Beaupréau 49 — 79 F1
Beaurains 62 — 8 A2
Beaurainville 62 — 2 A4
Beauregard-l'Évêque 63 — 113 E2
Beaurepaire 38 — 116 B4
Beaurieux 62 — 19 E4
Beausoleil 06 — 165 E3
Le Beausset 83 — 160 C3
Beauvais 60 — 17 E4
Beauvais-sur-Matha 17 — 108 A1
Beauval 80 — 7 E3
Beauvezer 04 — 147 D4
Beauville 47 — 137 E3
Beauvoir-sur-Mer 85 — 78 B3
Beauvoir-sur-Niort 79 — 93 F3
Beauvois-en-Cambrésis 59 — 8 C3
Beauvoisin 30 — 157 E2
Beblenheim 68 — 61 D1
Bédarieux 34 — 155 E3
Bédarrides 84 — 144 B4
Bédoin 84 — 144 C4
Bedous 64 — 167 F3
Bégard 22 — 26 B2
Bègles 33 — 121 D3
Béguey 33 — ...
La Bégude-de-Mazenc 26 — 144 B1
Behren-lès-Forbach 57 — 42 B1
Beinheim 67 — 43 F2
Belâbre 36 — 97 E1
Belcastel-et-Buc 11 — 172 A3
Belfort 90 — 76 C2
Belgodère 2b — 180 C2
Belin-Béliet 33 — 134 C1
Bellac 87 — 96 C4
Belle-Isle-en-Terre 22 — 26 B3
Bellegarde 45 — 70 B2
Bellegarde-en-Marche 23 — 112 A1

Bellegarde-sur-Valserine 01 — 104 A3
Belleherbe 25 — 76 C4
Blainville-sur-l'Eau 54 — 59 F1
Bellême 61 — 51 F2
Bellenaves 03 — 99 F3
Bellerive-sur-Allier 03 — 100 B4
Bellevaux 74 — 105 D2
Belleville 69 — 102 B4
Belleville-sur-Vie 85 — 79 E3
Belley 01 — 117 E2
Bellicourt 02 — 8 C4
Bellignat 01 — 103 F3
Belmont-de-la-Loire 42 — 101 F3
Belmont-sur-Rance 12 — 155 D2
Belpech 11 — 171 D2
Belvès 24 — 123 F4
Belvèze-du-Razès 11 — 171 F2
Belz 56 — 46 B4
Benet 85 — 93 F2
Bénévent-l'Abbaye 23 — 97 E4
Benfeld 67 — 61 E2
Bengy-sur-Craon 18 — 85 E2
Bennwihr 68 — 61 D1
Bénodet 29 — 45 D2
Bénouville 14 — 32 B1
Bény-Bocage 14 — 31 E3
La Bérarde 38 — 132 C3
Berchères-sur-Vesgre 28 — 34 C4
Berck 62 — 2 A4
Bergerac 24 — 122 C3
Bergheim 68 — 61 D3
Bergues 59 — 3 D1
Bergues-sur-Sambre 02 — 9 E3
Berlaimont 59 — 9 E2
Bermerain 59 — 9 D2
Bernaville 80 — 7 E3
Bernay 27 — 33 F2
La Bernerie-en-Retz 44 — 78 B2
Bernières-sur-Mer 14 — 14 A4
Berre-l'Étang 13 — 159 D3
Bersée 59 — 4 A4
Berteaucourt-les-Dames 80 — 7 E3
Bertincourt 62 — 8 B3
Bertry 59 — 9 D3
Besançon 25 — 89 F1
Bessan 34 — 156 A4
Bessancourt 95 — 35 F2
Besse-en-Chandesse 63 — 113 D3
Bessé-sur-Braye 72 — 67 F1
Besse-sur-Issole 83 — 161 D2
Bessèges 30 — 143 D3
Bessenay 69 — 115 E2
Bessines-sur-Gartempe 87 — 97 E4
Bessoncourt 90 — 77 D2
Béthencourt-sur-Mer 80 — 6 B3
Béthény 51 — 20 C4
Béthisy-St-Pierre 60 — 18 B4
Béthune 62 — 3 E4
Betschdorf 67 — 43 E2
Bettant 01 — 116 C1
Betton 35 — 48 C3
Betz 60 — 36 C2
Beure 25 — 89 F1
Beuvrages 59 — 9 D1
Beuvry 62 — 3 E4
Beuzeville 27 — 14 B4
Beynat 19 — 125 D2
Beynes 78 — 35 D3
Béziers 34 — 155 F4
Bezons 95 — 35 F3
Bézu-le-Guéry 02 — 37 D2
Bézu-St-Éloi 27 — 17 D4
Biache-St-Vaast 62 — 8 B2
Biarritz 64 — 148 B3
Bidache 64 — 148 B3
Bidart 64 — 148 B3
Biéville-Beuville 14 — 32 B1
Bièvres 91 — 35 F4
Biganos 33 — 120 B4
Bihorel 76 — 16 A3
Billé 35 — 49 D2
Billère 64 — 150 A4
Billom 63 — 113 E2
Billy-Montigny 62 — 8 A1
Binic 22 — 28 C2
Biot 06 — 165 D4
Biscarrosse-Plage 40 — 134 A2
Biscarrosse 40 — 134 B2
Bischheim 67 — 43 E4
Bischwiller 67 — 43 E4
Bisinao 2A — 180 C2
Bitche 57 — 42 C2
Bitschwiller-lès-Thann 68 — 77 D1
Bizanos 64 — 168 A1
Blaesheim 67 — 61 E1

Blagnac 31 — 152 C3
Blain 44 — 64 A3
Blainville-sur-Orne 14 — 32 B1
Blâmont 54 — 42 A4
Le Blanc 36 — 96 C1
Le Blanc-Mesnil 93 — 36 A3
Blangy-sur-Bresle 76 — 6 B4
Blanquefort 33 — 121 D3
Blanzac-Porcheresse 16 — 108 B3
Blanzy 71 — 87 E4
Blaye 33 — 121 D2
Bléneau 89 — 71 D2
Blénod-lès-Toul 54 — 40 C4
Bléré 37 — 68 A4
Blesle 43 — 113 E4
Bligny-sur-Ouche 21 — 88 A3
Blois 41 — 68 B3
Blonville-sur-Mer 14 — 14 A4
Blotzheim 68 — 77 F2
Bobigny 93 — 36 A3
Bocognano 2a — 179 D4
Boëge 74 — 105 D3
Boën 42 — 114 C2
Boesschepe 59 — 3 E2
Bogny-sur-Meuse 08 — 21 E1
Bohain-en-Vermandois 02 — 9 D3
Bois-Colombes 92 — 35 F3
Bois-d'Arcy 78 — 35 E4
Le Bois-d'Oingt 69 — 115 F1
Bois-Guillaume 76 — 16 A3
Bois-le-Roi 77 — 54 C2
Boislavoir-au-Mont 62 — 8 A2
Boissezon 81 — 154 B3
Boissy-l'Aillerie 95 — 35 E2
Boissy-le-Châtel 77 — 37 D3
Boissy-St-Léger 94 — 36 B4
Boissy-le-Sec 91 — 54 A1
Boissy-sous-St-Yon 91 — 54 A1
Bolbec 76 — 15 D3
Bollène 84 — 144 B3
Bollwiller 68 — 77 E1
Bologne 52 — 58 A3
Bompas 66 — 177 E2
Bon-Encontre 47 — 137 D3
Bondues 59 — 4 A3
Bondy 93 — 36 A3
Bonifacio 2a — 181 D4
Bonnat 23 — 98 A3
Bonne 74 — 104 C3
Bonnelles 78 — 53 F1
Bonnes 16 — 122 B1
Bonnétable 72 — 51 E3
Bonneuil-en-Valois 60 — 18 B4
Bonneuil-Matours 86 — 82 A4
Bonneval 28 — 52 C3
Bonneville 74 — 104 C3
Bonnières-sur-Seine 78 — 34 C2
Bonnieux 84 — 159 D1
Bonny-sur-Loire 45 — 70 C3
Bons-en-Chablais 74 — 104 C2
Boos 76 — 16 A4
Bordeaux 33 — 121 D3
Bordères-Louron 65 — 169 D3
Bordères-sur-l'Échez 65 — 168 C1
Les Bordes 45 — 70 B2
Borgo 2b — 179 E1
Bormes-les-Mimosas 83 — 161 E4
Bornel 60 — 35 F1
Bort-les-Orgues 19 — 112 B4
Le Bosc-Roger-en-Roumois 27 — 16 A4
Bosnormand 27 — ...
Bouaye 44 — 79 D1
Bouc-Bel-Air 13 — 159 E3
Boucau 64 — 148 B3
Bouchain 59 — 8 C2
Les Bouchoux 39 — 104 A2
Bouclans 25 — 90 A1
Boué 02 — 9 E3
Bouesse 86 — 97 F1
Bouffémont 95 — 35 F2
Bouguenais 44 — 79 D1
Bouilly 10 — 56 B3
Bouilly 51 — 38 A1
Boujan-sur-Libron 34 — 155 F4
Boulange 57 — 23 D4
Boulay-Moselle 57 — 41 E1
Bouligny 55 — 23 D4
Boulogne-Billancourt 92 — 35 F3
Boulogne-sur-Gesse 31 — 169 F1
Boulogne-sur-Mer 62 — 2 A3
Bouloire 72 — 51 F4
Le Boulou 66 — 177 E3
Bouizicourt 08 — 21 E2
Le Boupère 85 — 80 A3
Bouray-sur-Juine 91 — 54 A1
Bourbon-l'Archambault 03 — 99 F1
Bourbon-Lancy 71 — 100 C1
Bourbonne-les-Bains 52 — 58 C4
La Bourboule 63 — 112 C3
Bourbourg 59 — 2 C2
Bourbriac 22 — 28 B3
Bourcefranc-le-Chapus 17 — 106 B1
Bourdeaux 26 — 144 C1
Bourg-Achard 27 — 15 E4
Bourg-Argental 42 — 129 F1
Bourg-de-Péage 26 — 130 B2
Bourg-de-Visa 82 — 137 E3
Le Bourg-d'Iré 49 — 65 E2
Le Bourg-d'Oisans 38 — 132 B2
Bourg-en-Bresse 01 — 103 D3
Bourg-Lastic 63 — 112 B3
Bourg-Madame 66 — 176 A4
Bourg-la-Reine 92 — 35 F4
Le Bourg-Roi 73 — ...
Bourg-St-Andéol 07 — 144 A2
Bourg-St-Maurice 73 — 119 E2
Bourganeuf 23 — 111 D1
Bourges 18 — 84 C2
Le Bourget 93 — 36 A3
Le Bourget-du-Lac 73 — 117 E2
Bourgneuf-en-Retz 44 — 78 C2
Bourgoin-Jallieu 38 — 116 C3
Bourgtheroulde-Infreville 27 — 15 F4
Bourguébus 14 — 32 B2
Bourgueil 37 — 81 F1
Bourmont 52 — 58 C3
Bournezeau 85 — 79 F4
Bourogne 90 — 77 D3
Bourron-Marlotte 77 — 54 C2
Boursonne 60 — 37 D1
Bourth 27 — 33 F4
Bousbecque 59 — 4 A3
Le Bouscat 33 — 121 D3
Bousies 59 — 9 D3
Le Bousquet-d'Orb 34 — 155 E2
Boussac 23 — 98 C2
Boussois 59 — 9 F2
Boutigny-sur-Essonne 91 — 54 B2
Bouvaincourt-sur-Bresle 80 — 6 B3
Bouvigny-Boyeffles 62 — 3 E4
Bouville 91 — ...
Bouxières-aux-Chênes 54 — 41 E3
Bouxières-aux-Dames 54 — 41 D3
Bouxwiller 67 — 43 D3
Bouzonville 57 — 24 C4
Boves 80 — 17 F1
Bozel 73 — 119 D3
Bozouls 12 — 140 C2
Bracieux 41 — 68 C3
Braine 02 — 19 E4
Bram 11 — 171 F1
Brandon 71 — 102 A2
Branne 33 — 121 F3
Brantôme 24 — 109 D4
Bras 83 — 160 C2
Brassac 81 — 154 B2
Brassac-les-Mines 63 — 113 E4
Bray-Dunes 59 — 3 D1
Bray-et-Lû 95 — 35 D2
Bray-sur-Seine 77 — 55 E2
Bray-sur-Somme 80 — 8 A4

Brazey-en-Plaine 21 · 88 C2
Brebières 62 · 8 B2
Brécey 50 · 31 D4
La Brée-les-Bains 17 · 92 B4
Bréhal 50 · 30 C3
Le Breil-sur-Mérize 72 · 51 E4
Breil-sur-Roya 06 · 165 F2
Brénod 01 · 103 F4
La Bréole 04 · 131 C1
Bresles 60 · 17 F4
La Bresse 88 · 60 B4
Bressuire 79 · 80 B3
Brest 29 · 26 B3
Bretenoux 46 · 125 D3
Breteuil 60 · 17 F2
Bretignolles-sur-Mer 85 · 78 C4
Brétigny-sur-Orge 91 · 54 A1
Bretteville-l'Orgueilleuse 14 · 32 A1
Bretteville-sur-Laize 14 · 32 B2
Bretteville-sur-Odon 14 · 32 A1
Le Breuil 71 · 87 F4
Breuil-Magné 17 · 93 D4
Breuillet 91 · 54 A1
Breuillet 17 · 106 B2
Breuilpont 27 · 34 C3
Breuschwickersheim 67 · 43 D4
Bréval 78 · 34 A4
Brézolles 28 · 34 A4
Briançon 05 · 133 E3
Briare 45 · 70 C3
Briatexte 81 · 153 E2
Bricquebec 50 · 12 B2
La Bridoire 73 · 117 E3
Brie 16 · 108 B2
Brie-Comte-Robert 77 · 36 B4
Briec 29 · 45 D1
Brienne-le-Château 10 · 57 D2
Brienon-sur-Armançon 89 · 56 A4
Brieuilles-sur-Bar 08 · 21 F3
Briey 54 · 23 E4
Brignais 69 · 116 B3
Brignogan-Plage 29 · 26 C1
Brignoles 83 · 161 D2
Brignoud 38 · 117 E1
Brigueuil 16 · 109 E1
Bris-sous-Forges 91 · 53 F1
Brindas 69 · 115 F2
Brinon-sur-Beuvron 58 · 86 B1
Brion-sur-Ource 21 · 79 F1
Brionne 27 · 33 F1
Brioude 43 · 127 E1
Brioux-sur-Boutonne 79 · 94 B3
Briouze 61 · 32 A4
Brissac-Quincé 49 · 66 A4
Brive-la-Gaillarde 19 · 124 C2
Brives-Charensac 43 · 128 C2
Brix 50 · 12 B2
Brizambourg 17 · 107 E1
Broglie 27 · 33 E2
Bron 69 · 116 B2
Broons 22 · 29 E4
Broquiès 12 · 140 C4
Brossac 16 · 107 F4
Brou 28 · 52 B3
Brou-sur-Chantereine 77 · 36 B3
Brouilla 66 · 177 E3
Bruay-en-Artois 62 · 3 D4
Bruay-sur-l'Escaut 59 · 9 D1
Brue-Auriac 83 · 160 C1
La Bruffière 85 · 79 F2
Le Brugeron 63 · 114 B2
Bruges 33 · 121 D3
Brugheas 03 · 100 B4
Brûlon 72 · 50 C4
Brumath 67 · 43 E3
Brunoy 91 · 36 A4
Le Brusquet 04 · 146 C2
Bruyères 88 · 60 B3
Bruyères-le-Châtel 91 · 53 F1
Bruyères-sur-Oise 95 · 35 F2
Bruz 35 · 48 B4
Bry-sur-Marne 94 · 36 A3
Bû 28 · 34 C4
Bubry 56 · 46 B3
Buc 78 · 35 E4
Buchy 76 · 16 B2
Buchy 57 · 42 B3
Bucquoy 62 · 8 A1
Bueil 27 · 34 C3
Buffières 71 · 102 A2
Bugeat 19 · 111 E3
Le Bugue 24 · 123 E3
Buhl 68 · 61 D2
Buironfosse 02 · 9 E4
Buis-les-Baronnies 26 · 145 D3
Le Buisson-de-Cadouin 24 · 123 E3
Bujaleuf 87 · 110 C2
Bully-les-Mines 62 · 8 A1
Burbure 62 · 3 D4

Bures-sur-Yvette 91 · 35 E4
Burnhaupt-le-Haut 68 · 77 D2
Burzet 07 · 129 E4
Busigny 59 · 9 D3
Bussang 88 · 76 C1
Bussière-Poitevine 87 · 96 B3
Bussy-le-Grand 21 · 73 E3
Buxerolles 86 · 95 E1
Buxières-les-Mines 03 · 99 E2
Buxy 71 · 88 A4
Buzancais 36 · 83 E3
Buzancy 08 · 21 F4

C
Cabannes 13 · 158 C1
Les Cabannes 09 · 171 D4
Cabestany 66 · 177 E3
Cabourg 14 · 14 B4
Cabrerets 46 · 138 C2
Cabris 13 · 159 E4
Cabris 06 · 163 E2
Cachan 94 · 35 F4
Cadenet 84 · 159 D2
Cadillac 33 · 121 E4
Cadolive 13 · 125 E4
Cadours 31 · 152 B2
Caen 14 · 32 B1
Cagnac-les-Mines 81 · 153 F1
Cagnes-sur-Mer 06 · 165 D4
Cagnicourt 62 · 8 B2
Cagny 14 · 32 B1
Cahors 46 · 138 C2
Le Cailar 30 · 157 D2
Caille 06 · 164 B3
La Caillère 85 · 80 A4
Caissargues 30 · 157 E2
Cajarc 46 · 139 D2
Calacuccia 2b · 178 C3
Calais 62 · 2 B1
Calcatoggio 2a · 180 B1
Calenzana 2b · 178 C2
Callas 83 · 161 F1
Calonne-Ricouart 62 · 3 D4
Caluire-et-Cuire 69 · 116 A2
Calvi 2b · 178 B2
Calvinet 15 · 126 A4
Camarès 12 · 155 D2
Camaret-sur-Mer 29 · 26 B4
Cambes 33 · 121 E4
Cambo-les-Bains 64 · 148 C4
Cambrai 59 · 8 C3
Cambremer 14 · 32 C1
Cambrin 62 · 3 D4
Camiers 62 · 2 A4
Camon 80 · 7 F4
Campagnac 12 · 141 E2
Campagne-lès-Hesdin 62 · 2 B4
Campan 65 · 168 C3
Campbon 44 · 63 F3
Campitello 2b · 179 E2
Campo 2a · 181 D2
Cancale 35 · 30 A4
Cancon 47 · 137 D1
Candas 80 · 7 E3
Candé 49 · 65 D3
Canet-en-Roussillon 66 · 177 F2
Canisy 50 · 31 D2
Cannes 06 · 165 D4
Le Cannet 06 · 165 D4
Canohès 66 · 177 E3
Le Canon 33 · 120 B4
La Canourgue 48 · 141 E2
Canteleu 76 · 16 A3
Cantin 59 · 8 C2
Cany-Barville 76 · 15 E1
Cap-d'Ail 06 · 165 F4
Capbreton 40 · 148 B2
La Capelle 02 · 9 F3
Capendu 11 · 171 F2
Capestang 34 · 173 E1
Captieux 33 · 135 F3
Capvern-les-Bains 65 · 169 D2
Caraman 31 · 153 D4
Carantec 29 · 27 D2
Carbon-Blanc 33 · 121 E3
Carbonne 31 · 170 B1
Carcans 33 · 120 B2
Carcassonne 11 · 172 A2
Carcès 83 · 161 D2
Carentan 50 · 12 C3
Carentoir 56 · 63 E1
Cargèse 2a · 178 B4
Cargiaca 2a · 181 D2
Carhaix-Plouguer 29 · 45 F1
Carignan 08 · 22 B2
Carling 57 · 42 C2
Carlux 24 · 124 B3
Carmaux 81 · 140 A4
Carnac 56 · 62 B2
Carnières 59 · 8 C3
Carnoules 83 · 161 D3
Carnoux-en-Provence 13 · 160 B3
Caroles 50 · 30 B3
Caromb 84 · 144 C4
Carpentras 84 · 144 C4
Carpiquet 14 · 32 A1

Carquefou 44 · 64 C4
Carqueiranne 83 · 161 D4
Carrières-sur-Seine 78 · 35 F3
Carros 06 · 165 D3
Carrouges 61 · 50 C1
Carry-le-Rouet 13 · 159 D4
Cartignies 59 · 9 D4
Carvin 62 · 3 F4
Caseneuve 84 · 159 E1
Cassagnes-Bégonhès 12 · 140 C4
Cassel 59 · 3 F3
Casseneuil 47 · 137 D2
Cassis 13 · 160 A4
Castanet-Tolosan 31 · 152 C3
Castelginest 31 · 152 C2
Casteljaloux 47 · 136 B2
Castellane 04 · 164 A3
Castellare-di-Casinca 2b · 179 E2
Castello-di-Rostino 2b · 179 D2
Castelmoron-sur-Lot 47 · 137 D2
Castelnau-d'Auzan 32 · 150 C1
Castelnau-de-Médoc 33 · 120 C2
Castelnau-de-Montmiral 81 · 153 E1
Castelnau-le-Lez 34 · 156 C2
Castelnau-Magnoac 65 · 169 E1
Castelnau-Montratier 46 · 138 B3
Castelnaudary 11 · 153 F3
Castelsarrasin 82 · 138 A4
Castéra-Verduzan 32 · 151 E2
Castets 40 · 149 D1
Castillon-la-Bataille 33 · 122 A3
Castillon-en-Couserans 09 · 168 A3
Castillonnès 47 · 123 D4
Castres 81 · 154 A3
Castries 34 · 156 C2
Le Cateau-Cambrésis 59 · 9 D3
Cattenom 57 · 23 F3
Catus 46 · 138 B1
Caudan 56 · 46 A3
Caudebec-lès-Elbeuf 76 · 15 F4
Caudebec-en-Caux 76 · 15 E3
Caudry 59 · 9 D3
Caulnes 22 · 29 F4
Caumont-l'Éventé 14 · 31 F2
Caumont-sur-Durance 84 · 158 C1
Caunes-Minervois 11 · 172 B1
Cauro 2a · 180 C2
Caussade 82 · 138 C3
Cauterets 65 · 168 B3
Caux 34 · 156 A3
Cavaillon 84 · 158 C1
Cavalaire-sur-Mer 83 · 161 E4
La Cavalerie 12 · 141 E4
Caveirac 30 · 157 E1
Cavignac 33 · 121 E2
Cayeux-sur-Mer 80 · 6 B2
Le Caylar 34 · 155 F1
Caylus 82 · 139 D3
Cayres 43 · 128 B3
Cazals 46 · 138 B2
Cazaubon 32 · 150 B1
Cazères 31 · 170 B1
Cazilhac 11 · 172 A2
Cazouls-lès-Béziers 34 · 155 E4
Céaucé 61 · 50 A1
Ceintrey 54 · 59 E1
La Celle-St-Cloud 78 · 35 F3
La Celle-St-Cyr 89 · 71 E1
Celles-sur-Belle 79 · 94 B3
Cendras 30 · 143 D4
Le Cendre 63 · 113 E2
Cenon 33 · 121 E3
Centuri 2b · 178 A1
Cérans-Foulletourte 72 · 66 C1
Cerbère 66 · 177 F4
Cercy-la-Tour 58 · 86 B3
Cerdon 45 · 70 A3
Cérences 50 · 30 C3
Céret 66 · 177 D4
Cergy-Pontoise 95 · 35 E2
Cérilly 03 · 99 E1
Cerisiers 89 · 57 D3
Cerisy-la-Forêt 50 · 31 E1
Cerisy-la-Salle 50 · 31 D2
Cerizay 79 · 80 B3
Cernay 68 · 77 D2
Cervione 2b · 179 E3
Cesson 77 · 54 B2
Cesson-Sévigné 35 · 48 C3
Cestas 33 · 121 D4

Cevins 73 · 118 C3
Ceyrat 63 · 113 D2
Ceyzériat 01 · 103 E3
Cézy 89 · 55 E4
Chabanais 16 · 109 D1
Chabeuil 26 · 130 B3
Chablis 89 · 72 B1
Chabottes 05 · 132 C4
Chabreloche 63 · 114 B1
Chabris 36 · 83 F1
Le Chaffaut-St-Jurson 04 · 146 B4
Chagny 71 · 88 A3
Chaillac 36 · 97 D2
Chailland 53 · 49 F3
Chaillevette 17 · 106 B2
Chailley 89 · 56 A4
Chailly-en-Bière 77 · 54 B2
Chaillé-les-Marais 85 · 93 D2
Chaingy 45 · 69 D1
La Chaise-Dieu 43 · 128 B1
Chalabre 11 · 171 F3
Chalais 16 · 122 A1
Chalamont 01 · 103 D4
Challes-les-Eaux 73 · 117 F3
Châlette-sur-Loing 45 · 54 C4
Chaley 01 · 117 D1
Chalindrey 52 · 74 C1
Challain-la-Potherie 49 · 65 D2
Challans 85 · 78 C3
Chalmazel 42 · 114 C2
Chalo-St-Mars 45 · 69 E1
Chalon-sur-Saône 71 · 88 B3
Chalonnes-sur-Loire 49 · 65 E4
Châlons-sur-Marne 51 · 38 C3
Châlus 87 · 109 F3
Chamalières 63 · 113 D2
Chamarande 91 · 54 A1
Chambéret 19 · 111 D3
Chambéry 73 · 117 F3
Chambly 60 · 35 F2
Le Chambon-Feugerolles 42 · 115 E4
Le Chambon-sur-Lignon 43 · 129 C2
Chambon-sur-Voueize 23 · 98 C3
Chamborigaud 30 · 142 C3
Chamboulive 19 · 110 C4
Chambourcy 78 · 35 E3
Chambray-lès-Tours 37 · 67 F4
La Chambre 73 · 118 C4
Chamonix-Mont-Blanc 74 · 105 F4
Chamoux-sur-Gelon 73 · 118 A3
Champagnac 15 · 112 A4
Champagnac-de-Belair 24 · 109 D4
Champagnac-le-Vieux 43 · 113 F4
Champagné 72 · 51 E4
Champagne-au-Mont-d'Or 69 · 116 A2
Champagne-en-Valromey 01 · 117 E1
Champagne-Mouton 16 · 95 E4
Champagne-sur-Oise 95 · 35 F2
Champagne-sur-Seine 77 · 54 C2
Champagney 70 · 76 C2
Champagnole 39 · 89 F4
Champcueil 91 · 54 B1
Champdeniers 79 · 94 B1
Champdor 01 · 103 F4
Champeix 63 · 113 D3
Champigné 49 · 71 D2
Champignelles 89 · 71 D2
Champigneulles 54 · 41 D4
Champigny 89 · 55 D3
Champigny-sur-Marne 94 · 36 B3
Champigny-sur-Veude 37 · 81 F2
Champlitte 70 · 75 D2
Champniers 16 · 108 B2
Champs-sur-Marne 77 · 36 B3
Champs-sur-Tarentaine 15 · 112 B4
Champs-sur-Yonne 89 · 71 F2
Champtercier 04 · 146 B4
Chanac 48 · 141 F1
Chanas 38 · 131 F1
Chancelade 24 · 123 D1
Changé 72 · 51 E4
Changis-sur-Marne 77 · 36 C3

Chaniers 17 · 107 D2
Chantelle 03 · 99 F3
Chantepie 35 · 48 C3
Chantereine 77 · 36 B3
Chantilly 60 · 36 A1
Chantonnay 85 · 79 F4
La Chapelle 03 · 100 C4
La Chapelle-au-Riboul 53 · 50 B2
La Chapelle-Chaussée 35 · 48 B2
La Chapelle-d'Angillon 18 · 70 A4
La Chapelle-d'Armentières 59 · 3 F3
La Chapelle-de-Guinchay 71 · 102 B3
La Chapelle-en-Serval 60 · 36 B2
La Chapelle-en-Vercors 26 · 131 D4
La Chapelle-Hareng 27 · 33 D2
La Chapelle-Janson 35 · 49 E2
La Chapelle-St-Laurent 79 · 80 C4
La Chapelle-St-Luc 10 · 56 B2
La Chapelle-St-Mesmin 45 · 69 E1
La Chapelle-St-Ursin 18 · 84 B1
La Chapelle-sur-Erdre 44 · 64 B4
La Chapelle-Vendômoise 41 · 68 B2
La Chapelle-la-Reine 77 · 54 B3
Chaponost 69 · 116 A2
Charavines 38 · 117 D2
Charbonnières-les-Bains 69 · 116 A2
Charbuy 89 · 71 F1
Charenton-le-Pont 94 · 36 A3
Charenton-du-Cher 18 · 85 D4
La Charité-sur-Loire 58 · 85 F1
Charleville-Mézières 08 · 21 E1
Charlieu 42 · 101 E3
Charly 02 · 37 E2
Charmes 88 · 59 F2
Charny 89 · 71 D1
Charolles 71 · 101 E2
Charost 18 · 84 B3
Charquemont 25 · 91 D1
Charroux 86 · 95 E4
Chars 95 · 35 E2
La Chartre-sur-le-Loir 72 · 67 E2
Chartres 28 · 53 E2
Chartres-de-Bretagne 35 · 48 B4
Chartrettes 77 · 54 C2
Chasse-sur-Rhône 38 · 116 A3
Chasseneuil-du-Poitou 86 · 81 F4
Chasseneuil-sur-Bonnieure 16 · 108 C2
Chassey 21 · 73 E3
Chassieu 69 · 116 B2
Chastellux-sur-Cure 89 · 72 B4
La Châtaigneraie 85 · 80 B4
Château-Arnoux 04 · 146 B4
Château-Chinon 58 · 86 C2
Le Château-d'Oléron 17 · 106 B1
Château-du-Loir 72 · 67 D2
Château-Gontier 53 · 65 F1
Château-Landon 77 · 54 C4
Château-Porcien 08 · 20 C3
Château-Renault 37 · 67 F3
Château-Salins 57 · 41 F3
Château-Thierry 02 · 37 D2
Château-la-Vallière 37 · 67 D3
Château-Ville-Vieille 05 · 133 E3
Châteaubourg 35 · 49 D3
Châteaubriant 44 · 64 B1
Châteaudun 28 · 52 C4
Châteaufort 78 · 35 E4
Châteaugiron 35 · 48 C4
Châteaulin 29 · 45 D1
Châteaumeillant 18 · 98 B1
Châteauneuf 71 · 101 E1
Châteauneuf-de-Gadagne 84 · 158 C1

Châteauneuf-de-Galaure 26 · 130 B1
Châteauneuf-de-Randon 48 · 142 B1
Châteauneuf-d'Ille-et-Vilaine 35 · 48 B1
Châteauneuf-du-Faou 29 · 45 E1
Châteauneuf-du-Pape 84 · 144 B4
Châteauneuf-en-Thymerais 28 · 52 C1
Châteauneuf-la-Forêt 87 · 110 C2
Châteauneuf-Grasse 06 · 164 C4
Châteauneuf-les-Martigues 13 · 159 D4
Châteauneuf-sur-Charente 16 · 108 A3
Châteauneuf-sur-Cher 18 · 84 B3
Châteauneuf-sur-Loire 45 · 70 A1
Châteauneuf-sur-Sarthe 49 · 66 A2
Châteauneuf-Val-de-Bargis 58 · 85 F1
Châteauponsac 87 · 97 D4
Châteaurenard 45 · 71 D1
Châteaurenard 13 · 158 B1
Châteauroux 36 · 83 F4
Châteauroux 05 · 133 D4
Châteauvillain 52 · 57 F4
Châtel 74 · 105 E2
Châtel-Censoir 89 · 72 A3
Châtel-sur-Moselle 88 · 59 F2
Châteaillon-Plage 17 · 92 C4
Le Châtelard 73 · 118 B2
Châtelaudren 22 · 28 C2
Le Châtelet 18 · 98 B1
Le Châtelet-en-Brie 77 · 54 C1
Châtelguyon 63 · 113 D1
Le Châtelier 35 · 49 D2
Châtellerault 86 · 82 A3
Châtelus 03 · 103 F1
Châtelus-Malvaleix 23 · 98 B3
Châtelus-le-Marcheix 23 · 97 E4
Châtenay-Malabry 92 · 35 F4
Châtenay-sur-Seine 77 · 55 D2
Châtenois 67 · 61 D1
Châtenois 88 · 59 D2
Châtenois-les-Forges 90 · 76 C3
Châtillon 92 · 35 F4
Châtillon-Coligny 45 · 71 D1
Châtillon-Colmont 53 · 49 F2
Châtillon-en-Bazois 58 · 86 B2
Châtillon-en-Diois 26 · 131 D4
Châtillon-en-Vendelais 35 · 49 E3
Châtillon-sur-Chalaronne 01 · 102 C4
Châtillon-sur-Indre 36 · 83 D3
Châtillon-sur-Loire 45 · 70 C3
Châtillon-sur-Seine 21 · 73 E1
Chatou 78 · 35 E3
La Châtre 36 · 98 A1
Chaudes-Aigues 15 · 127 D3
Chauffailles 71 · 101 E3
Chauffry 77 · 37 D3
Chaulnes 80 · 18 B1
Chaumont 52 · 74 B1
Chaumont-en-Vexin 60 · 35 E1
Chaumont-Porcien 08 · 20 C2
Chaunay 86 · 95 D3
Chauny 02 · 19 D2
Chauriat 63 · 113 E2
La Chaussée-St-Victor 41 · 68 B2
La Chaussée-sur-Marne 51 · 39 D3
Chaussin 39 · 89 D2
Chauvigny 86 · 95 F1
Chavanges 10 · 57 D1
Chavanod 74 · 118 A1
Chaville 92 · 35 F4
Chazé-Henry 49 · 65 D2
Chaze-sur-Argos 49 · 65 E3
Chazelles-sur-Lyon 42 · 115 E3
Chécy 45 · 69 F1
Chef-Boutonne 79 · 94 C3
Chelles 77 · 36 B3
Chemillé 49 · 80 A1
Chénérailles 23 · 98 C4
Chennebrun 27 · 33 F4

Chennevières-sur-Marne 94 · 36 B4
Chenonceaux 37 · 68 A4
Chenôve 21 · 88 B1
Cherbourg 50 · 12 B1
Chéreng 59 · 4 B3
Chéroy 89 · 55 D3
Cherves-de-Cognac 16 · 107 F2
Le Chesnay 78 · 35 E4
Le Chesne 08 · 21 E3
Chevagnes 03 · 100 B1
Cheval-Blanc 84 · 158 C2
Cheverny 41 · 68 C3
Chevillon 52 · 58 A1
Chevilly 45 · 53 E4
Chevilly-Larue 94 · 35 F4
Chevreuse 78 · 35 E4
Chevrières 60 · 18 B4
Chevry-Cossigny 77 · 36 B4
Le Cheylard 07 · 129 E3
Chézery-Forens 01 · 104 A3
Chézy-sur-Marne 02 · 37 E2
Chiché 79 · 80 C3
Chiddes 58 · 86 C3
Chilly-Mazarin 91 · 35 F4
Chindrieux 73 · 117 E1
Chinon 37 · 81 F1
Chirassimont 42 · 115 D1
Chiroubles 69 · 102 B3
Chiry-Ourscamps 60 · 18 C3
Chocques 62 · 3 D4
Choisy-au-Bac 60 · 18 C3
Choisy-le-Roi 94 · 36 A4
Cholet 49 · 80 A2
Chomérac 07 · 129 F4
Chorges 05 · 146 C1
Ciamannacce 2a · 181 D2
Cinqueux 60 · 18 A4
Cintegabelle 31 · 171 D1
Châteaulaudren 22 · 28 C2
Le Châtelet 18 · 98 B1
La Ciotat 13 · 160 B4
Cires-lès-Mello 60 · 36 A1
Cirey-sur-Vezouze 54 · 42 B4
Civray 86 · 95 E3
Claira 66 · 177 E2
Clairac 47 · 136 C2
Clairvaux-les-Lacs 39 · 103 F1
Claix 38 · 131 E1
Clamart 92 · 35 F4
Clamecy 58 · 71 F4
Clarensac 30 · 157 D1
Clary 59 · 9 D3
Clavy-Warby 08 · 21 E2
Claye-Souilly 77 · 36 B3
Les Clayes-sous-Bois 78 · 35 E3
La Clayette 71 · 101 F3
Cléder 29 · 27 D1
Clefmont 52 · 58 B3
Cléguérec 56 · 46 C2
Cléon 76 · 16 A4
Cléon-d'Andran 26 · 144 B1
Clères 76 · 16 A2
Cléry 10 · 56 C2
Clermont 60 · 18 A4
Clermont-en-Argonne 55 · 39 F2
Clermont-Ferrand 63 · 113 D1
Clermont-l'Hérault 34 · 156 A2
Clerval 25 · 76 B4
Cléry-St-André 45 · 70 C2
Clichy 92 · 35 F3
Clichy-sous-Bois 93 · 36 B3
Clisson 44 · 79 E2
Clohars-Carnoët 29 · 45 F3
Cloyes-sur-le-Loir 28 · 52 C4
Cluny 71 · 102 A2
La Clusaz 74 · 118 C1
Cluses 74 · 105 D3
Codognan 30 · 157 D2
Cœsmes 35 · 64 C1
Cœx 85 · 78 C4
Cognac 16 · 107 F2
Cognin 73 · 117 F3
Cogolin 83 · 161 E3
Colayrac-St-Cirq 47 · 137 D3
Colembert 62 · 2 B2
Coligny 01 · 103 E2
La Colle-sur-Loup 06 · 165 D4
Le Collet-de-Dèze 48 · 142 C3
Collinée 22 · 47 E1
Collioure 66 · 177 F4
Collobrières 83 · 161 E3
Collonges 01 · 104 A3
Collonges-au-Mont-d'Or 69 · 116 A2
Colmar 68 · 61 D3
Colmars 04 · 162 B1
Cologne 32 · 152 A2
Colombelles 14 · 32 B1
Colombes 92 · 35 F3
Colombey-les-Belles 54 · 59 E1
Colombey-les-Deux-Églises 52 · 57 F3

Colombier-Fontaine 25 · 76 C3
Colombier-Saugnieu 69 · 116 B2
Colomiers 31 · 152 C3
Combeaufontaine 70 · 75 E2
Combles 80 · 8 A4
Combloux 74 · 119 D1
Combourg 35 · 48 C2
Combrée 49 · 65 D2
Combronde 63 · 113 D1
Combs-la-Ville 77 · 36 B4
Comines 59 · 4 A3
Commentry 03 · 99 E3
Commer 53 · 50 A2
Commercy 55 · 40 B4
Compiègne 60 · 18 B4
Comps-sur-Artuby 83 · 164 A4
Conca 2a · 181 E2
Concarneau 29 · 45 D3
Conches-en-Ouche 27 · 34 A3
Condat 15 · 112 C4
Condat-sur-Vézère 24 · 124 B2
Condé-en-Brie 02 · 37 E2
Condé-Folie 80 · 7 D4
Condé-sur-Aisne 02 · 19 E4
Condé-sur-l'Escaut 59 · 4 C4
Condé-sur-Noireau 14 · 32 A3
Condé-sur-Vesgre 78 · 35 D4
Condé-sur-Vire 50 · 31 E2
Condom 32 · 151 D1
Condrieu 69 · 116 A4
Conflans-Ste-Honorine 78 · 35 E3
Confolens 16 · 95 F4
Congénies 30 · 157 D2
Conlie 72 · 50 C4
Connaux 30 · 143 F4
Connerré 72 · 51 E4
Conques-sur-Orbiel 11 · 172 A2
Le Conquet 29 · 26 A3
Cons-la-Grandville 54 · 23 D3
Contes 06 · 165 E3
Contres 41 · 68 C4
Contrexéville 88 · 59 D3
Conty 80 · 17 E2
Coquelles 62 · 2 B1
La Coquille 24 · 109 F4
Corbara 2b · 178 C1
Corbas 69 · 116 A2
Corbehem 62 · 8 B2
Corbeil-Essonnes 91 · 54 B1
Corbelin 38 · 117 D1
Corbie 80 · 7 F4
Corbigny 58 · 86 B1
Corcieux 88 · 60 B3
Cordemais 44 · 63 F4
Cordes 81 · 139 E4
Cordon 74 · 119 D1
Corlay 22 · 47 D1
Cormeilles 27 · 33 D1
Cormeilles-en-Parisis 95 · 35 F3

Cormeilles-en-Vexin 95 · 35 E2
Cormontreuil 51 · 38 B1
Corneilla-la-Rivière 66 · 177 D2
Cornimont 88 · 60 B4
Cornus 12 · 155 F1
Coron 49 · 80 B2
Corporeau-la-Chapelle 21 · 73 E3
Corps 38 · 131 E3
Corrano 2a · 181 D2
Corrèze 19 · 111 D4
Corte 2b · 179 D3
Corvol-l'Orgueilleux 58 · 71 F4
Cosne-d'Allier 03 · 99 E2
Cosne-sur-Loire 58 · 71 D4
Cossé-le-Vivien 53 · 49 F4
Costaros 43 · 128 C3
La Côte-St-André 38 · 116 C4
Le Coteau 42 · 101 E4
Coti-Chiavari 2a · 180 C2
La Couarde-sur-Mer 17 · 92 B4
Coubron 93 · 36 B3
Couches 71 · 87 F3
Coucouron 07 · 128 C4
Coucy-le-Château-Auffrique 02 · 19 D3
Coudekerque-Branche 59 · 3 D1
Coudes 63 · 113 D3
Coudoux 13 · 159 D3
Le Coudray-Montceaux 91 · 54 B1
Couëron 44 · 63 F4
Couhé 86 · 95 D3
Couilly-Pont-aux-Dames 77 · 36 C3
Couiza 11 · 176 B1
Coulaines 72 · 51 D4
Coulanges-sur-Yonne 89 · 71 F3
Coulanges-la-Vineuse 89 · 71 F2
Coulans-sur-Gée 72 · 51 D4
Coullons 45 · 70 B3
Coulombs 28 · 53 D1
Coulombiers 86 · 95 D2
Coulommiers 77 · 37 D3
Coulon 79 · 93 E2
Coulonges-sur-l'Autize 79 · 93 F1
Coupiac 12 · 154 C1
Cour-et-Buis 38 · 116 B4
Courbevoie 92 · 35 F3
Courcelles-lès-Lens 62 · 8 B2
Courcelles-Chaussy 57 · 41 F1
Courchevel 1850 73 · 119 D3
Courçon 17 · 93 D3

Cournonterral 34 · 156 B3
La Couronne 16 · 108 B3
Courpière 63 · 114 A2
Courrières 62 · 8 B1
Cours-la-Ville 69 · 101 F4
Coursan 11 · 173 D1
Courseulles-sur-Mer 14 · 14 A4
Courson-les-Carrières 89 · 71 F3
Courtenay 45 · 55 D4
Courthézon 84 · 144 B4
Courtomer 61 · 51 E1
Courville-sur-Eure 28 · 52 C2
Couterne 61 · 50 B1
Coutras 33 · 122 A2
La Couture-Boussey 27 · 34 C3
Coutances 50 · 30 C2
Couzeix 87 · 110 B1
Coye-la-Forêt 60 · 36 A2
Cozzano 2a · 181 D1
Craon 53 · 65 E1
Craponne 69 · 116 A2
Craponne-sur-Arzon 43 · 114 C4
La Crau 83 · 161 D4
Cravant 89 · 72 B2
Créances 50 · 30 C1
La Crèche 79 · 94 B2
Crèches-sur-Saône 71 · 102 B3
Crécy-la-Chapelle 77 · 36 C3
Crécy-en-Ponthieu 80 · 7 D3
Crécy-sur-Serre 02 · 19 E2
Creil 60 · 36 A1
Crémieu 38 · 116 C2
Créon 33 · 121 E4
Crépol 26 · 130 B1
Crépy-en-Valois 60 · 36 C1
Le Crès 34 · 156 C1
Crespières 78 · 35 E3
Crespin 59 · 9 D1
Le Creusot 71 · 87 F3
Creutzwald 57 · 42 C1
Crèvecœur-le-Grand 60 · 17 E2
Crèvecœur-sur-l'Escaut 59 · 8 C3
Crézancy 02 · 37 E2
Criquetot-l'Esneval 76 · 14 C2
Crocq 23 · 111 F2
Le Croisic 44 · 63 D4
Croisilles 62 · 8 A2
Croissy-sur-Seine 78 · 35 E3
Le Croisty 56 · 46 A2
Croix 59 · 4 B3
La Croix-St-Leufroy 27 · 34 B2
La Croix-Valmer 83 · 161 E4

Crosne 91 · 36 A4
Le Crotoy 80 · 6 C2
Crouy-sur-Ourcq 77 · 37 D2
Crozon 29 · 26 B4
Cruas 07 · 130 A4
Cruseilles 74 · 104 B4
Crusnes 54 · 23 D3
Cruzy-le-Châtel 89 · 73 D1
Cubjac 24 · 123 E1
Cucq 62 · 2 A4
Cuers 83 · 161 D3
Cugand 85 · 79 E2
Cuges-les-Pins 13 · 160 B3
Cugnaux 31 · 152 C3
Cuillé 53 · 49 E4
Cuinzier 42 · 101 F4
Cuise-la-Motte 60 · 18 C4
Cuiseaux 71 · 103 E1
Cuisery 71 · 102 C1
Culan 18 · 98 C1
Culoz 01 · 117 E1
Cunlhat 63 · 114 A3
Cuq-Toulza 81 · 153 E3
Cusset 03 · 100 B3
Custines 54 · 41 D3
Cuxac-Cabardès 11 · 154 B4
Cuxac-d'Aude 11 · 173 D1
Cysoing 59 · 4 B3

D
Dabo 57 · 42 C4
Dallet 63 · 113 E2
Damazan 47 · 136 C3
Dambach-la-Ville 67 · 61 D1
Damgan 56 · 62 B3
Damigni 61 · 51 D2
Dammarie-les-Lys 77 · 54 B1
Dammartin-en-Goële 77 · 36 B2
Dammartin-en-Serve 78 · 34 C3
Dampierre-en-Yvelines 78 · 35 E4
Damprichard 25 · 77 D4
Damville 27 · 34 A3
Damvillers 55 · 22 B4
Dangé-St-Romain 86 · 82 A3
Dangu 27 · 35 D1
Danjoutin 90 · 76 C2
Dannemarie 68 · 77 D2
Daon 53 · 66 A2
Daoulas 29 · 26 A3
Darcey 21 · 73 E3
Dardilly 69 · 116 A2
Dargnies 76 · 6 B3
Darnétal 76 · 16 A3
Darney 88 · 59 E3
Darnieulles 88 · 59 F3
Daumazan-sur-Arize 09 · 170 C2
Daumeray 49 · 66 A2
Dax 40 · 149 D2
Deauville 14 · 14 B3
Decazeville 12 · 140 A1
Dechy 59 · 8 C2
Décines-Charpieu 69 · 116 B2
Decize 58 · 86 A3

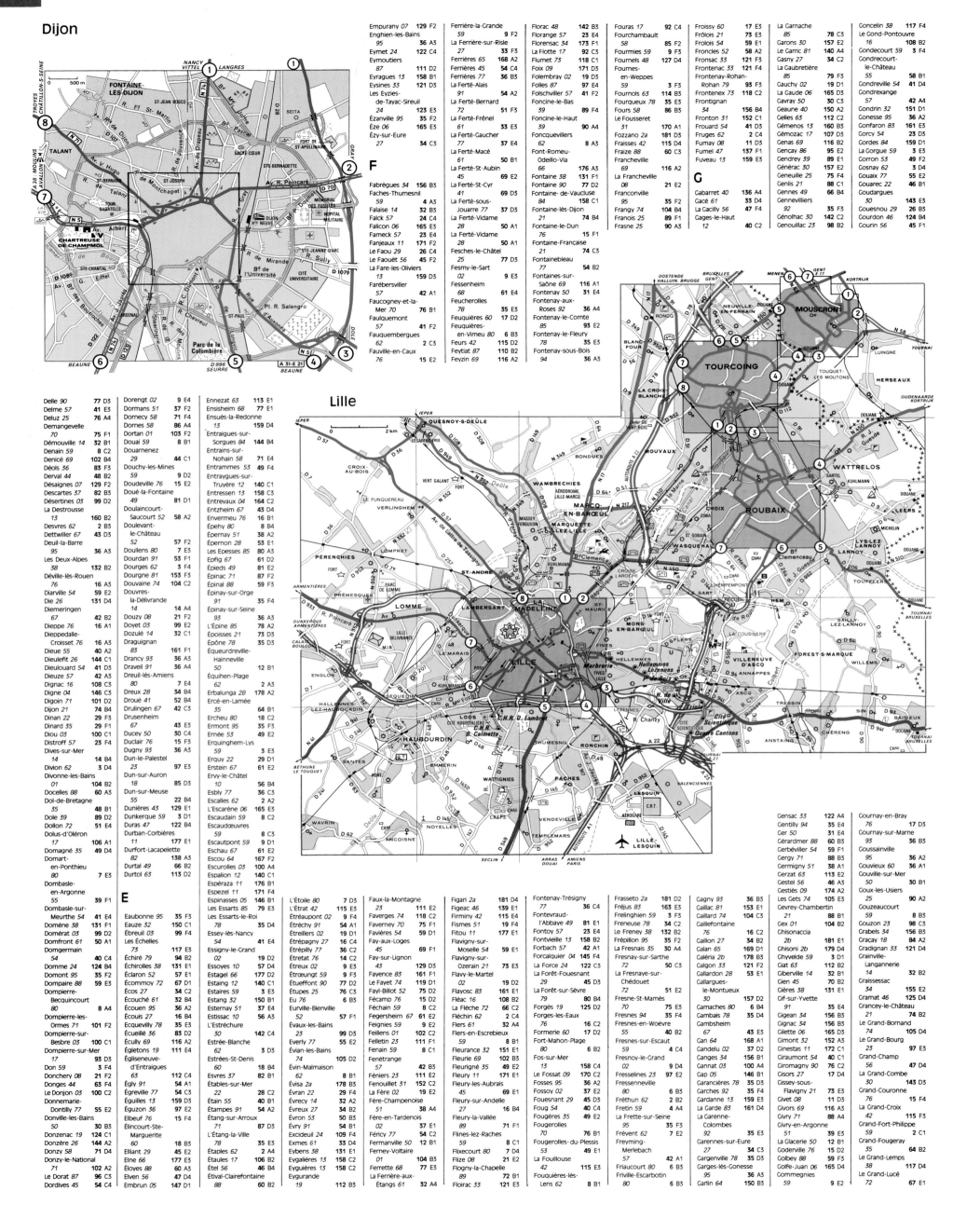

Dijon

Lille

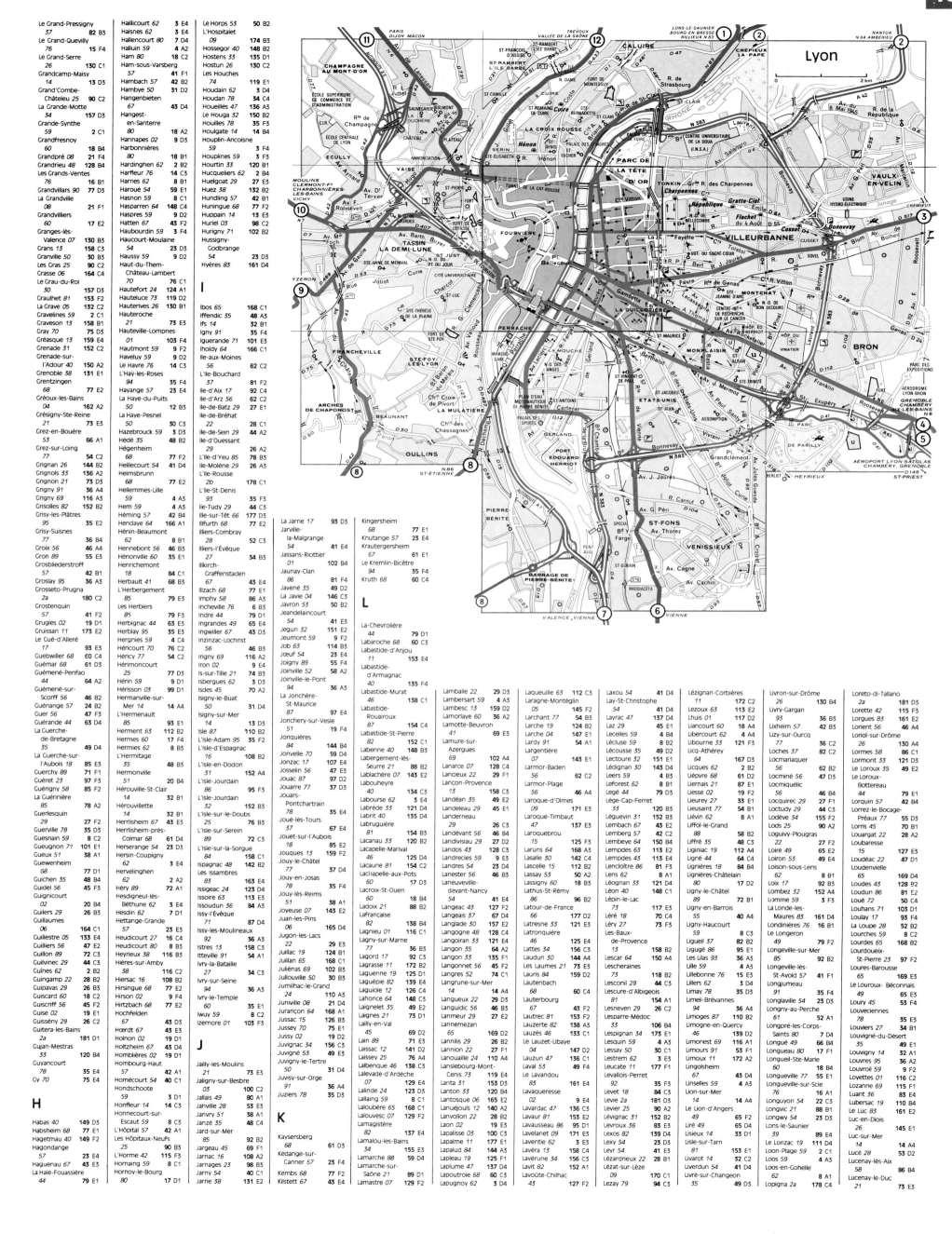

Lyon

PARIS DIJON MÂCON — TRÉVOUX VALLÉE DE LA SAÔNE — LONS-LE-SAUNIER BOURG-EN-BRESSE RILLIEUX N 83 — NANTUA N 84 AMBÉRIEU

Le Grand-Pressigny 37 — 82 B3
Le Grand-Quevilly 76 — 15 F4
Le Grand-Serre 26 — 130 C1
Grandcamp-Maisy 14 — 13 D3
Grand'Combe-Châteleu 25 — 90 C2
La Grande-Motte 34 — 157 D3
Grande-Synthe 59 — 2 C1
Grandfresnoy 60 — 18 B4
Grandpré 08 — 21 F4
Grandrieu 48 — 128 B4
Les Grands-Ventes 76 — 16 B1
Grandvillars 90 — 117 D3
La Grandville 08 — 21 F1
Grandvilliers 60 — 17 E2
Granges-lès-Valence 07 — 130 B3
Grans 13 — 158 C3
Granville 50 — 30 B3
Les Gras 25 — 90 C2
Crasse 06 — 164 C4
Le Grau-du-Roi 30 — 157 D3
Graulhet 81 — 153 F2
La Grave 05 — 132 C2
Gravelines 59 — 2 C1
Graveson 13 — 157 F2
Gray 70 — 75 D3
Gréasque 13 — 159 E4
Grenade 31 — 152 C2
Grenade-sur-l'Adour 40 — 150 A2
Grenoble 38 — 131 E1
Grentzingen 68 — 77 E2
Gréoux-les-Bains 04 — 162 A2
Grésigny-Ste-Reine 21 — 77 F2
Grez-en-Bouère 53 — 66 A1
Grez-sur-Loing 77 — 54 C2
Grignan 26 — 144 B2
Grignols 33 — 136 A2
Grignon 21 — 73 D3
Grigny 91 — 36 A4
Grigny 69 — 116 A3
Grisolles 82 — 152 B2
Grisy-les-Plâtres 95 — 35 F2
Grisy-Suisnes 77 — 36 B4
Croix 56 — 46 A4
Gron 89 — 55 E3
Grosbliederstroff 57 — 42 B1
Groslay 95 — 36 A3
Grosseto-Prugna 2a — 180 C2
Grostenquin 57 — 41 F2
Grugies 02 — 19 D1
Cruissan 11 — 173 E2
Le Gué-d'Alleré 17 — 93 E3
Guebwiller 68 — 60 C4
Guémar 68 — 61 D3
Guémené-Penfao 44 — 64 A2
Guémené-sur-Scorff 56 — 46 B2
Guénange 57 — 42 B2
Guer 56 — 47 F3
Guérande 44 — 63 D4
La Guerche-de-Bretagne 35 — 49 D4
La Guerche-sur-l'Aubois 18 — 85 E3
Guerchy 89 — 71 F1
Guéret 23 — 97 F3
Guérigny 58 — 85 F2
La Guérinière 85 — 78 A4
Guerlesquin 29 — 27 F2
Guerville 78 — 35 D3
Guesnain 59 — 8 A1
Gueugnon 71 — 101 E1
Gueux 51 — 38 A1
Guewenheim 68 — 77 D1
Guichen 35 — 48 B4
Guidel 56 — 45 F3
Guignicourt 02 — 20 B4
Guilers 29 — 26 B3
Guillaumes 06 — 164 C1
Guillestre 05 — 133 E4
Guilliers 56 — 47 E2
Guillon 89 — 72 C3
Guilvinec 29 — 44 C3
Guînes 62 — 2 B2
Guingamp 22 — 28 B2
Guipavas 29 — 26 B3
Guiscard 60 — 18 C2
Guiscriff 56 — 45 F2
Guise 02 — 19 E1
Guissény 29 — 26 A2
Guitera-les-Bains 2a — 181 D1
Gujan-Mestras 33 — 120 B4
Guyancourt 78 — 35 E4
Gy 70 — 75 E4

H
Habas 40 — 149 E3
Habsheim 68 — 77 E1
Hagetmau 40 — 149 F2
Hagondange 57 — 42 B3
Haguenau 67 — 43 E3
La Haie-Fouassière 44 — 79 E1

Haillicourt 62 — 3 E4
Haisnes 62 — 3 E4
Hallencourt 80 — 7 D4
Halluin 59 — 4 A2
Ham 80 — 18 C2
Ham-sous-Varsberg 57 — 41 F1
Hambach 57 — 42 B2
Hambye 50 — 31 D2
Hangenbieten 67 — 43 D4
Hangest-en-Santerre 80 — 18 A2
Hannapes 02 — 9 D3
Harbonnières 80 — 18 B1
Hardinghen 62 — 2 B2
Harfleur 76 — 14 C3
Harnes 62 — 8 B1
Haroué 54 — 61 E1
Hasnon 59 — 8 C1
Hasparren 64 — 148 C4
Haspres 59 — 9 D2
Hatten 67 — 43 F4
Haubourdin 59 — 3 F4
Haucourt-Moulaine 54 — 23 D3
Haussy 59 — 9 D2
Haut-du-Them-Château-Lambert 70 — 76 C1
Hautefort 24 — 124 A1
Hauteluce 73 — 119 D2
Hauterives 26 — 130 B1
Hauteroche 21 — 73 E3
Hauteville-Lompnes 01 — 103 F4
Hautmont 59 — 9 F1
Havelu 92 — 2 A2
Le Havre 76 — 14 C3
L'Haÿ-les-Roses 94 — 35 F4
Hayange 57 — 23 E4
La Haye-du-Puits 50 — 12 B3
La Haye-Pesnel 50 — 30 C3
Hazebrouck 59 — 3 D3
Hédé 35 — 48 B2
Hégenheim 68 — 77 F2
Heillecourt 54 — 41 D4
Heimsbrunn 68 — 77 E2
Hellemmes-Lille 59 — 4 A3
Hem 59 — 4 A3
Héming 57 — 42 B4
Hendaye 64 — 166 A1
Hénin-Beaumont 62 — 8 B1
Hennebont 56 — 46 B3
Hénonville 60 — 35 E1
Henrichemont 18 — 84 C1
Herbault 41 — 68 B3
L'Herbergement 85 — 79 E3
Les Herbiers 85 — 79 E3
Herbignac 44 — 63 E3
Herblay 95 — 35 E3
Hergnies 59 — 4 C4
Héric 44 — 79 D1
Héricourt 70 — 76 C2
Héricy 77 — 54 C2
Hérimoncourt 25 — 77 D3
Hérin 59 — 9 D1
Hérisson 03 — 85 D4
Hermanville-sur-Mer 14 — 14 A4
L'Hermenault 85 — 93 E1
Herment 63 — 112 B2
Hermes 60 — 17 F4
Hermies 62 — 8 B3
L'Hermitage 35 — 48 B3
Hermonville 51 — 20 B4
Hérouville-St-Clair 14 — 14 A4
Hérouvillette 14 — 32 B1
Herrlisheim 67 — 43 F3
Herrlisheim-près-Colmar 68 — 61 D4
Herserange 54 — 23 D3
Hersin-Coupigny 62 — 3 E4
Hervelinghen 62 — 2 A2
Héry 89 — 72 A1
Hesdigneul-lès-Béthune 62 — 3 E4
Hesdin 62 — 7 D1
Hettange-Grande 57 — 23 E3
Heudicourt 27 — 16 C4
Heudicourt 80 — 8 C3
Heyrieux 38 — 116 B3
Hières-sur-Amby 38 — 116 C2
Hiersac 16 — 108 B2
Hirsingue 68 — 77 E2
Hirson 02 — 9 F4
Hirtzbach 68 — 77 E2
Hochfelden 67 — 43 D3
Hœrdt 67 — 43 E3
Holnon 02 — 19 D1
Holtzheim 67 — 43 E3
Hombleières 02 — 19 D1
Hombourg-Haut 57 — 42 B2
Homécourt 54 — 40 C1
Hondschoote 59 — 3 D1
Honfleur 14 — 14 C3
Honnecourt-sur-Escaut 59 — 8 C3
L'Hôpital 57 — 42 A1
Les Hôpitaux-Neufs 25 — 90 B3
L'Horme 42 — 115 F3
Hornaing 59 — 8 C1
Hornoy-le-Bourg 80 — 17 D1

Le Horps 53 — 50 B2
L'Hospitalet 09 — 174 B3
Hossegor 40 — 148 B2
Hostens 33 — 135 D1
Hostun 26 — 130 C2
Les Houches 74 — 119 E1
Houdain 62 — 3 E4
Houdan 78 — 34 C4
Houeillès 47 — 136 A3
Le Houga 32 — 150 B2
Houilles 78 — 35 F3
Houlgate 14 — 14 B4
Houplin-Ancoisne 59 — 3 F4
Houplines 59 — 3 F3
Hourtin 33 — 120 B1
Hucqueliers 62 — 2 B4
Huelgoat 29 — 27 E3
Huez 38 — 132 B1 (42 B1)
Hundling 57 — 42 B1
Huppain 14 — 13 E3
Hurigny 71 — 102 B2
Huriel 03 — 98 C2
Hussigny-Godbrange 54 — 23 D3
Hyères 83 — 161 D4

I
Ibos 65 — 168 C1
Iffendic 35 — 48 A3
Ifs 14 — 32 B1
Igny 91 — 35 F4
Iguerande 71 — 101 E3
Iholdy 64 — 166 C1
Île-aux-Moines 56 — 62 C2
L'Île-Bouchard 37 — 81 F2
Île-d'Aix 17 — 92 C4
Île-d'Arz 56 — 62 C2
Île-de-Batz 29 — 27 E1
Île-de-Bréhat 22 — 28 A2
Île-de-Sein 29 — 44 A2
Île-d'Ouessant 29 — 26 A2
L'Île-d'Yeu 29 — 78 B3
Île-Molène 29 — 26 A3
L'Île-Rousse 2b — 178 C1
L'Île-St-Denis 93 — 35 F3
Île-Tudy 29 — 44 C3
Ille-sur-Têt 66 — 177 D3
Illfurth 68 — 77 E2
Illiers-Combray 28 — 52 C3
Illiers-l'Évêque 27 — 34 B3
Illkirch-Graffenstaden 67 — 43 E4
Illzach 68 — 77 E1
Imphy 58 — 86 A3
Incheville 76 — 6 C4
Indre 44 — 79 D1
Ingrandes 49 — 65 E4
Ingwiller 67 — 43 D3
Inzinzac-Lochrist 56 — 46 B3
Irigny 69 — 116 A2
Iron 02 — 9 E4
Is-sur-Tille 21 — 74 B3
Isbergues 62 — 3 D4
Isdes 45 — 70 A2
Isigny-le-Buat 50 — 31 D4
Isigny-sur-Mer 14 — 13 E3
Isle 87 — 110 D2
L'Isle-Adam 95 — 35 F2
L'Isle-d'Espagnac 16 — 108 B2
L'Isle-en-Dodon 31 — 152 A4
L'Isle-Jourdain 86 — 95 F3
L'Isle-Jourdain 32 — 152 B3
L'Isle-sur-le-Doubs 25 — 76 B3
L'Isle-sur-Serein 89 — 72 C3
L'Isle-sur-la-Sorgue 84 — 158 C1
Ispagnac 48 — 142 B2
Les Issambres 83 — 163 E4
Issigeac 24 — 123 D4
Issoire 63 — 113 E3
Issoudun 36 — 84 A3
Issy-l'Évêque 71 — 100 B1
Issy-les-Moulineaux 92 — 36 A3
Istres 13 — 158 C3
Itteville 91 — 54 A1
Ivry-la-Bataille 27 — 34 C3
Ivry-sur-Seine 94 — 36 A3
Ivry-le-Temple 60 — 35 E1
Iwuy 59 — 8 C2
Izernore 01 — 103 F3

J
Jailly-les-Moulins 21 — 73 E3
Jaligny-sur-Besbre 03 — 100 C2
Jallais 49 — 80 A1
Janville 28 — 53 E3
Janvry 51 — 38 A1
Janzé 35 — 48 C4
Jard-sur-Mer 85 — 92 B2
Jargeau 45 — 69 F1
Jarnac 16 — 108 A3
Jarnages 23 — 98 B3
Jarny 54 — 40 C1
Jarrie 38 — 131 E2

K
Kaysersberg 68 — 61 D3
Kédange-sur-Canner 57 — 23 F4
Kembs 68 — 77 F1
Kilstett 67 — 43 F3

La Jarrie 17 — 93 D3
Jarville-la-Malgrange 54 — 41 E4
Jassans-Riottier 01 — 102 B4
Jaunay-Clan 86 — 81 F4
Javené 35 — 49 D2
La Javie 04 — 146 C3
Javron 53 — 50 B2
Jeandelaincourt 54 — 41 E3
Jegun 32 — 151 E2
Jeumont 59 — 9 F2
Job 63 — 114 B3
Jœuf 54 — 23 E4
Joigny 89 — 55 F4
Joinville 52 — 58 A2
Joinville-le-Pont 94 — 36 A3
La Jonchère-St-Maurice 87 — 97 E4
Jonchery-sur-Vesle 51 — 19 F4
Jonquières 84 — 144 B4
Jonzac 17 — 107 E4
Josselin 56 — 47 E3
Jouac 87 — 97 D2
Jouarre 77 — 37 D3
Jouars-Pontchartrain 78 — 35 E4
Joué-lès-Tours 37 — 67 E4
Jouet-sur-l'Aubois 18 — 85 E2
Jouques 13 — 159 F2
Jouy-le-Châtel 77 — 37 D4
Jouy-en-Josas 78 — 35 F4
Jouy-lès-Reims 51 — 38 A1
Joyeuse 07 — 143 E2
Juan-les-Pins 06 — 165 D4
Jugon-les-Lacs 22 — 29 E3
Juillac 19 — 124 B1
Juillan 65 — 168 C1
Juliénas 69 — 102 B3
Jullouville 50 — 30 B3
Jumilhac-le-Grand 24 — 110 A3
Juniville 08 — 21 D4
Jurançon 64 — 168 A1
Jussac 15 — 126 B3
Jussey 70 — 75 F1
Jussy 02 — 19 D2
Juvignac 34 — 156 C2
Juvigné 53 — 49 E3
Juvigny-le-Tertre 50 — 31 D4
Juvisy-sur-Orge 91 — 36 A4
Juziers 78 — 35 D3

Kingersheim 68 — 77 E1
Knutange 57 — 23 E4
Krautergersheim 67 — 61 E1
Le Kremlin-Bicêtre 94 — 35 F4
Kruth 68 — 60 C4

L
La-Chevrolière 44 — 79 D1
Labaroche 68 — 60 C3
Labastide-d'Anjou 11 — 153 E4
Labastide-d'Armagnac 40 — 135 E4
Labastide-Murat 46 — 138 C1
Labastide-Rouairoux 87 — 154 C4
Labastide-St-Pierre 82 — 152 C1
Labenne 40 — 148 B3
Labergement-lès-Seurre 21 — 88 B2
Lablachère 07 — 143 E2
Labouheyre 40 — 134 C3
Labourse 62 — 3 E4
Labrède 33 — 121 D4
Labrit 40 — 135 D4
Labruguière 81 — 154 B3
Lacanau 33 — 120 B2
Lacapelle-Marival 46 — 125 D4
Lacaune 81 — 154 C2
Lachapelle-aux-Pots 60 — 17 D4
Lacroix-St-Ouen 60 — 18 A4
Lafrançaise 82 — 152 B1
Lagnieu 01 — 116 C1
Lagny-sur-Marne 77 — 36 B3
Lagord 17 — 92 C3
Lagrasse 11 — 172 B2
Laguenne 19 — 125 D1
Laguépie 82 — 139 E4
Laguiole 12 — 126 C4
Lahonce 64 — 148 C3
Laignelet 35 — 49 E2
Laignes 21 — 73 D1
Lailly-en-Val 45 — 69 D2
Lain 89 — 71 E3
Laissac 12 — 141 D2
Laissey 25 — 76 A4
Lalbenque 46 — 138 C3
Lalinde 24 — 123 D3
Lallaing 59 — 8 C1
Lalouvesc 07 — 129 F2
Lamagistère 82 — 137 E4
Lamalou-les-Bains 34 — 155 E3
Lamarche 88 — 94 B2
Lamarche-sur-Saône 21 — 89 D1
Lamastre 07 — 129 F2

Lamballe 22 — 29 D3
Lambersart 59 — 4 A3
Lambesc 13 — 159 D2
Lamorlaye 60 — 36 A2
Lamotte-Beuvron 41 — 69 E3
Lamure-sur-Azergues 69 — 102 A4
Lanarce 07 — 128 C4
Lancieux 22 — 29 F1
Lançon-Provence 13 — 158 C3
Landéan 35 — 49 E2
Landelau 29 — 45 E1
Landerneau 29 — 26 B3
Landévant 56 — 46 B4
Landivisiau 29 — 27 D2
Landos 43 — 128 C3
Landrecies 59 — 9 E3
Landres 54 — 23 D4
Lanester 56 — 46 B3
Lassay 53 — 50 A2
Lassigny 60 — 18 B3
Langeac 43 — 127 F2
Langeais 37 — 67 D4
Langlade 30 — 157 E2
Langogne 48 — 128 C4
Langoiran 33 — 121 E4
Langon 35 — 48 B4
Langon 33 — 121 D4
Langonnet 56 — 45 F2
Langres 52 — 74 C1
Langrune-sur-Mer 14 — 14 A4
Languidic 56 — 46 B3
Lanmeur 29 — 27 E2
Lannemezan 65 — 169 D2
Lannilis 29 — 26 B2
Lannion 22 — 27 F1
Lanouaille 24 — 110 A3
Lanslebourg-Mont-Cenis 73 — 119 E4
Lanta 31 — 153 D3
Lanton 33 — 120 B4
Lantosque 06 — 165 D2
Lanuéjouls 12 — 140 A2
Lanvollon 22 — 28 A2
Laon 02 — 19 E3
Lapalisse 03 — 100 C3
Lapalme 11 — 177 E1
Lapalud 84 — 144 A3
Lapleau 19 — 125 E1
Laplume 47 — 137 D4
Lapoutroie 68 — 60 C3
Lapugnoy 62 — 3 D4

Laqueuille 63 — 112 C3
Laragne-Montéglin 05 — 145 F2
Larchant 77 — 54 B2
Larche 19 — 124 B2
Larche 04 — 147 E1
Lardy 91 — 54 A1
Largentière 07 — 143 E1
Larmor-Baden 56 — 62 C2
Larmor-Plage 56 — 46 A4
Laroque-d'Olmes 09 — 171 E3
Laroque-Timbaut 47 — 137 D3
Laroquebrou 15 — 125 F3
Laruns 64 — 168 A3
Lasalle 30 — 142 C4
Lascelle 15 — 126 B3
Lassay-les-Châteaux 53 — 50 A2
Lathus-St-Rémy 86 — 96 C3
Latour-de-France 66 — 177 D2
Latresne 33 — 121 E4
Latronquière 46 — 125 E4
Lattes 34 — 156 C4
Les Laumes 21 — 73 E3
Lauris 84 — 159 E2
Lautenbach 68 — 60 C4
Lauterbourg 67 — 43 F2
Lauzerte 82 — 138 A4
Lauzès 46 — 138 C1
Le Lauzet-Ubaye 04 — 147 D2
Lauzun 47 — 137 D1
Laval 53 — 49 F4
Lavardac 47 — 137 D4
Lavaur 81 — 153 E3
Lavausseau 86 — 95 F2
Lavelanet 09 — 171 E3
Laventie 62 — 3 E3
Lavéra 13 — 158 B4
Lavit 82 — 152 A1
Lavoûte-Chilhac 43 — 127 F2

Laxou 54 — 41 D4
Lay-St-Christophe 54 — 41 E4
Layrac 47 — 137 D4
Laz 29 — 45 E1
Lecelles 59 — 4 B4
Lécluse 59 — 8 B2
Lecousse 35 — 49 D2
Lectoure 32 — 151 E1
Lédignan 30 — 143 D4
Leers 59 — 4 B3
Leforest 62 — 8 B1
Legé 44 — 79 E2
Lège-Cap-Ferret 33 — 120 B3
Léguevin 31 — 152 B3
Lembach 67 — 43 E2
Lemberg 57 — 42 C2
Lembeye 64 — 150 B4
Lempdes 63 — 113 E2
Lempdes 43 — 113 E4
Lencloître 86 — 81 F3
Lens 62 — 8 A1
Léognan 33 — 121 D4
Léon 40 — 148 C1
Lépin-le-Lac 73 — 117 E3
Léré 18 — 70 C4
Léry 27 — 16 B3
Les Baux-de-Provence 13 — 158 B2
Lescar 64 — 150 A4
Lescheraines 73 — 117 D4
Lesconil 29 — 44 C3
Lescure-d'Albigeois 81 — 154 A1
Lesneven 29 — 26 B2
Lesparre-Médoc 33 — 106 B4
Lespignan 34 — 173 E1
Lesquin 59 — 4 A3
Lestrem 62 — 3 E3
Leucate 11 — 177 E1
Levallois-Perret 92 — 35 F3
Levens 06 — 165 D3
Levet 18 — 84 C3
Levie 2a — 181 D3
Lévignac 31 — 152 B3
Lexos 12 — 139 D4
Lexy 54 — 23 D3
Leyr 54 — 41 E3
Lézardrieux 22 — 28 A1
Lézat-sur-Lèze 09 — 170 C1
Lezay 79 — 94 C3

Lézignan-Corbières 11 — 172 C2
Lezoux 63 — 113 E2
Lhuis 01 — 117 D2
Liancourt 60 — 18 A4
Libercourt 62 — 4 A4
Libourne 33 — 121 F3
Licq-Athérey 64 — 167 D3
Liernais 21 — 2 B2
Liépvre 68 — 61 D2
Liernais 21 — 8 B1
Liesse 02 — 19 E3
Lieurey 27 — 33 E1
Lieusaint 77 — 54 B1
Liévin 62 — 8 A1
Liffol-le-Grand 88 — 58 B2
Liffré 35 — 48 C3
Liginiac 19 — 112 A4
Ligné 44 — 64 C4
Lignières 18 — 84 B4
Lignières-Châtelain 80 — 8 B1
Ligny-en-Barrois 55 — 40 A4
Ligny-le-Châtel 89 — 72 B1
Lion-sur-Mer 14 — 14 A4
Le Lion-d'Angers 49 — 65 F2
Liposthey 40 — 134 C3
Lisieux 14 — 33 D1
Lisle-sur-Tarn 81 — 153 E1
Livarot 14 — 32 C2
Liverdun 54 — 41 D3
Livré-sur-Changeon 35 — 49 D3

Livron-sur-Drôme 26 — 130 B4
Livry-Gargan 93 — 36 B3
Lixheim 57 — 42 C3
Lizy-sur-Ourcq 77 — 36 C2
Loches 37 — 82 C2
Locmariaquer 56 — 62 B2
Locminé 56 — 47 D3
Locmiquélic 56 — 46 B3
Locquirec 29 — 27 F1
Loctudy 29 — 44 C3
Lodève 34 — 155 F2
Lods 25 — 90 A2
Loguivy-Plougras 22 — 27 F2
Loiré 49 — 65 E2
Loiron 53 — 49 E4
Loison-sous-Lens 62 — 8 B1
Loix 17 — 92 B3
Lombez 32 — 152 A4
Lomme 59 — 3 F3
La Londe-les-Maures 83 — 161 D4
Londinières 76 — 16 B1
Le Longeron 49 — 79 F2
Longeville-sur-Mer 85 — 92 B2
Longeville-lès-St-Avold 57 — 41 F1
Longjumeau 91 — 35 F4
Longlaville 54 — 23 D3
Longny-au-Perche 61 — 52 B2
Longpré-les-Corps-Saints 80 — 7 E3
Longué 49 — 66 B4
Longueau 80 — 17 F1
Longueil-Ste-Marie 60 — 18 A4
Longueville 77 — 54 B1
Longueville-sur-Scie 76 — 16 A1
Longuyon 54 — 23 D3
Longvic 21 — 89 D1
Lons-le-Saunier 39 — 89 E3
Le Lonzac 19 — 111 D4
Loon-Plage 59 — 2 C1
Loos 59 — 4 A3
Loos-en-Gohelle 62 — 8 A1
Lopigna 2a — 178 C4

Loreto-di-Tallano 2a — 181 D3
Lorette 42 — 115 F3
Lorgues 83 — 161 E2
Lorient 56 — 46 A4
Loriol-sur-Drôme 26 — 130 B4
Lormes 58 — 86 C1
Lormont 33 — 121 D3
Le Loroux-Bottereau 44 — 79 E1
Lorquin 57 — 42 B4
Lorrez-le-Bocage-Préaux 77 — 55 D3
Lorris 45 — 70 B1
Loudéac 22 — 47 E2
Loudun 86 — 81 E2
Loué 72 — 50 C4
Louhans 71 — 103 D1
Loulay 17 — 93 F4
La Loupe 28 — 52 B2
Lourches 59 — 8 C2
Lourdes 65 — 168 B2
Lourdoueix-St-Pierre 23 — 97 F2
Lourés-Barousse 65 — 169 D2
Le Louroux-Béconnais 49 — 65 E3
Loury 45 — 54 A4
Louveciennes 78 — 35 E3
Louviers 27 — 16 B4
Louvigné-du-Désert 35 — 49 E1
Louvigny 57 — 42 A2
Louvres 95 — 36 A2
Louvroil 59 — 9 F1
Loyettes 01 — 116 C2
Luant 36 — 83 E4
Lubersac 19 — 110 B4
Le Luc 83 — 161 E2
Luc-en-Diois 26 — 145 E2
Luc-sur-Mer 14 — 14 A4
Lucé 28 — 53 D2
Lucenay-lès-Aix 58 — 86 B4
Lucenay-le-Duc 21 — 73 E3

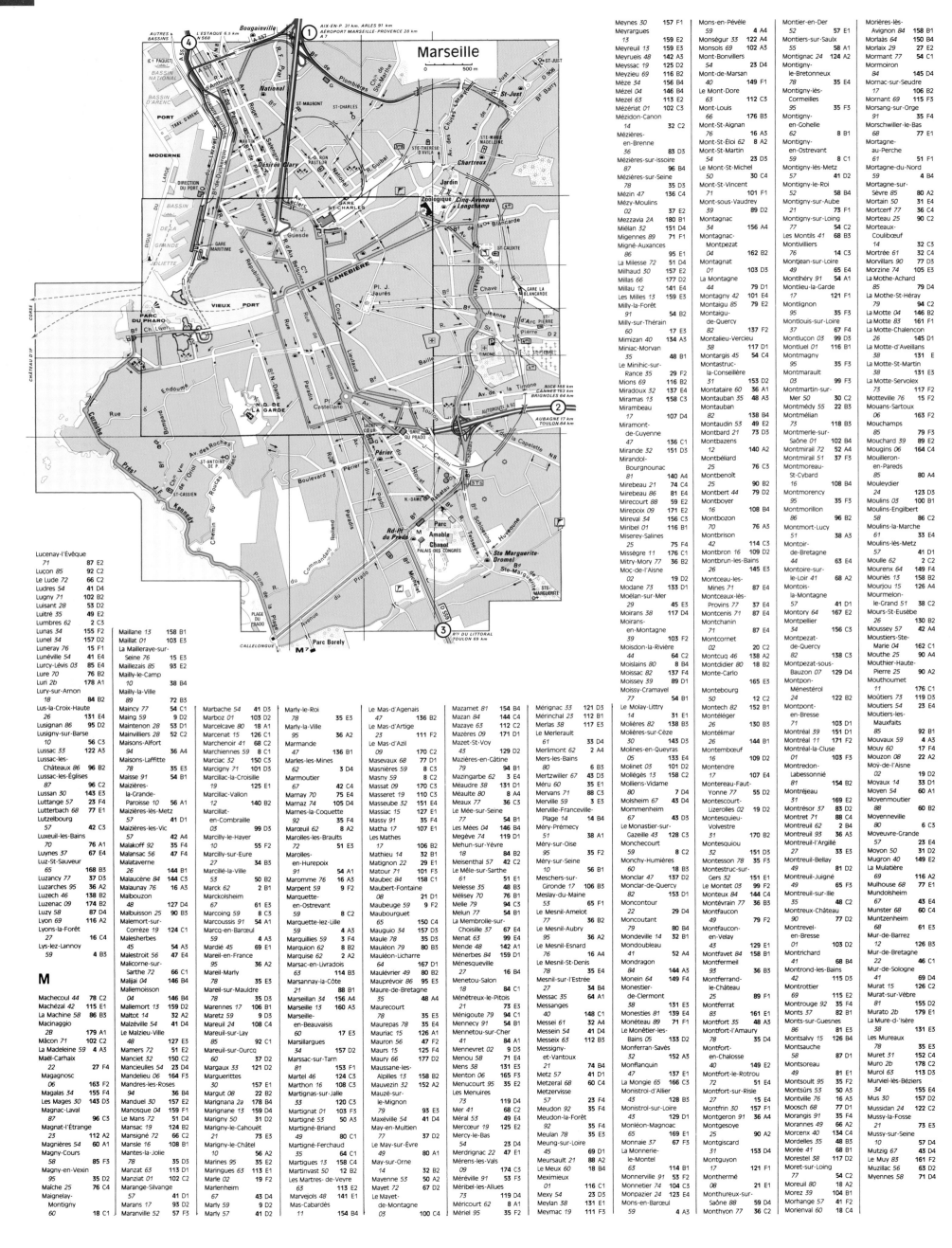

Marseille

Lucenay-l'Évêque 71 87 E2
Luçon 85 92 C2
Le Lude 72 66 C2
Ludres 54 41 D4
Lugny 71 102 B2
Luisant 28 53 D2
Luitré 35 49 E2
Lumbres 62 2 C3
Lunas 34 155 F2
Lunel 34 157 D2
Luneray 76 15 F1
Lunéville 54 41 E4
Lurcy-Lévis 03 85 E4
Lure 70 76 B2
Luri 2b 178 A1
Lury-sur-Arnon 18 84 B2
Lus-la-Croix-Haute 26 131 E4
Lusignan 86 95 D2
Lusigny-sur-Barse 10 56 C3
Lussac 33 122 A3
Lussac-les-Châteaux 86 96 B2
Lussac-les-Églises 87 96 C2
Lussan 30 143 E3
Luttange 57 23 F4
Lutterbach 68 77 E1
Lutzelbourg 57 42 C3
Luxeuil-les-Bains 70 76 A1
Luynes 57 67 E4
Luz-St-Sauveur 65 168 B3
Luzarches 95 36 A2
Luzenac 09 174 B2
Luzech 46 138 E2
Luzy 58 87 D4
Lyon 69 116 A2
Lyons-la-Forêt 27 16 C4
Lys-lez-Lannoy 59 4 B3

M
Machecoul 44 78 C2
Machézal 42 115 E1
La Machine 58 86 B3
Macinaggio 2B 179 A1
Mâcon 71 102 C2
La Madeleine 59 4 A3
Maël-Carhaix 22 27 F4
Magagnosc 06 163 F2
Magalas 34 155 F4
Les Mages 30 143 D3
Magnac-Laval 87 96 C3
Magnat-l'Étrange 23 112 A2
Magnières 54 60 A1
Magny-Cours 58 85 F3
Magny-en-Vexin 95 35 D2
Maîche 25 76 D2
Maignelay-Montigny 60 18 C1

Maillane 13 158 B1
Maillat 01 103 E3
La Mailleraye-sur-Seine 76 15 E3
Maillezais 85 93 E2
Mailly-le-Camp 10 38 B4
Mailly-la-Ville 89 72 B3
Maincy 77 54 C1
Maing 59 9 D2
Maintenon 28 53 D1
Mainvilliers 28 52 C2
Maisons-Alfort 94 36 A4
Maisons-Laffitte 78 35 E3
Maisse 91 54 B1
Maizières-la-Grande-Paroisse 10 56 A1
Maizières-lès-Metz 57 41 D1
Maizières-lès-Vic 57 42 A4
Malakoff 92 35 F4
Malansac 56 47 F4
Malataverne 26 144 B1
Malaucène 84 144 C3
Malaunay 76 16 A3
Malbouzon 48 127 D4
Malbuisson 25 90 B3
Malemort-sur-Corrèze 19 124 C1
Malesherbes 45 54 A3
Malestroit 56 47 E4
Malicorne-sur-Sarthe 72 66 C1
Malijai 04 146 B4
Mallemoisson 04 146 B4
Mallemort 13 159 D2
Maltot 14 32 A2
Malzéville 54 41 D4
Le Malzieu-Ville 48 127 E3
Mamers 72 51 E2
Manciet 32 150 C2
Mancieulles 54 23 D4
Mandelieu 06 164 B4
Mandres-les-Roses 94 36 B4
Manduel 30 157 E1
Manosque 04 159 F1
Le Mans 72 51 D4
Mansac 19 124 C2
Mansigné 72 66 C2
Mansle 16 108 B1
Mantes-la-Jolie 78 35 D3
Manzat 63 113 D1
Manziat 01 102 C2
Marange-Silvange 57 41 D1
Marans 17 93 D3
Maranville 52 57 F3

Marbache 54 41 D3
Marboz 01 103 D3
Marcelcave 80 18 A1
Marcenat 15 126 B1
Marchenoir 41 68 C2
Marchiennes 59 8 C1
Marciac 32 150 C3
Marcigny 71 101 D2
Marcillac-la-Croisille 19 125 E1
Marcillac-Vallon 12 140 B2
Marcillat-en-Combraille 03 99 D3
Marcilly-le-Hayer 10 55 F2
Marcilly-sur-Eure 27 34 B3
Marcillé-la-Ville 53 50 B2
Marckolsheim 67 61 E3
Marcoing 59 8 C2
Marcoussis 91 54 A1
Marcq-en-Barœul 59 4 A3
Mardié 45 69 E1
Mareil-en-France 95 36 A2
Mareil-Marly 78 35 E3
Mareil-sur-Mauldre 78 35 D3
Mareuil 24 114 B3
Mareuil-sur-Lay 85 92 C2
Mareuil-sur-Ourcq 60 37 E2
Margaux 33 121 D2
Marguerittes 30 157 E1
Margut 08 22 B3
Marignana 2a 178 B4
Marignane 13 158 C2
Marigny 50 31 D2
Marigny-le-Cahouët 21 73 E3
Marigny-le-Châtel 10 56 A2
Marines 95 35 D2
Maringues 63 113 E1
Marle 02 19 F2
Marlenheim 67 43 D4
Marly 57 41 D2

Marly-le-Roi 78 35 E3
Marly-la-Ville 95 36 A2
Marmande 47 136 B2
Marmoutier 67 42 C4
Marnay 70 75 E4
Marnaz 74 105 F2
Marnes-la-Coquette 92 35 F4
Marœuil 62 8 A2
Marolles-les-Braults 72 51 E3
Marolles-en-Hurepoix 91 54 A1
Maromme 76 16 A3
Marpent 59 9 F2
Marquette-en-Ostrevant 59 8 C2
Marquette-lez-Lille 59 4 A3
Marquion 62 8 B2
Marquise 62 2 B1
Marsac-en-Livradois 63 114 B3
Marsannay-la-Côte 21 74 B3
Marsanne 26 144 B1
Marseillan 34 156 A4
Marseille 13 160 A3
Marseille-en-Beauvaisis 60 17 E3
Marsillargues 34 157 D2
Marssac-sur-Tarn 81 153 F1
Martel 46 138 C3
Marthon 16 108 C3
Martignas-sur-Jalle 33 120 C3
Martignat 01 103 E3
Martigné-Briand 49 80 C1
Martigné-Ferchaud 35 64 C1
Martigues 13 158 B2
Martinvast 50 12 B1
Les Martres-de-Veyre 63 113 E2
Marvejols 48 141 E1
Marville 55 23 D3
Mary-sur-Marne 77 37 D2

Le Mas-d'Agenais 47 136 B2
Le Mas-d'Artige 23 111 F2
Le Mas-d'Azil 09 170 C2
Masevaux 68 77 D1
Masnières 59 8 C2
Masny 59 8 C1
Massat 09 170 C3
Masseret 19 110 C3
Masseube 32 151 E4
Massiac 15 127 E1
Massy 91 35 F4
Matha 17 107 E1
Mathieu 14 32 B1
Matignon 22 29 E1
Matour 71 101 F3
Maubec 84 158 C1
Maubert-Fontaine 08 21 D1
Maubeuge 59 9 F2
Maubourguet 65 150 C4
Mauguio 34 157 D3
Maule 78 35 D3
Mauléon 79 80 B3
Mauléon-Licharre 64 167 D1
Maulévrier 49 80 B2
Maure-de-Bretagne 35 48 A4
Maurecourt 78 35 E3
Maurepas 78 35 E3
Mauriac 15 126 A1
Mauron 56 47 D3
Maurs 15 125 F4
Maussane-les-Alpilles 13 158 B2
Mauvezin 32 152 A2
Mauzé-sur-le-Mignon 79 93 E3
Maxéville 54 41 D4
May-sur-Orne 14 32 B2
May-en-Multien 77 37 D2
Le May-sur-Èvre 49 80 A1
Mayenne 53 50 B2
Mayet 72 67 D2
Le Mayet-de-Montagne 03 100 C4

Mazamet 81 154 B4
Mazan 84 144 C4
Mazaye 63 112 C2
Mazères 09 171 D1
Mazet-St-Voy 43 129 D2
Mazières-en-Gâtine 79 94 B3
Mazingarbe 62 3 E4
Méaudre 38 131 D1
Méaulte 80 8 A4
Meaux 77 36 C3
Le Mée-sur-Seine 77 54 B1
Les Mées 04 146 B4
Megève 74 119 D1
Mehun-sur-Yèvre 18 84 B2
Meisenthal 57 42 C2
Le Mêle-sur-Sarthe 61 51 E1
Mélesse 35 48 B3
Mélisey 70 76 B1
Melle 79 94 B2
Melun 77 54 B1
La Membrolle-sur-Choisille 37 67 E4
Menat 63 99 E4
Mende 48 142 A1
Ménerbes 84 159 D1
Ménesquéville 27 16 B4
Menetou-Salon 18 84 B2
Ménétreux-le-Pitois 21 73 E3
Ménigoute 79 94 C1
Mennecy 91 54 A1
Mennetou-sur-Cher 41 84 A1
Menou 58 71 E4
Mens 38 131 E3
Menton 06 165 F3
Menucourt 95 35 E2
Les Menuires 73 119 D4
Mer 41 68 C2
Méral 53 49 E4
Mercœur 43 127 D1
Mercy-le-Bas 54 23 E4
Merdrignac 22 47 F1
Méré 78 35 E3
Méréville 91 54 A2
Mérens-les-Vals 09 174 A3

Mérignac 33 121 D3
Mérinchal 23 112 A1
Merlas 38 117 E3
Le Merlerault 61 33 D4
Merlimont 62 2 A4
Mers-les-Bains 80 6 C3
Mertzwiller 67 43 D3
Méru 60 35 E1
Mervans 71 88 C3
Mervent 85 93 E2
Merville-Franceville-Plage 14 32 B1
Merville 59 3 F4
Méry-Prémecy 51 38 A1
Méry-sur-Oise 95 35 F2
Méry-sur-Seine 10 56 B1
Meschers-sur-Gironde 17 106 B3
Meslay-du-Maine 53 65 F1
Le Mesnil-Amelot 77 36 B2
Le Mesnil-Aubry 95 36 A2
Le Mesnil-Esnard 76 16 A4
Le Mesnil-St-Denis 78 35 E3
Mesnil-sur-l'Estrée 27 34 B4
Messac 35 64 A1
Messanges 40 148 C1
Messei 61 32 A4
Messein 54 41 D4
Messeix 63 112 B3
Messigny-et-Vantoux 21 74 B4
Metz 57 41 D2
Metzeral 68 60 C4
Metzervisse 57 23 F4
Meudon 92 35 F4
Meudon-la-Forêt 92 35 F4
Meulan 78 35 E3
Meung-sur-Loire 45 69 D2
Meursault 21 88 B2
Le Meux 60 18 B4
Meximieux 01 116 C1
Mexy 54 23 E3
Meylan 38 131 E1
Meymac 19 111 F3
Mériel 95 35 F2

Meynes 30 157 F1
Meyrargues 13 159 E2
Meyreuil 13 159 E3
Meyruéis 48 142 A3
Meyssac 19 125 D2
Meyzieu 69 116 B2
Mèze 34 156 B4
Mézel 04 146 B4
Mezel 63 113 E2
Mézériat 01 102 C3
Mézidon-Canon 14 32 C2
Mézières-en-Brenne 36 83 D3
Mézières-sur-Issoire 87 96 B4
Mézières-sur-Seine 78 35 D3
Mézin 47 136 C4
Mézy-Moulins 02 37 E2
Mezzavia 2A 180 B1
Miélan 32 151 D4
Migennes 89 71 F1
Migné-Auxances 86 95 E1
La Milesse 72 51 D4
Milhaud 30 157 E2
Millas 66 177 D2
Millau 12 141 E4
Les Milles 13 159 E3
Milly-la-Forêt 91 54 B2
Milly-sur-Thérain 60 17 E3
Mimizan 40 134 A3
Miniac-Morvan 35 48 B1
Le Minihic-sur-Rance 35 29 F2
Mions 69 116 B2
Miradoux 32 137 E4
Miramas 13 158 C3
Mirambeau 17 107 D4
Miramont-de-Guyenne 47 136 C1
Mirande 32 151 E3
Mirandol-Bourgnounac 81 140 A4
Mirebeau 21 74 C4
Mirebeau 86 81 E4
Mirecourt 88 59 E4
Mirepoix 09 171 E2
Mireval 34 156 C3
Miribel 01 116 B1
Miserey-Salines 25 75 F4
Missègre 11 176 C1
Mitry-Mory 77 36 B2
Moÿ-de-l'Aisne 02 19 D2
Modane 73 133 D1
Moëlan-sur-Mer 29 45 E3
Moirans 38 117 D4
Moirans-en-Montagne 39 103 F2
Moisdon-la-Rivière 44 64 C2
Moislains 80 8 B3
Moissac 82 137 F4
Moissey 39 89 D1
Moissy-Cramayel 77 54 B1
Le Molay-Littry 14 31 F1
Molières 82 138 B3
Molières-sur-Cèze 30 143 D3
Molines-en-Queyras 05 133 E4
Molinet 03 101 D2
Mollèges 13 158 C2
Molsheim 67 43 D4
Mommenheim 67 43 D4
Le Monastier-sur-Gazeille 43 128 C3
Monchecourt 59 8 C1
Monchy-Humières 60 18 B3
Monclar 47 137 D2
Monclar-de-Quercy 82 153 D1
Moncontour 22 47 E2
Moncoutant 79 80 B4
Mondeville 14 32 B1
Mondoubleau 41 52 A4
Mondragon 84 144 A3
Monein 64 149 F4
Monestier-de-Clermont 38 131 D2
Monestiés 81 139 E4
Monéteau 89 71 F1
Le Monêtier-les-Bains 05 133 D2
Monferran-Savès 32 152 A3
Monflanquin 47 137 E2
La Mongie 65 166 C3
Monistrol-d'Allier 43 128 B3
Monistrol-sur-Loire 43 129 D1
Monléon-Magnoac 65 169 E1
Monnaie 37 67 F4
La Monnerie-le-Montel 63 114 B1
Monnerville 91 54 A2
Monnetier 74 104 C3
Monpazier 24 123 E4
Mons-en-Barœul 59 4 A3

Mons-en-Pévèle 59 4 A4
Monségur 33 122 A4
Monsols 69 102 A3
Mont-Bonvillers 54 23 D4
Mont-de-Marsan 40 149 F1
Le Mont-Dore 63 112 C3
Mont-Louis 66 176 B3
Mont-St-Aignan 76 16 A3
Mont-St-Éloi 62 8 A2
Mont-St-Martin 54 23 E3
Le Mont-St-Michel 50 30 C4
Mont-St-Vincent 71 101 F1
Mont-sous-Vaudrey 39 89 D2
Montagnac 34 156 A4
Montagnac-Montpezat 04 162 B2
Montagnat 01 103 D3
La Montagne 44 79 D1
Montaigu 85 79 E2
Montaigu-de-Quercy 82 137 F2
Montalieu-Vercieu 38 117 D1
Montauban 82 138 A3
Montauban 35 48 A3
Montaudin 53 49 E2
Montbard 21 73 D3
Montbazens 12 140 A2
Montbéliard 25 76 C3
Montbenoît 25 90 B2
Montbert 44 79 D2
Montboyer 16 108 B4
Montbozon 70 76 A3
Montbrison 42 114 C3
Montbron 16 109 D2
Montbrun-les-Bains 26 145 E3
Montceau-les-Mines 71 87 F4
Montceaux-lès-Provins 77 37 E4
Montcenis 71 87 E4
Montchanin 71 87 E4
Montcornet 02 20 C2
Montcuq 46 138 A2
Montdidier 80 18 B2
Monte-Carlo
Montebourg 50 12 C2
Montech 82 152 B1
Montendre 17 107 E4
Montesquieu-Volvestre 31 170 B2
Montesquiou 32 151 D3
Montesson 78 35 F3
Montestruc-sur-Gers 32 151 E1
Le Montet 03 99 F2
Montfaucon 82 137 F2
Montfaucon-en-Velay 43 129 E1
Montfermeil 93 36 B3
Montferrand-le-Château 25 89 F1
Montferrat 83 161 E1
Montfort 37 82 B1
Montfort-l'Amaury 78 35 D4
Montfort-en-Chalosse 40 149 E2
Montfort-le-Rotrou 72 51 E4
Montfort-sur-Risle 27 15 E4
Montfrin 30 157 F1
Montgeron 91 36 A4
Montgesoye 25 90 A2
Montgiscard 31 153 D4
Montguyon 17 121 F1
Monthermé 08 21 E1
Monthureux-sur-Saône 88 59 D4
Monthyon 77 36 C2

Montier-en-Der 52 57 E1
Montiers-sur-Saulx 55 58 A1
Montignac 24 124 A2
Montigny-le-Bretonneux 78 35 E4
Montigny-lès-Cormeilles 95 35 F3
Montigny-en-Gohelle 62 8 B1
Montigny-Ostrevant 59 8 C1
Montigny-lès-Metz 57 41 D2
Montigny-le-Roi 52 58 B4
Montigny-sur-Aube 21 57 F3
Montigny-sur-Loing 77 54 C2
Les Montils 41 68 B3
Montivilliers 76 14 C3
Montjean-sur-Loire 49 65 E4
Monthéry 91 54 A1
Montlieu-la-Garde 17 121 F1
Montlignon 95 35 F3
Montlouis-sur-Loire 37 67 F4
Montluçon 03 99 D3
Montluel 01 116 B1
Montmagny 95 35 F3
Montmarault 03 99 F3
Montmartin-sur-Mer 50 30 C2
Montmédy 55 22 B3
Montmélian 73 118 B3
Montmerle-sur-Saône 01 102 B4
Montmirail 72 52 A4
Montmirail 51 37 F3
Montmoreau-St-Cybard 16 108 B4
Montmorency 95 35 F3
Montmorillon 86 96 B2
Montmort-Lucy 51 38 A3
Montoir-de-Bretagne 44 63 E4
Montoire-sur-le-Loir 41 68 A2
Montois-la-Montagne 57 41 D1
Montory 64 167 E2
Montpellier 34 156 C3
Montpezat-de-Quercy 82 138 C3
Montpezat-sous-Bauzon 07 129 D4
Montpon-Ménestérol 24 122 B2
Montpont-en-Bresse 71 103 D1
Montréal 39 103 D1
Montréal 11 171 F2
Montréal-la-Cluse 01 103 F3
Montredon-Labessonnié 81 154 A2
Montréjeau 31 169 E2
Montrésor 37 83 D2
Montret 71 88 C4
Montreuil 62 2 B4
Montreuil-l'Argillé 27 33 E3
Montreuil-Bellay 49 81 D2
Montreuil-Juigné 49 65 F4
Montreuil-sur-Ille 35 48 B2
Montreux-Château 90 77 D2
Montrevel-en-Bresse 01 103 D2
Montrichard 41 68 B4
Montrond-les-Bains 42 115 E2
Montrottier 69 115 E2
Monts 37 82 B1
Monts-sur-Guesnes 86 81 E3
Montsalvy 15 126 B4
Montsauche 58 87 D1
Montsoreau 49 81 E1
Montsûrs 53 50 A3
Montville 76 16 A3
Mus 30 157 D2
Mussidan 24 122 C2
Mussy-la-Fosse 21 73 E3
Mussy-sur-Seine 10 57 E4
Mutzig 67 43 D4
Muzillac 56 61 F2
Myennes 58 71 D4

Monières-lès-Avignon 84 158 B1
Morlàas 64 150 B4
Morlaix 29 27 E2
Mormant 77 54 C1
Mormoiron 84 145 D4
Mornac-sur-Seudre 17 106 B2
Mornant 69 115 F3
Morsang-sur-Orge 91 35 F4
Morschwiller-le-Bas 68 77 E1
Mortagne-au-Perche 61 51 F1
Mortagne-du-Nord 59 4 B4
Mortagne-sur-Sèvre 85 80 A2
Mortain 50 31 E4
Mortcerf 77 36 C3
Morteau 25 90 C2
Morteaux-Couliboeuf 14 32 C3
Mortrée 61 32 C4
Morvillars 90 77 D3
Morzine 74 105 E3
La Mothe-Achard 85 79 D4
La Mothe-St-Héray 79 94 C2
La Motte 83 161 F1
La Motte-Chalencon 26 145 D1
La Motte-d'Aveillans 38 131 E
La Motte-St-Martin 38 131 E3
La Motte-Servolex 73 117 F2
Motteville 76 15 F3
Mouans-Sartoux 06 163 F2
Mouchamps 85 79 F3
Mouchard 39 89 E2
Mougins 06 164 C4
Mouilleron-en-Pareds 85 80 A4
Mouleydier 24 123 D3
Moulins 03 100 B1
Moulins-Engilbert 58 86 C2
Moulins-la-Marche 61 33 E4
Moulins-lès-Metz 57 41 D1
Moule 62 2 C2
Mourenx 64 149 F4
Mouriès 13 158 B2
Mourjou 15 126 A4
Mourmelon-le-Grand 51 38 C2
Mours-St-Eusèbe 26 130 B2
Moussey 57 42 A4
Moustiers-Ste-Marie 04 162 C1
Mouthe 25 90 A4
Mouthier-Haute-Pierre 25 90 A2
Mouthoumet 11 176 C1
Moûtiers 73 119 D3
Moûtiers 54 23 E4
Moutiers-les-Mauxfaits 85 92 B1
Mouvaux 59 4 A3
Mouy 60 17 F4
Mouzon 08 22 A2
Moÿ-de-l'Aisne 02 19 D2
Moyaux 14 33 D2
Moyen 54 60 A1
Moyenmoutier 88 60 B2
Moyenneville 80 6 C3
Moyeuvre-Grande 57 23 E4
Mugron 40 149 E2
La Mulatière 69 116 A2
Mulhouse 68 77 E1
Mundolsheim 67 43 E4
Munster 68 60 C4
Muntzenheim 68 61 E3
Mur-de-Barrez 12 126 B3
Mur-de-Bretagne 22 46 C1
Mur-de-Sologne 41 69 D4
Murat 15 126 C1
Murat-sur-Vèbre 81 155 D2
Murato 2b 179 E1
La Mure d'Isère 38 131 E3
Les Mureaux 78 35 E3
Muret 31 152 C4
Muro 2b 178 C2
Murol 63 113 D3
Murviel-lès-Béziers 34 155 E4

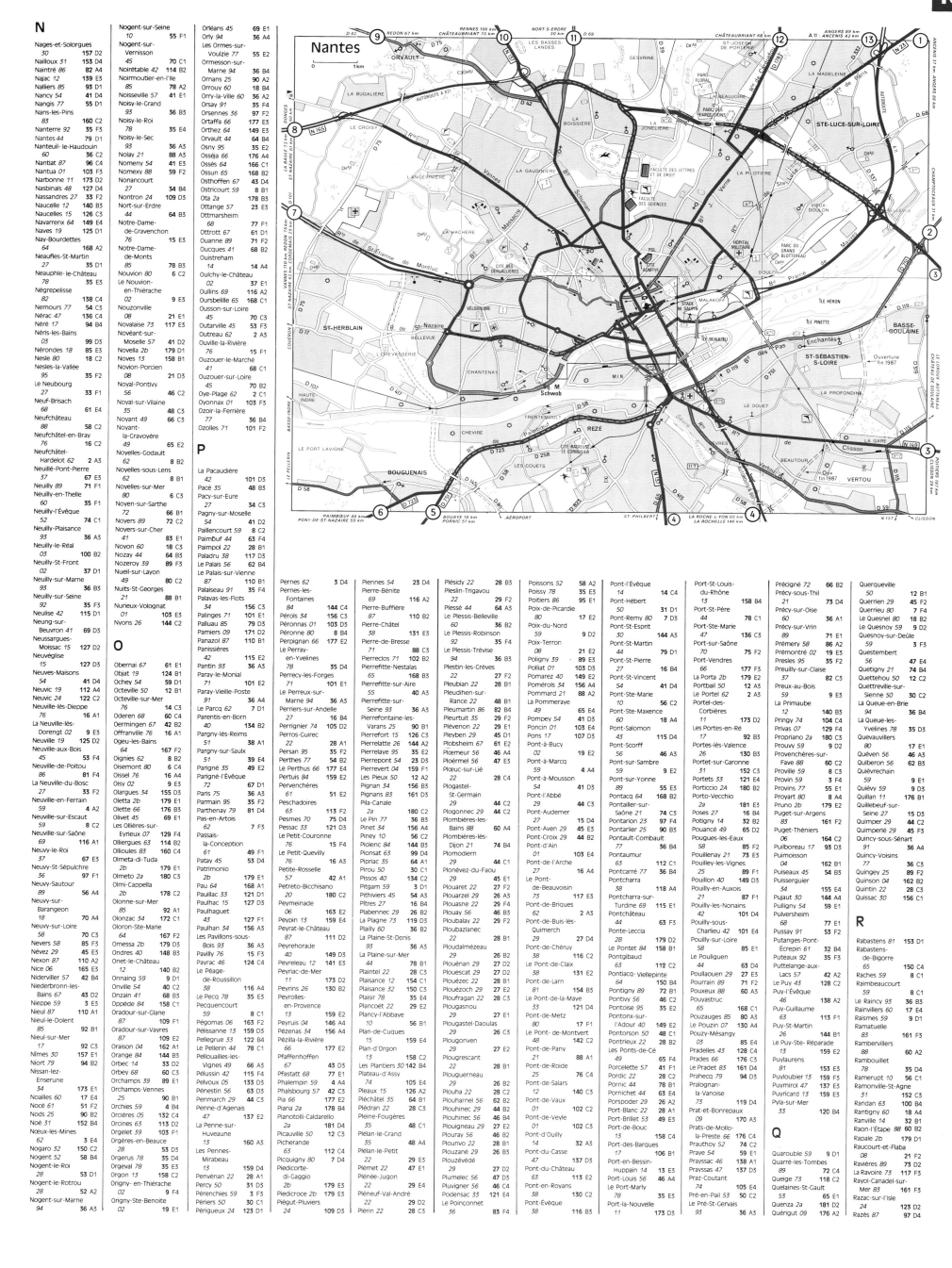

Nantes

N

Nages-et-Solorgues 30 157 D2
Nailloux 31 153 D4
Naintré 86 82 A4
Najac 12 139 E3
Nalliers 85 93 D1
Nancy 54 41 D4
Nangis 77 55 D1
Nans-les-Pins 83 160 C2
Nanterre 92 35 F3
Nantes 44 79 D1
Nanteuil-le-Haudouin 60 36 C2
Nantiat 87 96 C4
Nantua 01 103 F3
Narbonne 11 173 D2
Nasbinals 48 127 D4
Nassandres 27 33 F2
Naucelle 12 140 B3
Naucelles 15 126 C3
Navarrenx 64 149 E4
Naves 19 125 D1
Nay-Bourdettes 64 168 A2
Neaufles-St-Martin 27 35 D1
Neauphle-le-Château 78 35 E3
Négrepelisse 82 138 C4
Nemours 77 54 C3
Nérac 47 136 C4
Néré 17 94 B4
Néris-les-Bains 03 99 D3
Nérondes 18 85 E3
Nesle 80 18 C2
Nesles-la-Vallée 95 35 F2
Le Neubourg 27 33 F1
Neuf-Brisach 68 61 E4
Neufchâteau 88 58 C2
Neufchâtel-en-Bray 76 16 C2
Neufchâtel-Hardelot 62 2 A3
Neuillé-Pont-Pierre 37 67 E3
Neuilly 89 71 F1
Neuilly-en-Thelle 60 35 F1
Neuilly-l'Évêque 52 74 C1
Neuilly-Plaisance 93 36 A3
Neuilly-le-Réal 03 100 B2
Neuilly-St-Front 02 37 D1
Neuilly-sur-Marne 93 36 B3
Neuilly-sur-Seine 92 35 F3
Neulise 42 115 D1
Neung-sur-Beuvron 41 69 D3
Neussargues-Moissac 15 127 D2
Neuvéglise 15 127 D3
Neuves-Maisons 54 41 D4
Neuvic 19 112 A4
Neuvic 24 122 C2
Neuville-lès-Dieppe 76 16 A1
La Neuville-lès-Dorengt 02 9 E3
Neuville 19 125 D2
Neuville-aux-Bois 45 53 F4
Neuville-de-Poitou 86 81 E4
La Neuville-du-Bosc 27 33 F2
Neuville-en-Ferrain 59 4 A2
Neuville-sur-Escaut 59 8 C2
Neuville-sur-Saône 69 116 A1
Neuvy-le-Roi 37 67 E3
Neuvy-St-Sépulchre 36 97 F1
Neuvy-Sautour 89 56 A4
Neuvy-sur-Barangeon 18 70 A4
Neuvy-sur-Loire 58 70 C3
Nevers 58 85 F3
Névez 29 45 E3
Nexon 87 110 A2
Nice 06 165 E3
Niderviller 57 42 B4
Niederbronn-les-Bains 67 43 D2
Nieppe 59 4 A3
Nieul 87 110 A1
Nieul-le-Dolent 85 92 C3
Nieul-sur-Mer 17 92 C3
Nîmes 30 157 E1
Niort 79 94 B2
Nissan-lez-Enserune 34 173 E1
Noailles 60 17 E4
Nocé 61 51 F2
Nods 25 90 B2
Noé 31 152 B4
Nœux-les-Mines 62 3 E4
Nogaro 32 150 C2
Nogent 52 58 B4
Nogent-le-Roi 28 53 D1
Nogent-le-Rotrou 28 52 A2
Nogent-sur-Marne 94 36 A3

Nogent-sur-Seine 10 55 F1
Nogent-sur-Vernisson 45 70 C1
Noirétable 42 114 B2
Noirmoutier-en-l'Île 85 78 A4
Noisseville 57 41 E1
Noisy-le-Grand 93 36 B3
Noisy-le-Roi 78 35 E4
Noisy-le-Sec 93 36 A3
Nolay 21 88 A3
Nomeny 54 41 E3
Nomexy 88 59 F2
Nonancourt 14 34 B4
Nontron 24 109 D3
Nort-sur-Erdre 44 64 B3
Notre-Dame-de-Gravenchon 76 15 E3
Notre-Dame-de-Monts 85 78 B3
Le Nouvion-en-Thiérache 02 9 E3
Nouzonville 08 21 E1
Novalaise 73 117 E3
Novéant-sur-Moselle 57 41 D2
Novella 2b 179 D1
Noves 13 158 B1
Novion-Porcien 08 21 D3
Noyal-Pontivy 56 46 C2
Noyal-sur-Vilaine 35 48 C3
Noyant 49 66 C3
Noyant-la-Gravoyère 49 65 E2
Noyelles-Godault 62 8 B1
Noyelles-sous-Lens 62 8 B1
Noyelles-sur-Mer 80 6 C3
Noyen-sur-Sarthe 72 66 C3
Noyers 89 72 C2
Noyers-sur-Cher 41 83 E1
Noyon 60 18 C3
Nozay 44 64 B3
Nozeroy 39 89 F3
Nueil-sur-Layon 49 80 C2
Nuits-St-Georges 21 88 B1
Nurieux-Volognat 01 103 E3
Nyons 26 144 C2

O

Obernai 67 61 E1
Objat 19 124 B1
Ochey 54 59 D1
Octeville 50 12 B1
Octeville-sur-Mer 76 14 C3
Oderen 68 60 C4
Oermingen 67 42 B2
Offranville 76 16 A1
Ogeu-les-Bains 64 167 F2
Oignies 62 8 B2
Oisemont 80 17 D2
Oissel 76 16 A4
Oisy 02 9 E3
Olargues 34 155 D3
Oletta 2b 179 E1
Olette 66 176 B3
Olivet 45 69 E1
Les Ollières-sur-Eyrieux 07 129 F4
Olliergues 63 114 B2
Ollioules 83 160 C4
Olmeta-di-Tuda 2b 179 E1
Olmeto 2a 180 C3
Olmi-Cappella 2b 178 C2
Olonne-sur-Mer 85 92 A1
Olonzac 34 172 C1
Oloron-Ste-Marie 64 167 F2
Omessa 2b 179 D3
Ondres 40 148 B3
Onet-le-Château 12 140 B2
Onnaing 59 9 D1
Onville 54 40 C2
Onzain 41 68 B3
Oppède 84 158 C1
Oradour-sur-Glane 87 109 F1
Oradour-sur-Vayres 87 109 E2
Oraison 04 162 A1
Orange 84 144 B3
Orbec 14 33 D2
Orbey 68 60 C3
Orchamps 39 89 E1
Orchamps-Vennes 25 90 B1
Orchies 59 4 B4
Orcières 05 132 C4
Orcines 63 113 D2
Orgelet 39 103 F1
Orgères-en-Beauce 28 53 D3
Orgerus 78 35 D4
Orgeval 78 35 E3
Orgon 13 158 C2
Origny-en-Thiérache 02 9 F4
Origny-Ste-Benoite 02 19 E1

Orléans 45 69 E1
Orly 94 36 A4
Les Ormes-sur-Voulzie 77 55 E2
Ormesson-sur-Marne 94 36 B4
Ornans 25 90 A2
Orrouy 60 18 A3
Orry-la-Ville 60 36 A2
Orsay 91 35 F4
Orsennes 36 97 F2
Ortaffa 66 177 E3
Orthez 64 149 E4
Orval 44 64 B4
Osny 95 35 E2
Osséja 45 176 A4
Ossès 64 166 C1
Ossun 65 168 B2
Osthoffen 67 43 D4
Ostricourt 59 8 B1
Ota 2a 178 B3
Ottange 57 23 E3
Ottmarsheim 68 77 F1
Ottrott 67 61 D1
Ouanne 89 71 F2
Oucques 41 68 B2
Ouistreham 14 14 A4
Oulchy-le-Château 02 37 D1
Oullins 69 116 A2
Oursbelille 65 168 C1
Ousson-sur-Loire 45 70 C3
Outarville 45 53 F3
Outreau 62 2 A3
Ouville-la-Rivière 76 15 F1
Ouzouer-le-Marché 41 68 C1
Ouzouer-sur-Loire 45 70 B2
Oye-Plage 62 2 C1
Oyonnax 01 103 F3
Ozoir-la-Ferrière 77 36 B4
Ozolles 71 101 F2

P

La Pacaudière 42 101 D3
Pacé 35 48 B3
Pacy-sur-Eure 27 34 C3
Pagny-sur-Moselle 54 41 D2
Paillencourt 59 8 C2
Paimbœuf 44 63 F4
Paimpol 22 28 B1
Paladru 38 117 D3
Le Palais 56 62 B4
Le Palais-sur-Vienne 87 110 B1
Palaiseau 91 35 F4
Palavas-les-Flots 34 156 C3
Palinges 71 101 E1
Palluau 85 78 C4
Pamiers 09 171 D2
Panazol 87 110 B1
Panissières 42 115 E2
Pantin 93 36 A3
Paray-le-Monial 71 101 E2
Paray-Vieille-Poste 91 36 A4
Le Parcq 62 7 D1
Parentis-en-Born 40 134 B2
Pargny-lès-Reims 51 38 A1
Pargny-sur-Saulx 51 39 E4
Parigné-l'Évêque 72 67 D1
Paris 75 35 F3
Parmain 95 35 F2
Parthenay 79 81 D4
Pas-en-Artois 62 7 F5
Passais-la-Conception 61 49 F1
Patay 45 53 D4
Patrimonio 2b 179 E1
Pau 64 168 A1
Pauillac 33 121 D1
Paulhac 43 127 D3
Paulhaguet 43 127 F1
Paulhan 34 156 A3
Les Pavillons-sous-Bois 93 36 B3
Pavilly 76 15 F3
Payrac 46 124 C4
Le Péage-de-Roussillon 38 116 A4
Le Pecq 78 35 E3
Pecquencourt 59 8 C1
Pégomas 06 163 F2
Pélissanne 13 159 D3
Pellegrue 33 122 B4
Le Pellerin 44 78 C1
Pellouailles-les-Vignes 49 65 F2
Pélussin 42 115 F4
Pelvoux 05 133 D3
Pénestin 56 63 D3
Penmarch 29 44 B3
Penne-d'Agenais 47 137 E2
La Penne-sur-Huveaune 13 160 A3
Les Pennes-Mirabeau 13 159 D4
Penvénan 22 28 A1
Percy 50 31 D3
Pérenchies 59 4 A3
Périers 50 30 C1
Périgueux 24 123 D1

Pernes 62 3 D4
Pernes-les-Fontaines 84 144 C4
Pérols 34 156 C3
Péronnas 01 103 D3
Péronne 80 8 B4
Perpignan 66 177 E2
Le Perray-en-Yvelines 78 35 D4
Perrecy-les-Forges 71 101 E1
Le Perreux-sur-Marne 94 36 A3
Perriers-sur-Andelle 27 16 B4
Perrignier 74 105 D2
Perros-Guirec 22 28 A1
Persan 95 35 F2
Perthes 77 54 B2
Le Perthus 66 177 E4
Pertuis 84 159 E2
Pervenchères 61 51 E2
Peschadoires 63 113 F2
Pesmes 70 75 D4
Pessac 33 121 D3
Le Petit-Couronne 76 15 F4
Le Petit-Quevilly 76 16 A4
Petite-Rosselle 57 42 A1
Petreto-Bicchisano 2a 180 C2
Peymeinade 06 163 E2
Peypin 13 159 E4
Peyrat-le-Château 87 111 D2
Peyrehorade 40 149 D3
Peyreleau 12 141 E3
Peyriac-de-Mer 11 173 D2
Peyrins 26 130 B2
Peyrolles-en-Provence 13 159 E2
Peyruis 04 146 A4
Pézenas 34 156 A4
Pézilla-la-Rivière 66 177 E2
Pfaffenhoffen 67 43 D3
Pfastatt 68 77 E1
Phalempin 59 8 B1
Phalsbourg 57 42 C3
Pia 66 177 E2
Piana 2a 178 B4
Pianotolli-Caldarello 2a 181 D4
Picauville 50 12 C3
Picherande 63 112 C3
Picquigny 80 7 D4
Piedicroce 2b 179 E3
Piedicorte-di-Gaggio 2b 179 E4
Piégut-Pluviers 24 109 D3
Piennes 54 23 D4
Pierre-Bénite 69 116 A2
Pierre-Buffière 87 110 B2
Pierre-Châtel 38 131 E3
Pierre-de-Bresse 71 88 C3
Pierreclos 71 102 B2
Pierrefitte-Nestalas 65 168 A3
Pierrefitte-sur-Aire 55 40 A3
Pierrefitte-sur-Seine 93 36 A3
Pierrefontaine-les-Varans 25 90 B1
Pierrefort 15 126 C3
Pierrelatte 26 144 A2
Pierrelaye 95 35 F2
Pierrepont 54 23 D3
Pierrevert 04 159 F1
Les Pieux 50 12 A2
Pignan 34 156 B3
Pignans 83 161 D3
Pila-Canale 2a 180 C2
Le Pin 77 36 B3
Pinet 34 156 A4
Piney 10 56 C2
Pionsat 63 112 B1
Piolenc 84 144 B3
Pipriac 35 64 A1
Pirou 50 30 C1
Pissos 40 134 C2
Pitgam 59 3 D1
Pithiviers 45 54 A3
Pîtres 27 16 B4
Plabennec 29 24 C2
La Plagne 73 119 D3
Plailly 60 36 B2
La Plaine-St-Denis 93 36 A3
La Plaine-sur-Mer 44 78 B1
Plaintel 22 28 C3
Plaisance 32 154 C1
Plaisance 12 150 C3
Plaisir 78 35 E4
Plancoët 22 29 E2
Plancy-l'Abbaye 10 56 B1
Plan-de-Cuques 13 159 E4
Plan-d'Orgon 13 158 C2
Les Plantiers 30 142 B4
Plateau-d'Assy 74 105 E4
Pleaux 15 126 A2
Pléchâtel 35 64 B1
Plédran 22 28 C3
Pleine-Fougères 35 49 E1
Plélan-le-Grand 35 48 A4
Plélan-le-Petit 22 29 E2
Plémet 22 47 E2
Plénée-Jugon 22 29 D3
Pléneuf-Val-André 22 29 D2
Plérin 22 28 C2

Plésidy 22 28 B3
Pleslin-Trigavou 22 29 F2
Plessé 44 64 A3
Le Plessis-Belleville 60 36 B2
Le Plessis-Robinson 92 35 F4
Le Plessis-Trévise 94 36 B3
Plestin-les-Grèves 22 27 F2
Pleubian 22 28 B1
Pleudihen-sur-Rance 22 29 F2
Pleumartin 86 82 B4
Pleurtuit 35 29 F2
Plévenon 22 29 E1
Pleyben 29 45 D1
Plobsheim 67 61 E2
Ploemeur 56 46 A4
Ploërmel 56 47 E3
Ploeuc-sur-Lié 22 28 C4
Plogastel-St-Germain 29 44 C2
Plogonnec 29 44 C2
Plombières-les-Bains 88 60 A4
Plombières-lès-Dijon 21 74 B4
Plomodiern 29 44 C1
Plonévez-du-Faou 29 45 D1
Plouagat 22 28 B2
Plouaret 22 28 A2
Plouarzel 29 24 A3
Plouasne 22 29 F4
Plouay 56 46 B3
Ploubalay 22 29 F2
Ploubazlanec 22 28 B1
Ploudalmézeau 29 24 B2
Plouénan 29 26 C2
Plouescat 29 27 D2
Plouézec 22 28 B2
Plouézoch 29 27 D2
Ploufragan 22 28 C3
Plougasnou 29 27 E2
Plougastel-Daoulas 29 26 C3
Plougonven 29 27 E2
Plougrescant 22 28 B1
Plouguenast 22 47 D1
Plouguerneau 29 26 B2
Plouha 22 28 B2
Plouhinec 56 46 A4
Plouhinec 29 44 B2
Plouigneau 29 27 E2
Plouray 56 46 B2
Plourivo 22 28 B1
Plouzané 29 24 B3
Plouzévédé 29 27 D2
Pluduno 22 29 E2
Plumelec 56 47 D3
Pluméliau 56 46 C3
Pluvigner 56 46 C3
Podensac 33 121 E4
Le Poinçonnet 36 98 A1

Poissons 52 58 A2
Poissy 78 35 F3
Poitiers 86 95 E1
Poix-de-Picardie 80 17 E2
Poix-du-Nord 59 9 D2
Poix-Terron 08 21 E2
Poligny 39 89 E3
Polliat 01 103 D3
Pomarez 40 149 E2
Pomérols 34 156 A4
Pommard 21 88 A2
La Pommeraye 49 65 D4
Pompey 54 41 D3
Poncin 01 103 E4
Pons 17 107 D3
Pont-à-Bucy 02 19 E2
Pont-à-Marcq 59 4 A4
Pont-à-Mousson 54 41 D3
Pont-l'Abbé 29 44 C3
Pont-Audemer 27 15 D4
Pont-Aven 29 45 E3
Pont-Croix 29 44 B2
Pont-d'Ain 01 103 E4
Pont-de-l'Arche 27 16 A4
Le Pont-de-Beauvoisin 73 117 E3
Pont-de-Briques 62 2 A3
Pont-de-Buis-lès-Quimerch 29 27 D4
Pont-de-Chéruy 38 116 C2
Le Pont-de-Claix 38 131 E2
Pont-de-Larn 81 154 B3
Pont-de-la-Maye 33 121 D3
Pont-de-Metz 80 17 F1
Pont-de-Montvert 48 142 C2
Pont-de-Pany 21 88 A1
Pont-de-Roide 25 76 C1
Pont-de-Salars 12 140 C3
Pont-de-Vaux 01 102 C2
Pont-de-Veyle 01 102 C2
Pont-d'Ouilly 14 32 A3
Pont-du-Casse 47 137 E3
Pont-du-Château 63 113 E2
Pont-en-Royans 38 130 C2
Pont-Évêque 38 116 B3

Pont-l'Évêque 14 14 C4
Pont-Hébert 50 31 D1
Pont-Remy 80 7 D3
Pont-St-Esprit 30 144 A3
Pont-St-Martin 44 79 D1
Pont-St-Pierre 27 16 B4
Pont-St-Vincent 54 41 D4
Pont-Ste-Marie 10 56 C2
Pont-Ste-Maxence 60 18 A4
Pont-Salomon 43 115 D4
Pont-Scorff 56 46 A3
Pont-sur-Sambre 59 9 E2
Pont-sur-Yonne 89 55 E3
Pontacq 64 168 B2
Pontailler-sur-Saône 21 74 C3
Pontarion 23 97 F4
Pontarlier 25 90 B3
Pontault-Combault 77 36 B4
Pontaumur 63 112 C2
Pontcarré 77 36 B4
Pontcharra 38 118 A4
Pontchartrain 78 35 E4
Pontchâteau 44 63 F3
Ponte-Leccia 2b 179 D2
Pontgibaud 63 112 C2
Pontigny 89 72 B1
Pontivy 56 46 C2
Pontoise 95 35 F2
Pontonx-sur-l'Adour 40 149 E2
Pontorson 50 49 E1
Pontrieux 22 28 B2
Les Ponts-de-Cé 49 65 F4
Porcelette 57 41 F1
Pordic 22 28 C2
Pornic 44 78 B1
Pornichet 44 63 E4
Porspoder 29 24 A2
Port-Blanc 22 28 A1
Port-Brillet 53 65 E1
Port-de-Bouc 13 159 D4
Port-des-Barques 17 106 B1
Port-en-Bessin-Huppain 14 13 E3
Port-Louis 56 46 A4
Port-Marly 78 35 E3
Port-la-Nouvelle 11 173 D3

Port-l'Évêque 14 14 C4
Port-St-Louis-du-Rhône 13 158 B4
Port-St-Père 44 78 C1
Port-Ste-Marie 47 136 C3
Port-sur-Saône 70 75 F2
Port-Vendres 66 177 F3
La Porta 2b 179 E2
Portbail 50 12 A3
Le Portel 62 2 A3
Portel-des-Corbières 11 173 D2
Les Portes-en-Ré 17 92 B3
Portes-lès-Valence 26 130 B3
Portet-sur-Garonne 31 152 C3
Portets 33 121 E4
Porticcio 2a 180 B2
Porto-Vecchio 2a 181 E3
Pouancé 49 65 D2
Poses 27 16 B4
Potigny 14 32 B2
Pouancé 14 ...
Pougues-les-Eaux 58 86 A2
Pouillenay 21 73 E3
Pouilley-les-Vignes 25 89 F1
Pouilloux 71 101 F1
Pouilly-en-Auxois 21 87 F1
Pouilly-les-Nonains 42 101 F3
Pouilly-sous-Charlieu 42 101 F3
Pouilly-sur-Loire 58 85 E1
Poulaines 36 84 A1
Poullaouen 29 27 E3
Pourrain 89 71 F1
Pouxeux 88 60 A3
Pouzauges 85 80 A3
Le Pouzin 07 130 A4
Pouzy-Mésangy 03 85 E4
Pradelles 43 128 B4
Prades 66 176 C3
Le Pradet 83 161 D4
Pralognan-la-Vanoise 73 119 D4
Prat-et-Bonrepaux 09 170 A3
Prats-de-Mollo-la-Preste 66 176 C4
Prauthoy 52 74 B3
Prayssac 46 138 A1
Prayssas 47 137 D3
Praz-sur-Arly 74 105 E4
Pré-en-Pail 53 50 C2
Le Pré-St-Gervais 93 36 A3

Précigné 72 66 B2
Précy-sous-Thil 21 73 D4
Précy-sur-Oise 60 36 A1
Précy-sur-Vrin 89 71 E1
Prémery 58 86 A2
Prémontré 02 19 E3
Presles 95 35 F2
Preuilly-sur-Claise 37 82 C3
Preux-au-Bois 59 9 E2
La Primaube 12 140 B3
Pringy 74 104 C4
Privas 07 129 F4
Propriano 2a 180 C3
Prouvy 59 8 C2
Provenchères-sur-Fave 88 60 C2
Proville 59 8 C3
Provins 77 55 E1
Pruno 2b 179 E3
Puget-sur-Argens 83 161 F2
Puget-Théniers 06 164 C2
Puilboreau 17 93 D3
Puimoisson 04 162 B1
Puiseaux 45 54 B3
Puisserguier 34 155 E4
Pujaut 30 144 A4
Puligny 54 59 E1
Pulversheim 68 77 E1
Pussay 91 53 F2
Putanges-Pont-Écrepin 61 32 B4
Puteaux 92 35 F3
Puttelange-aux-Lacs 57 42 A2
Le Puy 43 128 C2
Puy-l'Évêque 46 138 A2
Puy-Guillaume 63 113 F1
Puy-St-Martin 26 144 B1
Le Puy-Ste-Réparade 13 159 E2
Puylaurens 81 153 E3
Puyloubier 13 159 F3
Puymirol 47 137 E3
Puyricard 13 159 E3
Pyla-sur-Mer 33 120 B4

Q

Quarouble 59 9 D1
Quarré-les-Tombes 89 72 C4
Queige 73 119 D3
Quelaines-St-Gault 53 65 E1
Quenza 2a 181 D3
Quérigut 09 176 A2

Querqueville 50 12 B1
Querrien 29 45 F2
Querrieu 80 7 F4
Le Quesnel 80 18 B2
Le Quesnoy 59 9 D2
Quesnoy-sur-Deûle 59 3 F3
Questembert 56 47 E4
Quetigny 21 74 B4
Quettehou 50 12 C2
Quettreville-sur-Sienne 50 30 C2
La Queue-en-Brie 94 36 B4
La Queue-les-Yvelines 78 35 D3
Quevauvillers 80 17 E1
Quéven 56 46 A3
Quiberon 56 62 B3
Quiévrechain 59 9 E1
Quiévy 59 9 D3
Quillan 11 176 B1
Quillebeuf-sur-Seine 27 15 D3
Quimper 29 44 C2
Quimperlé 29 45 F3
Quincy-sous-Sénart 91 36 A4
Quincy-Voisins 77 36 C3
Quingey 25 89 F2
Quinson 04 162 B2
Quintin 22 28 C3
Quissac 30 156 C1

R

Rabastens 81 153 D1
Rabastens-de-Bigorre 65 150 C4
Raches 59 8 C1
Raimbeaucourt 59 8 C1
Le Raincy 93 36 B3
Raismes 59 9 D1
Ramatuelle 83 161 F3
Rambervillers 88 60 A2
Rambouillet 78 35 E4
Ramerupt 10 56 C1
Ramonville-St-Agne 31 152 C3
Randan 63 113 F1
Rantigny 60 18 A4
Ranville 14 32 B1
Raon-l'Étape 88 60 B2
Rapale 2b 179 D1
Raucourt-et-Flaba 08 21 F2
La Ravoire 73 117 F3
Razac-Canadel-sur-Mer 83 161 F3
Razac-sur-l'Isle 24 123 D2
Razès 87 97 D4

Rouen

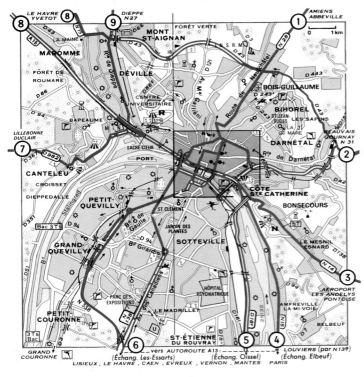

Réalmont 81 154 A2
Réalville 82 138 C4
Rebais 77 37 D3
Recey-sur-Ource 21 73 F2
Recologne 25 75 E4
Recquignies 59 9 F2
Redon 35 63 F3
Reffannes 79 94 C1
Regnéville-sur-Mer 50 30 B2
Régny 42 101 E4
Réguisheim 68 61 D4
Réhon 54 23 D3
Reichstett 67 43 E4
Reignac 33 121 E1
Reignac-sur-Indre 37 82 C1
Reillanne 04 159 F1
Reims 51 38 B1
Reininge 67 71 E1
Le Relecq-Kerhuon 29 26 C3
Rémalard 61 52 A2
Rémilly 57 41 E2
Remiremont 88 60 A4
Remoulins 30 157 F1
Rémuzat 26 145 E1
Renazé 53 65 D1
Renescure 59 3 D3
Rennes 35 48 B3
La Réole 33 136 A1
Replonges 01 102 C2
Réquista 12 140 B4
Ressons-sur-Matz 60 18 B3
Rethel 08 21 D3
Rethondes 60 18 C4
Retiers 35 49 E4
Retournac 43 129 D1
Reuilly 36 84 A2
Revel 31 153 F3
Reventin-Vaugris 38 116 A3
Revigny-sur-Ornain 55 39 E3
Revin 08 11 D4
Rezé 44 79 D1
Le Rheu 35 48 B3
Rhinau 67 61 E2
Riaillé 44 64 B4
Rians 83 159 F3
Riantec 56 46 B4
Ribaute-les-Tavernes 30 143 D4
Ribeauvillé 68 61 D3
Ribécourt-Dreslincourt 60 18 C3
Ribemont 02 19 E1
Ribemont-sur-Ancre 80 7 F4
Ribérac 24 122 C1
La Ricamarie 42 115 F4
Les Riceys 10 57 D4
La Richardais 35 29 F1
La Riche 37 81 F2
Richelieu 37 81 F2
Riec-sur-Belon 29 45 E3
Riedisheim 68 71 E1
Rieumes 31 152 B4
Rieupeyroux 12 140 A3
Rieux 60 18 A4
Rieux-en-Cambrésis 59 8 C3
Riez 04 162 B1
Rignac 12 140 A2
Rilhac-Rancon 87 110 B1
Rillieux-la-Pape 69 116 B1
Rilly-la-Montagne 51 38 B1
Rimling 57 42 C1
Rimogne 08 11 D4
Rimont 09 170 B3
Rinxent 62 2 A2

Riom 63 113 E1
Riom-ès-Montagnes 15 126 B1
Rion-des-Landes 40 149 D1
Rioz 70 75 F3
Riquewihr 68 61 D3
Riscle 32 150 B2
Rive-de-Gier 42 115 F3
Rivedoux-Plage 17 92 C3
Rives 38 117 D4
Rivesaltes 66 177 E2
Rivière 62 8 A3
Rivière-sur-Tarn 12 141 E3
Rixheim 68 71 E1
Roanne 42 101 D4
Robion 84 158 C1
Rocamadour 46 124 C4
La Roche-Bernard 56 63 E3
La Roche-Chalais 24 122 A2
La Roche-de-Rame 05 133 D4
La Roche-Derrien 22 28 A1
La Roche-en-Brenil 21 73 D4
La Roche-Guyon 95 34 C2
Roche-lez-Beaupré 25 75 F3
Roche-la-Molière 42 115 F4
La Roche-Posay 86 82 B4
La Roche-sur-Foron 74 104 C4
La Roche-sur-Yon 85 79 F4
La Roche-Vanneau 21 74 A3
Rochechouart 87 109 E2
Rochefort 17 106 B1
Rochefort-du-Gard 30 158 A1
Rochefort-Montagne 63 112 C2
Rochefort-sur-Loire 49 65 F4
La Rochefoucauld 16 108 C2
La Rochelle 17 92 C5
Roches-Bettaincourt 52 58 A2
Les Roches-de-Condrieu 38 116 A4
Rocheservière 85 79 D2
La Rochette 73 118 B3
Rocroi 08 10 C4
Rodez 12 140 C2
Roeschwoog 67 43 F3
Rogliano 2B 178 A1
Rognac 13 159 D2
Rognes 13 159 D2
Rognonas 13 158 A1
Rohan 56 47 D2
Rohrbach-lès-Bitche 57 42 C1
Roisel 80 18 A4
Roissy-en-France 95 36 A2
Rolampont 52 57 E4
Romagnat 63 113 D2
La Romagne 49 80 A2
Romagné 35 49 D3
Romainville 93 36 A3
Romans-sur-Isère 26 130 B2
Rombas 57 41 D1

La Romieu 32 137 D4
Romillé 35 48 B3
Romilly-sur-Andelle 27 16 B4
Romilly-sur-Seine 10 56 A1
Romorantin-Lanthenay 41 69 D4
Ronchamp 70 76 B2
Ronchin 59 4 A3
Roncq 59 4 A2
Roost-Warendin 59 8 B1
La Roque-d'Anthéron 13 159 D2
Roquebrune-Cap-Martin 06 165 E3
Roquebrune-sur-Argens 83 161 F2
La Roquebrussanne 83 160 C3
Roquecourbe 81 154 B3
Roquefort 40 135 E4
Roquefort-la-Bédoule 13 160 B3
Roquefort-des-Corbières 11 177 E1
Roquefort-les-Pins 06 165 E3
Roquefort-sur-Soulzon 12 155 E1
Roquemaure 30 144 B4
Roquesteron 06 165 D2
La Roquette-sur-Siagne 06 163 F2
Roquevaire 13 160 B3
Rosans 05 145 E2
Rosay-sur-Lieure 27 16 C4
Roscoff 29 17 E1
Rosheim 67 61 D1
Rosières-en-Santerre 80 18 B1
Rosnay 51 38 A1
Rosny-sous-Bois 93 36 A3
Rosporden 29 45 E2
Rosselange 57 23 E4
Rostrenen 22 46 B1
Rothau 67 60 C1
Roubaix 59 4 A3
Rouffach 68 61 D4
Rouffignac-de-Sigolès 24 122 A4
Rougé 44 64 C1
Rougemont-le-Château 90 77 D2
Rougiers 83 160 C3
Rouillac 16 108 B2
Rouillé 86 95 D2
Roujan 34 156 B3
Roulans 25 76 A4
Roumazières-Loubert 16 109 D1
Roupy 02 19 D1
Le Rouret 06 165 D3
Rousies 59 9 F2
Les Rousses 39 104 B1
Rousset 13 159 F3
Roussillon 38 116 A4
Routot 27 15 E4
Rouvroy 62 8 B2
Le Rove 13 159 D4
Royan 17 106 B3

Royat 63 113 D2
Roybon 38 130 C1
Roye 80 18 B2
Royère-de-Vassivière 23 111 E2
Rozay-en-Brie 77 36 C4
Rozier-en-Donzy 42 115 D2
Rozoy-sur-Serre 02 20 B2
Rue 80 6 C2
Rueil-Malmaison 92 35 F3
Ruelle 16 108 B2
Ruffec 16 95 D4
Ruffey-lès-Echirey 21 74 B4
Rugles 27 33 F3
Rumigny 08 21 D1
Rumilly 74 117 F1
Rumilly-en-Cambrésis 59 8 C3
Rungis 94 35 F4
Ruoms 07 143 E2
Rupt-sur-Moselle 88 60 A4
Le Russey 25 90 C1
Ruynes-en-Margeride 15 127 E2
Ry 76 16 B3

S
Saâcy-sur-Marne 77 37 D3
Saales 67 60 C2
Sablé-sur-Sarthe 72 66 A1
Les Sables-d'Olonne 85 92 A1
Sabres 40 134 C3
Saclas 91 53 F2
Sagone 2A 178 B4
Sagy 71 103 D1
Sahurs 76 15 F4
Saignes 15 112 B4
Sail-sous-Couzan 42 114 C2
Saillagouse-Llo 66 176 A4
Saillans 26 130 C4
Saillat-sur-Vienne 87 109 E2
Sailly-Flibeaucourt 80 6 C2
Sainghin-en-Mélantois 59 4 A3
Sainghin-en-Weppes 59 3 F4
Sains-du-Nord 59 9 F3
Sains-en-Amiénois 80 17 F1
Sains-en-Gohelle 62 3 E4
Sains-Richaumont 02 19 E1
St-Affrique 12 155 D1
St-Agnant 17 106 B1
St-Agrève 07 129 E2
St-Aignan 41 68 C4
St-Aignan-sur-Roë 53 64 C1
St-Aigulin 17 122 A1
St-Alban-Leysse 73 117 F3
St-Alban-sur-Limagnole 48 127 F4
St-Alban-d'Ay 07 129 F1
St-Amand-les-Eaux 59 4 B4
St-Amand-en-Puisaye 58 71 D3
St-Amand-Longpré 41 68 A2

St-Amand-Montrond 18 84 C4
St-Amans 48 127 F4
St-Amans-des-Cots 12 126 B4
St-Amans-Soult 81 154 B4
St-Amant-de-Boixe 16 108 B2
St-Amant-Roche-Savine 63 114 B3
St-Amant-Tallende 63 113 D2
St-Amarin 68 77 D1
St-Ambroix 30 143 D3
St-Amour 39 103 D2
St-Andiol 13 158 C1
St-André 06 165 E3
St-André 59 4 A3
St-André-les-Alpes 04 164 A2
St-André-de-Corcy 01 116 B1
St-André-de-Cubzac 33 121 E2
St-André-de-l'Eure 27 34 B3
St-André-de-Valborgne 30 142 B3
St-André-des-Eaux 44 63 E4
St-André-les-Vergers 10 56 B3
St-Anthème 63 114 C3
St-Antonin-Noble-Val 82 139 D3
St-Arnoult-en-Yvelines 78 53 E1
St-Astier 24 122 C2
St-Auban 06 165 D2
St-Auban 04 146 A4
St-Aubert 59 9 D2
St-Aubin 39 88 C2
St-Aubin-le-Cloud 79 80 C4
St-Aubin-sur-Mer 14 14 A4
St-Aubin-d'Aubigné 35 48 C2
St-Aubin-de-Terregatte 50 49 D1
St-Aubin-du-Cormier 35 49 D2
St-Augustin 19 111 D4
St-Aulaye 24 122 A1
St-Avold 57 41 F1
St-Barbant 87 96 B3
St-Barthélemy-d'Anjou 49 66 A3
St-Béat 31 169 F3
St-Béauzély 12 141 D3
St-Benin-d'Azy 58 86 A2
St-Benoît 86 95 E1
St-Benoît-des-Ondes 35 30 A4
St-Benoît-du-Sault 36 97 D2
St-Benoît-sur-Loire 45 70 A2
St-Berthevin 53 49 F4
St-Blimont 80 6 B3
St-Boil 71 88 A2
St-Bonnet 05 132 B4
St-Bonnet-le-Château 42 115 D4
St-Bonnet-le-Courreau 42 114 C2
St-Bonnet-de-Chavagne 38 130 A2
St-Bonnet-de-Joux 71 101 F1
St-Bonnet-Elvert 19 125 D2
St-Bonnet-Tronçais 03 99 F2
St-Brevin-les-Pins 44 63 E4
St-Brice-Courcelles 51 38 A1
St-Brice-en-Coglès 35 49 D2
St-Brice-sous-Forêt 95 36 A2
St-Brieuc 22 28 C3
St-Bris-le-Vineux 89 72 A2
St-Calais 72 67 D1
St-Cannat 13 159 D3
St-Cast-le-Guildo 22 29 E1
St-Céré 46 125 D3
St-Cernin 15 126 A2
St-Cézaire-sur-Siagne 06 163 D2
St-Chaffrey 05 133 D2
St-Chamant 15 125 D2
St-Chamas 13 158 C3
St-Chamond 42 115 F4
St-Chaptes 30 157 E1
St-Chef 38 117 D3
St-Chély-d'Apcher 48 127 E3
St-Chély-d'Aubrac 12 126 C4
St-Chéron 91 53 F1
St-Chinian 34 155 D1
St-Christol-lès-Alès 30 143 D3
St-Christophe 86 95 A4
St-Christophe-en-Brionnais 71 101 E3

St-Ciers-sur-Gironde 33 107 D4
St-Cirgues-en-Montagne 07 129 D4
St-Clair-de-Halouze 61 31 E4
St-Clair-sur-Epte 95 35 D1
St-Clar 32 151 F1
St-Claude 16 108 C1
St-Claude 39 104 A2
St-Clément 54 60 A1
St-Cloud 92 35 F3
St-Cosme-en-Vairais 72 51 E3
St-Crépin-Ibouvillers 60 35 E1
St-Cyprien 24 123 F3
St-Cyprien 66 177 F3
St-Cyprien-sur-Dourdou 12 140 B1
St-Cyr-au-Mont-d'Or 69 116 A2
St-Cyr-de-Favières 42 115 D1
St-Cyr-l'École 78 35 E4
St-Cyr-en-Val 45 69 E1
St-Cyr-sur-Loire 37 67 E4
St-Cyr-sur-Mer 83 160 B3
St-Cyr-sur-Morin 77 37 D3
St-Denis 93 35 F3
St-Denis-de-Cabanne 42 101 E3
St-Denis-de-Gastines 53 49 F2
St-Denis-de-l'Hôtel 45 69 F2
St-Denis-d'Oléron 17 92 B4
St-Denis-en-Bugey 01 116 C1
St-Denis-en-Val 45 69 E1
St-Denis-sur-Sarthon 61 50 C2
St-Didier-au-Mont-d'Or 69 116 A2
St-Didier-en-Velay 43 129 E1
St-Didier-sur-Rochefort 42 114 C2
St-Dié 88 60 B2
St-Dier-d'Auvergne 63 113 F2
St-Dizier 52 39 E4
St-Donat-sur-l'Herbasse 26 130 B2
St-Doulchard 18 84 C2
St-Égrève 38 131 E1
St-Éloy-les-Mines 63 99 D3
St-Émilion 33 121 F3
St-Erblon 35 48 B4
St-Erme-Outre-et-Ramecourt 02 20 B3
St-Estève 66 177 E2
St-Étienne 42 115 E4
St-Étienne-de-Baigorry 64 166 C2
St-Étienne-de-Crossey 38 117 E4
St-Étienne-de-Fursac 23 97 E4
St-Étienne-de-Lugdarès 07 128 C4
St-Étienne-de-Montluc 44 64 A4
St-Étienne-de-St-Geoirs 38 117 D4
St-Étienne-de-Tinée 06 147 F2
St-Étienne-de-Tulmont 82 138 C2
St-Étienne-des-Oullières 69 102 B4
St-Étienne-du-Bois 01 103 D3
St-Étienne-du-Rouvray 76 16 A4
St-Étienne-en-Dévoluy 05 131 F4
St-Étienne-Vallée-Française 48 142 C3
St-Euphraise-et-Clairizet 51 38 A1
St-Fargeau 89 71 D3
St-Fargeau-Ponthierry 77 54 B1
St-Félicien 07 129 F2
St-Félix-Lauragais 31 153 E4
St-Firmin 05 132 A4
St-Florent 2B 179 D3
St-Florent-des-Bois 85 92 C1
St-Florent-le-Vieil 49 65 D4
St-Florentin 89 56 A4
St-Flour 15 127 D2
St-Fons 69 116 A2
St-Front 43 129 D3

St-Fulgent 85 79 F3
St-Galmier 42 115 E3
St-Gaudens 31 169 F2
St-Gaultier 36 97 D1
St-Gély-du-Fesc 34 156 B2
St-Genest-Lerpt 42 115 E4
St-Genest-Malifaux 42 115 E4
St-Gengoux-le-National 71 102 B1
St-Geniez-d'Olt 12 141 D2
St-Genis-de-Saintonge 17 107 D3
St-Genis-Fontaines 66 177 E3
St-Genis-d'Hiersac 16 108 B2
St-Genis-Laval 69 116 A2
St-Genis-Pouilly 01 104 B3
St-Genix-sur-Guiers 73 117 E3
St-Geoire-en-Valdaine 38 117 E3
St-Georges-de-Didonne 17 106 B3
St-Georges-de-Mons 63 112 C1
St-Georges-de-Reneins 69 102 B4
St-Georges-des-Coteaux 17 106 C2
St-Georges-d'Espéranche 38 116 B3
St-Georges-d'Oléron 17 92 C4
St-Georges-d'Orques 34 156 B2
St-Georges-en-Couzan 42 114 C2
St-Georges-le-Gaultier 72 50 C2
St-Georges-Motel 27 34 B4
St-Georges-sur-Loire 49 65 F4
St-Germain-au-Mont-d'Or 69 116 A1
St-Germain-Belles 87 110 C3
St-Germain-en-Coglès 35 49 D2
St-Germain-en-Laye 78 35 E3
St-Germain-l'Herm 63 114 A3
St-Germain-Laval 42 114 C2
St-Germain-Lembron 63 113 E4
St-Germain-Lespinasse 42 101 D4
St-Germain-de-Joux 01 103 F3
St-Germain-des-Champs 89 72 B4
St-Germain-des-Fossés 03 100 B3
St-Germain-du-Bel-Air 46 138 C1
St-Germain-du-Bois 71 88 C2
St-Germain-du-Plain 71 88 B3
St-Germain-du-Puy 18 85 D2
St-Germain-du-Teil 48 141 E1
St-Germer-de-Fly 60 17 D3
St-Gervais-les-Bains 74 119 D1
St-Gervais-d'Auvergne 63 99 F4
St-Gervais-en-Belin 72 67 D1
St-Gervais-sur-Mare 34 155 F2
St-Gervais-les-Trois-Clochers 86 81 F3
St-Gildas-de-Rhuys 56 62 C3
St-Gildas-des-Bois 44 63 E3
St-Gilles 30 157 E2
St-Gilles-Croix-de-Vie 85 78 C4
St-Gilles-Pligeaux 22 28 B3
St-Girons 09 170 B3
St-Goazec 29 45 E1
St-Gratien 95 35 F3
St-Grégoire 35 48 B3
St-Héand 42 115 E4
St-Herblain 44 79 D1
St-Hilaire 11 172 A2
St-Hilaire 38 131 E1
St-Hilaire-de-Brethmas 30 143 D4

St-Hilaire-de-Lusignan 47 137 D3
St-Hilaire-de-Riez 85 78 C4
St-Hilaire-des-Loges 85 93 E2
St-Hilaire-du-Harcouët 50 49 E1
St-Hilaire-du-Rosier 38 130 C2
St-Hilaire-lez-Cambrai 59 9 D3
St-Hilaire-Peyroux 19 124 C1
St-Hilaire-St-Mesmin 45 69 E1
St-Hippolyte 25 76 C4
St-Hippolyte 66 177 E2
St-Hippolyte 68 61 D2
St-Hippolyte-du-Fort 30 156 C1
St-Honoré-les-Bains 58 86 C3
St-Igny-de-Vers 69 102 A3
St-Illiers-le-Bois 78 34 C3
St-Illiers-la-Ville 78 34 C3
St-Ismier 38 117 E4
St-Jacques-de-la-Lande 35 48 B4
St-Jacques-des-Blats 15 126 C2
St-Jacut-de-la-Mer 22 29 F1
St-James 50 49 D1
St-Jean-le-Blanc 14 31 F3
St-Jean-le-Blanc 45 69 E1
St-Jean-Bonnefonds 42 115 E4
St-Jean-Brévelay 56 47 D3
St-Jean-Cap-Ferrat 06 165 E3
St-Jean-du-Vièvre 27 33 E1
St-Jean-le-Centenier 07 143 F1
St-Jean-en-Royans 26 130 C2
St-Jean-Pied-de-Port 64 166 C2
St-Jean-Soleymieux 42 115 D3
St-Jeannet 06 165 D3
St-Jean-d'Angély 17 107 D1
St-Jean-d'Arves 73 132 C1
St-Jean-d'Assé 72 51 D3
St-Jean-d'Aulps 74 105 E3
St-Jean-de-Bournay 38 116 C3
St-Jean-de-Braye 45 69 E1
St-Jean-de-Daye 50 31 D1
St-Jean-de-Losne 21 88 C2
St-Jean-de-Luz 64 148 A4
St-Jean-de-Maurienne 73 118 C4
St-Jean-de-Monts 85 78 B3
St-Jean-de-la-Ruelle 45 69 E1
St-Jean-de-Sauves 86 81 E3
St-Jean-de-Védas 34 156 C2
St-Jean-des-Baisants 50 31 E2
St-Jean-du-Gard 30 142 C3
St-Jeoire 74 105 D3
St-Joachim 44 63 E4
St-Jorioz 74 118 B1
St-Jory 31 152 C3
St-Joseph-de-Rivière 38 117 E4
St-Juéry 81 154 A1
St-Julien 88 59 D4
St-Julien-l'Ars 86 95 E1
St-Julien-Chapteuil 43 129 D2
St-Julien-en-Born 40 134 A4
St-Julien-en-Genevois 74 104 B3
St-Julien-Mont-Denis 73 132 C1
St-Julien-les-Villas 10 56 C3
St-Julien-de-Civry 71 101 F2
St-Julien-de-Concelles 44 64 B4
St-Julien-de-Peyrolas 30 143 F3
St-Julien-de-Vouvantes 44 64 C2
St-Julien-du-Sault 89 56 A4
St-Junien 87 109 E1
St-Just-en-Bas 42 114 C2
St-Just-en-Chaussée 60 17 F3
St-Just-en-Chevalet 42 114 C1

St-Just-Malmont 43 115 E4
St-Just-le-Martel 87 110 B1
St-Just-la-Pendue 42 115 D1
St-Lary-Soulan 65 169 D4
St-Lattier 38 130 C2
St-Laurent-Blangy 62 8 A2
St-Laurent-de-Cerdans 66 177 D4
St-Laurent-de-Chamousset 69 115 E2
St-Laurent-de-la-Mure 69 116 B2
St-Laurent-de-Neste 65 169 E2
St-Laurent-de-la-Salanque 66 177 F2
St-Laurent-des-Autels 49 65 D4
St-Laurent-du-Pont 38 117 E4
St-Laurent-du-Var 06 165 D4
St-Laurent-en-Grandvaux 39 104 B1
St-Laurent-et-Benon 33 120 C1
St-Léger-lès-Domart 80 7 D3
St-Léger-sur-Dheune 71 88 A3
St-Léger-Vauban 89 72 C4
St-Léonard-de-Noblat 87 110 C2
St-Léons 12 141 D3
St-Leu-d'Esserent 60 36 A1
St-Leu-la-Forêt 95 35 F3
St-Lizier 09 170 B3
St-Lô 50 31 D1
St-Loubès 33 121 E3
St-Louis 68 77 F2
St-Loup-de-la-Salle 71 88 B3
St-Loup-du-Dorat 53 66 A1
St-Loup-sur-Semouse 70 76 A1
St-Lubin-de-la-Haye 28 34 C3
St-Lubin-des-Joncherets 28 34 B4
St-Lupicin 39 104 A2
St-Lys 31 152 C4
St-Macaire 33 135 F1
St-Macaire-en-Mauges 49 80 A2
St-Maixent-l'École 79 94 C2
St-Malo 35 29 F1
St-Malo-de-Guersac 44 63 E4
St-Mamert-du-Gard 30 157 D1
St-Mamet-la-Salvetat 15 126 A3
St-Mammès 77 54 C2
St-Mandé 94 36 A3
St-Mandrier-sur-Mer 83 160 C4
St-Marcel 27 34 C2
St-Marcel 71 88 B3
St-Marcel-lès-Valence 26 130 B3
St-Marcellin 38 130 C2
St-Marcellin-en-Forez 42 115 D3
St-Mards-en-Othe 10 56 B4
St-Mars-la-Brière 72 51 E4
St-Mars-d'Outillé 72 67 D1
St-Mars-la-Jaille 44 64 C3
St-Martin-Belle-Roche 71 102 B2
St-Martin-en-Bresse 71 88 B3
St-Martin-en-Haut 69 115 F2
St-Martin-Valmeroux 15 126 A2
St-Martin-Vésubie 06 165 D2
St-Martin-d'Auxigny 18 85 D1
St-Martin-de-Belleville 73 118 B4
St-Martin-de-Boscherville 76 15 F3
St-Martin-de-Castillon 84 159 E1
St-Martin-de-Crau 13 158 B3

St-Martin-de-Landelles 50 49 E1
St-Martin-de-Londres 34 156 B2
St-Martin-de-Ré 17 92 C3
St-Martin-de-Seignanx 40 148 B3
St-Martin-de-Valamas 07 129 E3
St-Martin-de-Valgalgues 30 143 D3
St-Martin-d'Estréaux 42 100 C3
St-Martin-d'Hères 38 131 E1
St-Martin-du-Bois 49 65 F2
St-Martin-du-Var 06 165 E3
St-Martory 31 170 A2
St-Mathieu 87 109 E2
St-Mathieu-de-Tréviers 34 156 C2
St-Mathieu (Pointe de) 29 26 A3
St-Maur 36 83 F4
St-Maur-des-Fossés 94 36 A4
St-Maurice-sur-Moselle 88 76 C1
St-Max 54 41 D4
St-Maximin-la-Ste-Baume 83 160 C2
St-Médard-en-Jalles 33 121 D3
St-Méen-le-Grand 35 47 F1
St-Méloir-des-Ondes 35 30 A4
St-Même-les-Carrières 16 108 B3
St-Michel 16 108 C2
St-Michel-Chef-Chef 44 78 B1
St-Michel-de-Maurienne 73 132 C1
St-Michel-en-l'Herm 85 92 C2
St-Michel-l'Observatoire 04 159 F1
St-Michel-Mont-Mercure 85 80 B3
St-Michel-sur-Orge 91 36 A4
St-Mihiel 55 40 B3
St-Mitre-les-Remparts 13 158 C3
St-Nazaire 44 63 E4
St-Nectaire 63 113 D3
St-Nicolas-d'Aliermont 76 16 C2
St-Nicolas-de-la-Grave 82 137 F3
St-Nicolas-de-Port 54 41 E4
St-Nicolas-de-Redon 44 63 F2
St-Nom-la-Bretèche 78 35 E3
St-Omer 62 2 C2
St-Omer-en-Chaussée 60 17 E3
St-Orens-de-Gameville 31 153 D3
St-Ouen 80 7 E3
St-Ouen-l'Aumône 95 35 E2
St-Pair-sur-Mer 50 30 B3
St-Palais 64 148 A4
St-Palais-sur-Mer 17 106 B2
St-Pardoux 63 99 F4
St-Pardoux-la-Rivière 24 109 F4
St-Parize-le-Châtel 58 86 B3
St-Parres-lès-Vaudes 10 56 C3
St-Paterne 72 51 D2
St-Pathus 77 36 C2
St-Paul 04 147 E4
St-Paul 73 118 A3
St-Paul-Cap-de-Joux 81 153 E3
St-Paul-la-Coste 30 142 C3
St-Paul-de-Fenouillet 66 177 D3
St-Paul-de-Varax 01 103 D4

St-Paul-le-Jeune 07 143 D2
St-Paul-Trois-Châteaux 26 144 B2
St-Paulien 43 128 C2
St-Pé-de-Bigorre 65 168 B2
St-Péray 07 130 A3
St-Père-en-Retz 44 78 B1
St-Philbert-de-Bouaine 85 79 D2
St-Philbert-de-Grand-Lieu 44 79 D2
St-Pierre-d'Albigny 73 118 B3
St-Pierre-d'Allevard 38 118 A4
St-Pierre-de-Bailleul 27 34 B2
St-Pierre-de-Chignac 24 123 E2
St-Pierre-de-Maillé 86 82 B4
St-Pierre-de-Plesguen 35 48 B1
St-Pierre-d'Entremont 73 117 F4
St-Pierre-des-Corps 37 67 F4
St-Pierre-des-Nids 53 50 C2
St-Pierre-d'Irube 64 148 B3
St-Pierre-d'Oléron 17 92 C4
St-Pierre-du-Vauvray 27 34 B1
St-Pierre-Église 50 12 C1
St-Pierre-Montlimart 49 65 D4
St-Pierre-le-Moûtier 58 86 B3
St-Pierre-Quiberon 56 62 B3
St-Pierre-sur-Dives 14 32 C2
St-Plancard 31 169 F2
St-Pois 50 31 D4
St-Pol-de-Léon 29 27 D1
St-Pol-sur-Mer 59 3 D1
St-Pol-sur-Ternoise 62 7 E1
St-Pons-de-Thomières 34 155 D4
St-Porchaire 17 106 C1
St-Pourçain-sur-Sioule 03 100 A3
St-Priest 69 116 B2
St-Priest-des-Champs 63 112 C1
St-Priest-en-Jarez 42 115 E4
St-Priest-la-Prugne 42 114 B1
St-Priest-la-Roche 42 115 D1
St-Priest-Taurion 87 110 B1
St-Privat 19 125 E2
St-Privat-d'Allier 43 128 C3
St-Privat-de-Vallongue 48 142 C3
St-Privat-la-Montagne 57 41 D1
St-Prix 95 35 F3
St-Pryvé-St-Mesmin 45 69 E1
St-Quay-Portrieux 22 28 C2
St-Quentin 02 19 D1
St-Rambert-d'Albon 26 130 A1
St-Rambert-en-Bugey 01 117 D1
St-Rambert-sur-Loire 42 115 D3
St-Rémy-lès-Chevreuse 78 35 E4
St-Rémy-de-Maurienne 73 118 C4
St-Rémy-de-Provence 13 158 B2
St-Rémy-des-Monts 72 51 E2
St-Rémy-en-Bouzemont 51 57 E1
St-Rémy-sur-Avre 28 34 B4
St-Rémy-sur-Durolle 63 114 A1
St-Renan 29 26 B3
St-Riquier 80 7 D3
St-Romain-le-Puy 42 115 D3
St-Romain-de-Colbosc 76 15 D3
St-Rome-de-Cernon 12 141 D4
St-Saëns 76 16 B3
St-Saturnin-lès-Avignon 84 158 C1
St-Saturnin-d'Apt 84 159 E1

St-Saulge 58 86 B2
St-Saulve 59 9 D1
St-Sauves-d'Auvergne 63 112 C3
St-Sauveur-d'Aunis 17 93 E3
St-Sauveur-de-Montagut 07 129 F3
St-Sauveur-en-Puisaye 89 71 E3
St-Sauveur-Lendelin 50 30 C1
St-Sauveur-sur-Tinée 06 165 D1
St-Sauveur-le-Vicomte 50 12 B3
St-Savin 86 96 B2
St-Savin 33 121 E2
St-Savinien 17 107 D1
St-Savournin 13 159 E4
St-Sébastien 23 97 E2
St-Sébastien-sur-Loire 44 79 E1
St-Séglin 35 63 F1
St-Seine-l'Abbaye 21 73 F4
St-Sernin-sur-Rance 12 154 C1
St-Seurin-sur-l'Isle 33 122 A2
St-Sever 40 149 F2
St-Sever-Calvados 14 31 E3
St-Séverin 16 122 B1
St-Siméon 77 37 D4
St-Siméon-de-Bressieux 38 116 C4
St-Simon 02 19 D2
St-Sorlin-en-Valloire 26 130 B1
St-Soupplets 77 36 C2
St-Sulpice 81 153 D2
St-Sulpice-les-Champs 23 98 B4
St-Sulpice-de-Favières 91 54 A1
St-Sulpice-les-Feuilles 87 97 D3
St-Sulpice-Laurière 87 97 D4
St-Sylvain 19 125 D1
St-Sylvain-d'Anjou 49 66 A3
St-Symphorien 33 135 D2
St-Symphorien-sur-Coise 69 115 E3
St-Symphorien-de-Lay 42 115 D1
St-Symphorien-d'Ozon 69 116 A3
St-Thégonnec 29 27 D2
St-Thibéry 34 156 A4
St-Thurin 42 114 C2
St-Trivier-de-Courtes 01 102 C2
St-Trivier-sur-Moignans 01 102 C4
St-Trojan-les-Bains 17 106 B1
St-Tropez 83 161 F3
St-Vaast-la-Hougue 50 12 C2
St-Valérien 89 55 D3
St-Valery-en-Caux 76 15 E1
St-Valery-sur-Somme 80 6 C2
St-Vallier 71 101 F1
St-Vallier 26 130 A1
St-Vallier-de-Thiey 06 164 C3
St-Varent 79 81 D3
St-Vaury 23 97 F3
St-Venant 62 3 D3
St-Véran 05 133 E4
St-Victoret 13 159 D4
St-Victurnien 87 109 F1
St-Vincent-de-Tyrosse 40 148 C2
St-Vincent-les-Forts 04 146 C1
St-Vit 25 89 E1
St-Vivien-de-Médoc 33 106 B4
St-Vrain 91 54 A1
St-Yorre 03 100 B4
St-Yrieix-la-Perche 87 110 B3
St-Yrieix-sur-Charente 16 108 B2
St-Zacharie 83 160 B2
Ste-Adresse 76 14 C3
Ste-Alvère 24 123 E3
Ste-Cécile 71 102 B2
Ste-Cécile-les-Vignes 84 144 B3
Ste-Colombe 69 116 A3
Ste-Colombe-la-Commanderie 27 34 A1
Ste-Croix-Vallée-Française 48 142 C3
Ste-Croix-Volvestre 09 170 B2
Ste-Enimie 48 141 F2
Ste-Eusoye 60 17 F3
Ste-Florine 43 113 E4
Ste-Fortunade 19 125 D1
Ste-Foy-l'Argentière 69 115 E2
Ste-Foy-la-Grande 33 122 B3
Ste-Foy-lès-Lyon 69 116 A2
Ste-Foy-Tarentaise 73 119 E2
Ste-Gauburge-Ste-Colombe 61 33 E4
Ste-Geneviève 60 35 F1
Ste-Geneviève-des-Bois 91 54 A1
Ste-Geneviève-sur-Argence 12 126 C4
Ste-Hermine 85 93 D1
Ste-Jamme-sur-Sarthe 72 51 D3
Ste-Livrade-sur-Lot 47 137 D2
Ste-Lucie-de-Porto-Vecchio 2A 181 E3
Ste-Lucie-de-Tallano 2a 181 D3
Ste-Marie 25 76 C3
Ste-Marie-aux-Chênes 57 41 D1
Ste-Marie-aux-Mines 68 60 C2
Ste-Marie-de-Ré 17 92 C3
Ste-Marie-du-Mont 50 12 C3
Ste-Marie-Kerque 62 2 C2
Ste-Marie-la-Mer 66 177 F2
Ste-Maure-de-Touraine 37 82 B2
Ste-Maxime 83 161 F3
Ste-Menehould 51 39 E2
Ste-Mère-Église 50 12 C3
Ste-Pazanne 44 78 C1
Ste-Pience 50 30 C3
Ste-Savine 10 56 B3
Ste-Sévère-sur-Indre 36 98 B2
Ste-Sigolène 43 129 D1
Ste-Suzanne 53 50 B4
Ste-Suzanne 25 76 C3
Ste-Tulle 04 159 F2
Saintes 17 107 D2
Stes-Maries-de-la-Mer 13 157 E4
Les Saisies 73 119 D2
Saissac 11 171 F1
Salbris 41 69 F4
Salernes 83 161 D1
Salers 15 126 B2
Saleux 80 17 F1
Salies-de-Béarn 64 149 E3
Salies-du-Salat 31 168 A2
Salignac-Eyvignes 24 124 B3
Saligny-sur-Roudon 03 100 C2
Salindres 30 143 D3
Salin-de-Giraud 13 158 B4
Salins 77 55 D2
Salins-les-Bains 39 89 F3
Sallanches 74 105 E4
Sallaumines 62 8 B1
La Salle 05 133 D2
Sallenelles 14 32 B1
Salles 33 134 C1
Salles-Curan 12 140 C3
Salles-sur-l'Hers 11 171 E1
Salon-de-Provence 13 158 C2
Salornay-sur-Guye 71 102 A1
La Salvetat-Peyralès 12 140 A3
La Salvetat-sur-Agout 34 155 D3
Salviac 46 124 B4
Samatan 32 152 A3
Samer 62 2 A3
Samoëns 74 105 E3
Samois-sur-Seine 77 54 C2
San-Lorenzo 2b 179 E3
San-Nicolao 2b 179 F3
Sanary-sur-Mer 83 160 C4
Sancergues 18 85 E2
Sancerre 18 70 C4
Sancey-le-Grand 25 76 B4
Sancoins 18 85 E3
Sandarville 28 52 C2
Sandillon 45 69 E1
Sanguinet 40 134 B1
Sannerville 14 32 B1
Sannois 95 35 F3
Santa-Lucia-di-Tallano 2A 181 D3
Santa-Maria-Sicché 2a 180 C2
Santenay 21 88 A3
Santes 59 3 F3
Santo-Pietro-di-Tenda 2b 179 D1
Sanvignes-les-Mines 71 87 E4
Saône 25 76 A4
Le Sap 61 33 D3
Saramon 32 151 F3
Sarcelles 95 36 A2
Sari-di-Porto-Vecchio 2A 181 E2
Sari-d'Orcino 2a 180 B1
Sarlat-la-Canéda 24 124 B3
Sarralbe 57 42 B2
Sarrancolin 65 169 D3
Sarras 07 130 A1
Sarre-Union 67 42 B2
Sarrebourg 57 42 B3
Sarreguemines 57 42 B1
Sarreinsming 57 42 B1
Sarrians 84 144 B4
Sars-Poteries 59 9 F3
Sartène 2a 180 C3
Sartilly 50 30 C3
Sartrouville 78 35 F3
Sarzeau 56 62 C3
Sassenage 38 131 E1
Sathonay-Camp 69 116 A2
Satillieu 07 129 F2
Saugues 43 127 F3
Saujon 17 106 C2
La Saulce 05 146 B2
Saulcy-sur-Meurthe 88 60 C2
Saulieu 21 87 E1
Saulnes 54 23 D3
Saulon-la-Chapelle 21 88 B1
Sault 84 145 D4
Sault-Brénaz 01 117 D1
Saultain 59 9 D2
Saulx 70 76 A2
Saulxures-lès-Nancy 54 41 E4
Saulxures-sur-Moselotte 88 60 B4
Saulzais-le-Potier 18 99 D1
Saulzoir 59 9 D2
Saumane 30 142 C4
Saumur 49 81 D1
Sausheim 68 77 E1
Sausset-les-Pins 13 158 C4
Sautron 44 64 B4
Sauve 30 156 C1
Sauveterre-de-Béarn 64 149 D4
Sauveterre-de-Guyenne 33 122 A4
Sauxillanges 63 113 E3
Sauzé-Vaussais 79 95 D3
Sauzet 26 144 B1
Savenay 44 63 F4
Saverdun 09 171 D1
Saverne 67 42 C3
Savignac-les-Églises 24 123 E1
Savigné-l'Évêque 72 51 E4
Savigné-sur-Lathan 37 67 D4
Savigny-lès-Beaune 21 88 A2
Savigny-sur-Braye 41 67 F1
Savigny-sur-Orge 91 35 F4
Savigny-le-Temple 77 54 B1
Savines-le-Lac 05 146 C1
Scaër 29 45 E2
Sceaux 92 35 F4
Scey-sur-Saône-et-St-Albin 70 75 E2
Scherwiller 67 61 D2
Schiltigheim 67 43 E4
Schirmeck 67 60 C1
Schweighouse-sur-Moder 67 43 E3
La Séauve-sur-Semène 43 129 D1
Seclin 59 4 A4
Secondigny 79 93 F1
Sedan 08 21 F2
Séderon 26 145 E3
Sées 61 51 D1
Segonzac 16 108 A3
Segré 49 65 E2
Seichamps 54 41 E4
Seiches-sur-le-Loir 49 66 A3
Seignelay 89 71 F1
Seignosse 40 148 C2
Seigny 21 73 E3
Seilhac 19 111 D4
Seine-Port 77 54 B1
Seissan 32 151 E3
Seix 09 170 B3
Le Sel-de-Bretagne 35 64 B1
Sélestat 67 61 D2
Selles-sur-Cher 41 83 E1
Sellières 39 89 D3
Seloncourt 25 76 C3
Selongey 21 74 B3
Selonnet 04 146 C2
Seltz 67 43 F2
Séméac 65 168 C1
Sémeries 59 9 F3
Semur-en-Auxois 21 73 D3
Senan 89 71 E1
Sénas 13 158 C2
Séné 56 62 C2
Senlis 60 36 B1
Sennecey-le-Grand 71 102 C1
Senonches 28 52 B1
Senones 88 60 B2
Sens 89 55 E3
Sens-de-Bretagne 35 48 C2
Sentheim 68 77 D1
La Sentinelle 59 9 D2
Sépeaux 89 71 E1
Seppois-le-Bas 68 77 E3
Septèmes-les-Vallons 13 159 E4
Septeuil 78 35 D3
Septfonds 82 138 C3
Septmoncel 39 104 B2
Seraucourt-le-Grand 02 19 D2
Séreilhac 87 110 A2
Sérent 56 47 E3
Sérifontaine 60 17 D4
Sérignan 34 173 E1
Sérignan-du-Comtat 84 144 B3
Sermaize-les-Bains 51 39 E4
Serques 62 2 C2
Serquigny 27 33 F2
Serra-di-Scopamène 2a 181 D2
Serres 05 145 F2
Serres-Castet 64 150 A4
Serrières 07 116 A4
Serrières-de-Briord 01 117 D2
Servance 70 76 C1
Servian 34 155 F4
Sessenheim 67 43 F3
Sète 34 156 B4
Seurre 21 88 C2
Sévérac-le-Château 12 141 E3
Sevran 93 36 B3
Sèvres 92 35 F4
Sévrier 74 118 B1
Seyches 47 136 C1
Seyne 04 146 C2
La Seyne-sur-Mer 83 160 C4
Seynod 74 118 B1
Seyssel 01 104 A4
Seyssel 74 104 A4
Seyssinet-Pariset 38 131 E1
Sézanne 51 37 F4
Sierck-les-Bains 57 23 F3
Sierentz 68 77 F2
Sigean 11 173 D3
Signes 83 160 C3
Signy-l'Abbaye 08 21 D2
Signy-le-Petit 08 20 C1
Sigoulès 24 122 C4
Sillé-le-Guillaume 72 50 C3
Simiane-Collongue 13 159 E4
Simorre 32 151 F4
Sin-le-Noble 59 8 C1
Sisco 2b 178 A2
Sissonne 02 20 B3
Sisteron 04 146 A3
Sivry-Courtry 77 54 C1
Six-Fours-les-Plages 83 160 C4
Sixt-Fer-à-Cheval 74 105 E4
Sizun 29 27 D3
Soccia 2a 178 C4
Sochaux 25 76 C3
Soignolles-en-Brie 77 36 B4
Soissons 02 19 D4
Soisy-sous-Montmorency 95 36 A2
Soisy-sur-École 91 54 B2
Soisy-sur-Seine 91 36 A4
Solenzara 2A 181 E2
Le Soler 66 177 E2
Solesmes 59 9 D3
Solignac 87 110 B2
Solignac-sur-Loire 43 128 C3
Solliès-Pont 83 161 D3
Solre-le-Château 59 9 F2
Somain 59 8 C2
Sombernon 21 73 F4
Sommières 30 157 D2
Sompuis 51 38 C4
Songeons 60 17 D3
Soorts-Hossegor 40 148 B2
Sorbiers 42 115 E3
Sorbollano 2a 181 D2
Sore 40 135 D2
Sorel-Moussel 28 34 C3
Sorèze 81 153 F4
Sorgues 84 144 B4
Sormery 89 56 A4
Sornac 19 112 A2
Sospel 06 165 F2
Sotta 2a 181 D3
Sotteville-lès-Rouen 76 16 A4
Soubise 17 106 B1
Souchez 62 8 A1
Soues 65 168 C1
Souffelweyersheim 67 43 E4
Soufflenheim 67 43 F3
Souillac 46 124 C3
Souilly 55 40 A2
Soulac-sur-Mer 33 106 B3
Soultz-Haut-Rhin 68 77 E1
Soultz-sous-Forêts 67 43 E2
Soultzmatt 68 61 D4
Soumoulou 64 168 B1
Souppes-sur-Loing 77 54 C3
Sourdeval 50 31 E4
Sourdun 77 55 E1
Sournia 66 176 C2
Sousceyrac 46 125 E3
Soustons 40 148 C2
La Souterraine 23 97 E3
Souvigny 03 100 A1
Soyaux 16 108 B3
Spézet 29 45 E1
Spincourt 55 22 C4
Staffelfelden 68 77 E1
Stains 93 36 A3
Steenbecque 59 3 D3
Steenvoorde 59 3 E2
Steenwerck 59 3 E3
Steinbourg 67 42 C3
Stenay 55 22 B3
Strasbourg 67 43 E4
Sucy-en-Brie 94 36 B4
Suippes 51 39 D2
Sully-sur-Loire 45 70 A2
Sumène 30 156 B1
Sundhouse 67 61 E2
Suresnes 92 35 F3
Surgères 17 93 E4
Sury-le-Comtal 42 115 D3
Suze-la-Rousse 26 144 B2
La Suze-sur-Sarthe 72 66 C1

T

Tain-l'Hermitage 26 130 A2
Taingy 89 71 E3
Talant 21 74 B4
La Talaudière 42 115 E4
Talence 33 121 D3
Tallard 05 146 B1
Talloires 74 118 B1
Talmont-St-Hilaire 85 92 A1
Taninges 74 105 D3
Tanlay 89 72 C1
Tannay 58 71 F4
Tantonville 54 59 E1
Tarare 69 115 E1
Tarascon 13 158 A2
Tarascon-sur-Ariège 09 171 D4
Tarbes 65 168 C1
Tardets-Sorholus 64 167 E2
Tardinghen 62 2 A2
Targon 33 121 F4
Tarnos 40 148 B3
Tartas 40 149 E1
Tassin-la-Demi-Lune 69 116 A2
Taulé 29 27 E2
Taulignan 28 144 C2
Taussat 33 120 B4
Tauves 63 112 B3
Tavaux 39 89 D2
Tavel 30 144 A4
Tavera 2a 178 C4
Taverny 95 35 F2
Le Teil-d'Ardèche 07 144 A1
Le Teilleul 50 49 F1
Teloché 72 67 D1
Templemars 59 4 A4
Templeuve 59 4 A4
Tenay 01 117 D1
Tence 43 129 E2
Tende 06 165 F1
Tergnier 02 19 D2
Ternuay-Melay-et-St-Hilaire 70 76 B1
Terrasson-la-Villedieu 24 124 B2
Terroles 11 176 C1
Tessy-sur-Vire 50 31 E2
La Teste 33 120 B4
Téteghem 59 3 D1
Teting-sur-Nied 57 41 F2
Thann 68 77 D1
Thaon 14 32 A1
Thaon-les-Vosges 88 59 F3
Le Theil 61 51 F3
Theil-sur-Vanne 89 55 F3
Theix 56 63 D2
Thénac 17 107 D2
Thénezay 79 81 E4
Thenissey 21 73 E3
Thenon 24 124 A2
Théoule-sur-Mer 06 163 F3
Thérouanne 62 2 C3
Thèze 64 150 A3
Thiais 94 36 A4
Thiant 59 9 D2
Thiaucourt-Regniéville 54 40 C2
Thiberville 27 33 E2
Thiers 63 114 A1
Thieulloy-l'Abbaye 80 17 D1
Thiézac 15 126 C2
Thil 54 23 D3
Les Thilliers-en-Vexin 27 34 C2
Le Thillot 88 76 C1
Thionville 57 23 E4
Thiron 28 52 B2
Thiverval-Grignon 78 35 E3
Thiviers 24 109 E4
Thizy 69 101 F4
Thoard 04 146 B3
Thoiry 78 35 D3
Thoissey 01 102 B3
Le Tholy 88 60 B3
Thomery 77 54 C2
Thônes 74 118 C1
Thonon-les-Bains 74 105 D2
Le Thor 84 158 C1
Thorens-Glières 74 104 C4
Thorigny-sur-Oreuse 89 55 F3
Thouarcé 49 80 C1
Thouars 79 81 D2
Thourotte 60 18 C3
Thoury-Férottes 77 55 D3
Thueyts 07 129 D4
Thuir 66 177 D3
Thumeries 59 4 A4
Thurins 69 115 F2
Thury-Harcourt 14 32 A2
Tiercé 49 66 A3
Tigné 49 80 C1
Tignes 73 119 E3
Tigy 45 69 F2
Tillières-sur-Avre 27 34 A4
Tilly-sur-Seulles 14 31 F1
Tinchebray 61 31 F4
Tincourt-Boucly 80 8 B4
Tincques 62 7 F2
Tinqueux 51 38 A1
Tinténiac 35 48 B2
Tocane-St-Apre 24 122 C1
Tomblaine 54 41 E4
Tonnay-Boutonne 17 107 D1
Tonnay-Charente 17 106 C1
Tonneins 47 136 C2
Tonnerre 89 72 C1
Torcieu 01 117 D1
Torcy 77 36 B3
Torfou 49 79 F2
Torigni-sur-Vire 50 31 E2
Torreilles 66 177 F2
Tôtes 76 16 A2
Toucy 89 71 E2
Toul 54 40 C4
Toulon 83 160 C4
Toulon-sur-Arroux 71 87 D4
Toulouges 66 177 E3
Toulouse 31 152 C3
Le Touquet-Paris-Plage 62 2 A4
Touquin 77 36 C4
La Tour-d'Aigues 84 159 E2
La Tour-d'Auvergne 63 112 C3
La Tour-de-Salvagny 69 115 F2
La Tour-du-Pin 38 117 D3
Tourcoing 59 4 A3
Tourlaville 50 12 B1
Tournan-en-Brie 77 36 C4
Tournay 65 169 D2
Tournefeuille 31 152 C3
Tournehem-sur-la-Hem 62 2 C2
Tournes 08 21 E1
Tournon-St-Martin 36 82 C4
Tournon-d'Agenais 47 137 F2
Tournus 71 102 C1
Tourny 27 34 C2
Tourouvre 61 51 F1
Tourrette-Levens 06 165 E3
Tourriers 16 108 B2
Tours 37 67 F4
Tours-en-Savoie 73 118 C2
Tours-sur-Marne 51 38 B2
Toury 28 53 F3
Toutencourt 80 7 F3
Le Touvet 38 117 F4
Le Trait 76 15 F3
Tramayes 71 102 A3
La Tranche-sur-Mer 85 92 B2
Trans-en-Provence 83 161 F1
Trappes 78 35 E4
Trèbes 11 172 B2
Trébeurden 22 27 F1
Trégastel 22 28 A1
Trégourez 29 45 E2
Trégueux 22 28 C3
Tréguier 22 28 B1
Trégunc 29 45 E3
Treignac 19 111 D3
Trélazé 49 66 A3
Trélévern 22 28 A1
Trélon 59 9 F3
La Tremblade 17 106 B2
Tremblay-lès-Gonesse 93 36 B3
Trémentines 49 80 B2
Le Tréport 76 6 A3
Tresses 33 121 E3
Trets 13 159 F4
Trèves 30 142 A4
Trévières 14 13 E3
Trévillers 25 77 D4
Trévoux 01 116 A1
Triaucourt-en-Argonne 55 39 F2
Trie-sur-Baïse 65 151 D4

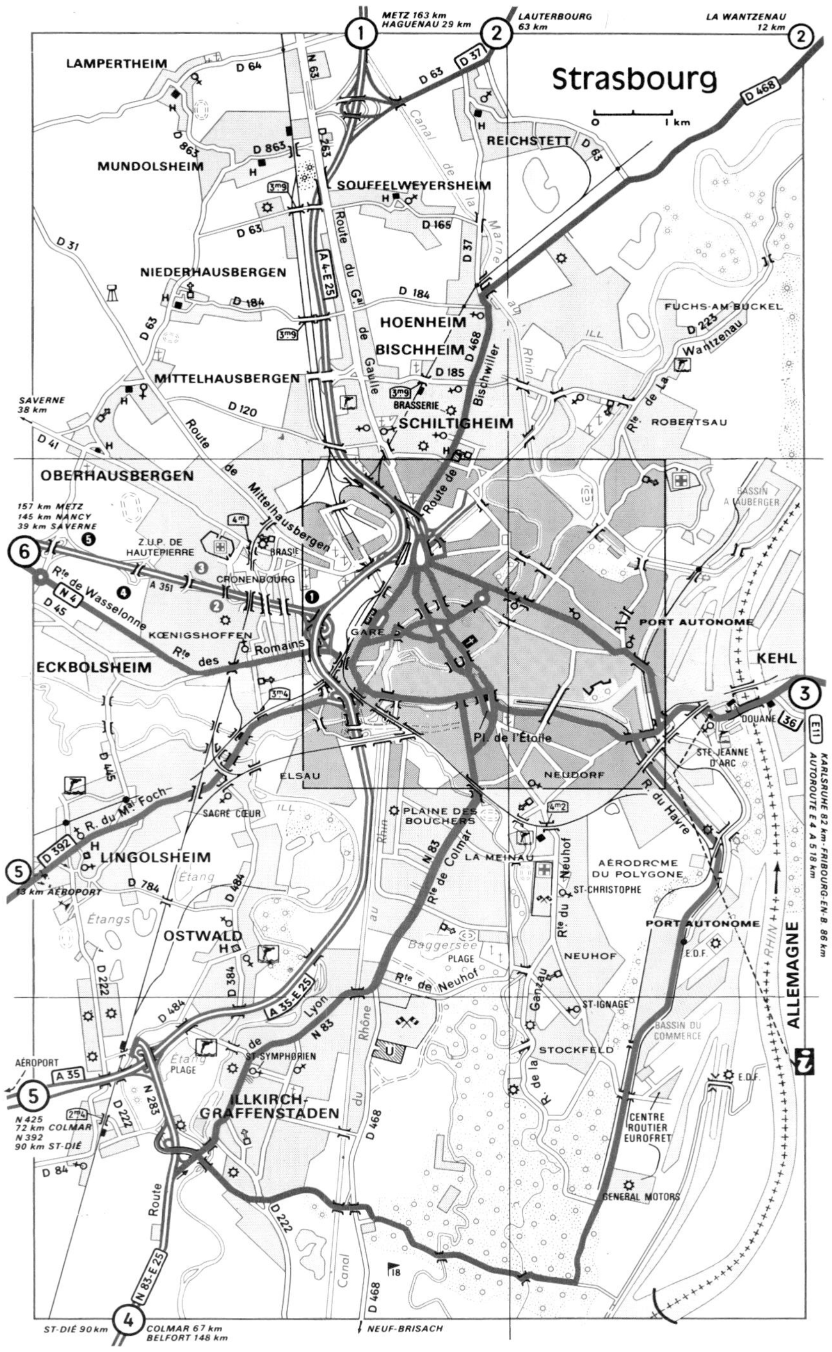

Strasbourg
METZ 163 km HAGUENAU 29 km
LAUTERBOURG 63 km
LA WANTZENAU 12 km
LAMPERTHEIM
MUNDOLSHEIM
REICHSTETT
SOUFFELWEYERSHEIM
NIEDERHAUSBERGEN
HOENHEIM
BISCHHEIM
MITTELHAUSBERGEN
SCHILTIGHEIM
FUCHS-AM-BUCKEL
ROBERTSAU
SAVERNE 38 km
OBERHAUSBERGEN
157 km METZ 145 km NANCY 39 km SAVERNE
Z.U.P. DE HAUTEPIERRE
CRONENBOURG
KOENIGSHOFFEN
ECKBOLSHEIM
PORT AUTONOME
KEHL
DOUANE
STE-JEANNE D'ARC
ELSAU
NEUDORF
SACRE CŒUR
PLAINE DES BOUCHERS
LINGOLSHEIM
LA MEINAU
AÉRODROME DU POLYGONE
ST-CHRISTOPHE
OSTWALD
NEUHOF
PORT AUTONOME
ALLEMAGNE
ST-IGNACE
STOCKFELD
AÉROPORT
ILLKIRCH-GRAFFENSTADEN
CENTRE ROUTIER EUROFRET
GENERAL MOTORS
N 425 72 km COLMAR N 392 90 km ST-DIÉ
KARLSRUHE 82 km FRIBOURG EN B. 86 km AUTOROUTE E 4 A 5 18 km
ST-DIÉ 90 km
COLMAR 67 km BELFORT 148 km
NEUF-BRISACH

Triel-sur-Seine 78 35 E3
Trieux 54 23 E4
Trignac 44 63 E4
Trilport 77 36 C3
La Trimouille 86 96 C2
La Trinité 06 165 E3
La Trinité-Porhoët 56 47 E2
La Trinité-sur-Mer 56 62 B2
Trith-St-Léger 59 9 D2
Troarn 14 32 B1
Les Trois-Épis 68 61 D3
Les Trois-Moutiers 86 81 E2
La Tronche 38 131 E1
Tronville-en-Barrois 55 40 A4
Trouville-sur-Mer 14 14 C4
Troyes 10 56 B2
Truchtersheim 67 43 D4
Trun 61 32 C3
Tuchan 11 177 D1
Tucquegnieux 54 23 D4
Tulle 19 125 D1
Tullins 38 117 D4
La Turballe 44 63 D4
Turckheim 68 61 D3
Turny 89 56 A4

U

Ucciani 2a 180 C1
Uchaud 30 157 E2
Uckange 57 23 E4
Ugine 73 118 C2
Les Ulis 91 35 F4
Unieux 42 115 D4
L'Union 31 152 C3
Urbès 68 77 D1
Urcuit 64 148 C3
Uriage-les-Bains 38 131 E1
Urrugne 64 166 A1
Ury 77 54 B2
Ussel 19 112 A3
Usson-en-Forez 42 114 C4
Usson-du-Poitou 86 95 F3
Ustaritz 64 148 B4
Uzel 22 47 D1
Uzerche 19 110 C4
Uzès 30 143 E4

V

Vaas 72 67 D2
Vabre 81 154 B2
Vabres 30 142 C4
Vagney 88 60 B4
Vaiges 53 50 B4
Vailly-sur-Aisne 02 19 E4
Vailly-sur-Sauldre 18 70 C4
Vaires-sur-Marne 77 36 B3
Vaison-la-Romaine 84 144 C3
Le Val 83 161 D2
Le Val-d'Ajol 88 60 A4
Val-d'Isère 73 119 F3
Val-Thorens 73 119 D4
Valanjou 49 80 B1
Valbonnais 38 131 F3
Valbonne 06 165 D4
Valdahon 25 90 B1
Valdampierre 60 17 E4
Valderiès 81 140 A4
Valdoie 90 76 C2
Valençay 36 83 E2
Valence 26 130 B3
Valence-d'Agen 82 137 E4
Valence-d'Albigeois 81 140 B4
Valence-en-Brie 77 55 D2
Valence-sur-Ba/se 32 151 D1
Valenciennes 59 9 D2
Vallauris 06 165 D4
Valle-d'Alesani 2b 179 E3
Valleiry 74 104 B3
Valleraugue 30 142 B4
Valleroy 54 40 C1
Vallet 44 79 E1
Vallières 23 111 E1
Valloire 73 132 C1
Vallon-Pont-d'Arc 07 143 E2
Vallorcine 74 105 F4
Vallouise 05 133 D3
Valensole 04 162 B1
Valentigney 25 76 C3
Valentine 31 169 F2
Valenton 94 36 A4
La Valette-du-Var 83 160 C4
La Valla-en-Gier 42 115 E4
Valmigère 11 176 C1
Valmondois 95 35 F2
Valmont 76 15 E2
Valognes 50 12 C2
Valras-Plage 34 173 E1
Valréas 84 144 C2
Vals-les-Bains 07 129 E4
Vandières 54 41 D2
Vandœuvre-lès-Nancy 54 41 D4
Vannes 56 47 D4
Vannes-le-Châtel 54 58 C1
Les Vans 07 143 D2
Vanves 92 35 F3
Varades 44 65 D4
Varces-Allières-et-Risset 38 131 E2
Varengeville-sur-Mer 76 16 A1
La Varenne-St-Hilaire 94 36 A4
Varennes-en-Argonne 55 39 E1
Varennes-sur-Allier 03 100 B3
Varennes-sur-Loire 49 81 E1
Varennes-Vauzelles 58 85 F2
Varilhes 09 171 D2
Varreddes 77 36 C2
Vars 05 133 E4
Varzy 58 71 E4
Vassy 14 31 F4
Vatan 36 83 F2
Vaucouleurs 55 40 B4
Vaucresson 92 35 F4
Le Vaudoué 77 54 B2
Vaudoy-en-Brie 77 37 D4
Le Vaudreuil 27 34 B1
Vaugneray 69 115 F2
Vaujours 93 36 B3
Vaulx-en-Velin 69 116 B2
Vaulx-Vraucourt 62 8 B3
Vaumoise 60 36 C1
Vauvenargues 13 159 E3
Vauvert 30 157 E2
Vauvillers 70 75 F1
Vaux-en-Bugey 01 116 C1
Vaux-lès-St-Claude 39 103 F2
Vaux-sur-Mer 17 106 B2
Vaux-sur-Seine 78 35 E2
Vayrac 46 125 D3
Vayres 33 121 E3
Veauche 42 115 D3
Vedène 84 144 B4
Veigné 37 82 B1
Velaux 13 159 D3
Vélines 24 122 B3
Vélizy-Villacoublay 78 35 F4
Velleron 84 158 C1
Venaco 2b 179 D3
Venarey-les-Laumes 21 73 D3
Vence 06 165 D3
Vendargues 34 156 C2
Vendays-Montalivet 33 106 B4
Vendenheim 67 43 D4
Vendeuvre-du-Poitou 86 81 F4
Vendeuvre-sur-Barse 10 57 D3
Vendin-le-Vieil 62 8 A1
Vendôme 41 68 B2
Venelles 13 159 E3
Venerque 31 152 C4
Vénissieux 69 116 A2
Venosc 38 132 B2
Ventabren 13 159 D3
Ver-sur-Mer 14 13 F3
Véraza 11 176 B1
Verberie 60 18 B4
Vercel-Villedieu-le-Camp 25 90 B1
Le Verdon-sur-Mer 33 106 B3
Verdun 55 40 A1
Verdun-sur-le-Doubs 71 88 B3
Verdun-sur-Garonne 82 152 B1
Verfeil 31 153 D2
Vergèze 30 157 D2
Vergigny 89 72 B1
Vergt 24 123 D2
Verlinghem 59 4 A3
Vermand 02 19 D1
Vermelles 62 3 E4
Vermenton 89 72 B2
Vernaison 69 116 A2
Vernantes 49 66 C4
Vernègues 13 159 D2
Vernet-les-Bains 66 176 C3
Vernet-la-Varenne 63 113 F4
Verneuil-en-Halatte 60 36 B1
Verneuil-l'Étang 77 36 C4
Verneuil-sur-Avre 27 34 A4
Verneuil-sur-Seine 78 35 E3
Verneuil-sur-Vienne 87 110 A1
Vernon 27 34 C2
Vernouillet 78 35 E3
Vernouillet 28 34 B4
Vernoux-en-Vivarais 07 129 F3
Verny 57 41 D2
Vero 2a 180 C1
Véron 89 55 E4
La Verpillière 38 116 C3
Verquin 62 3 E4
Verrey-sous-Salmaise 21 73 E4
Verrières 86 95 F2
Verrières-le-Buisson 91 35 F4
Versailles 78 35 E4
Verson 14 32 A1
Vert-le-Grand 91 54 A1
Vert-le-Petit 91 54 A1
Vertaizon 63 113 E2
Verteillac 24 108 C4
Verteuil-sur-Charente 16 95 D4
Vertolaye 63 114 B3

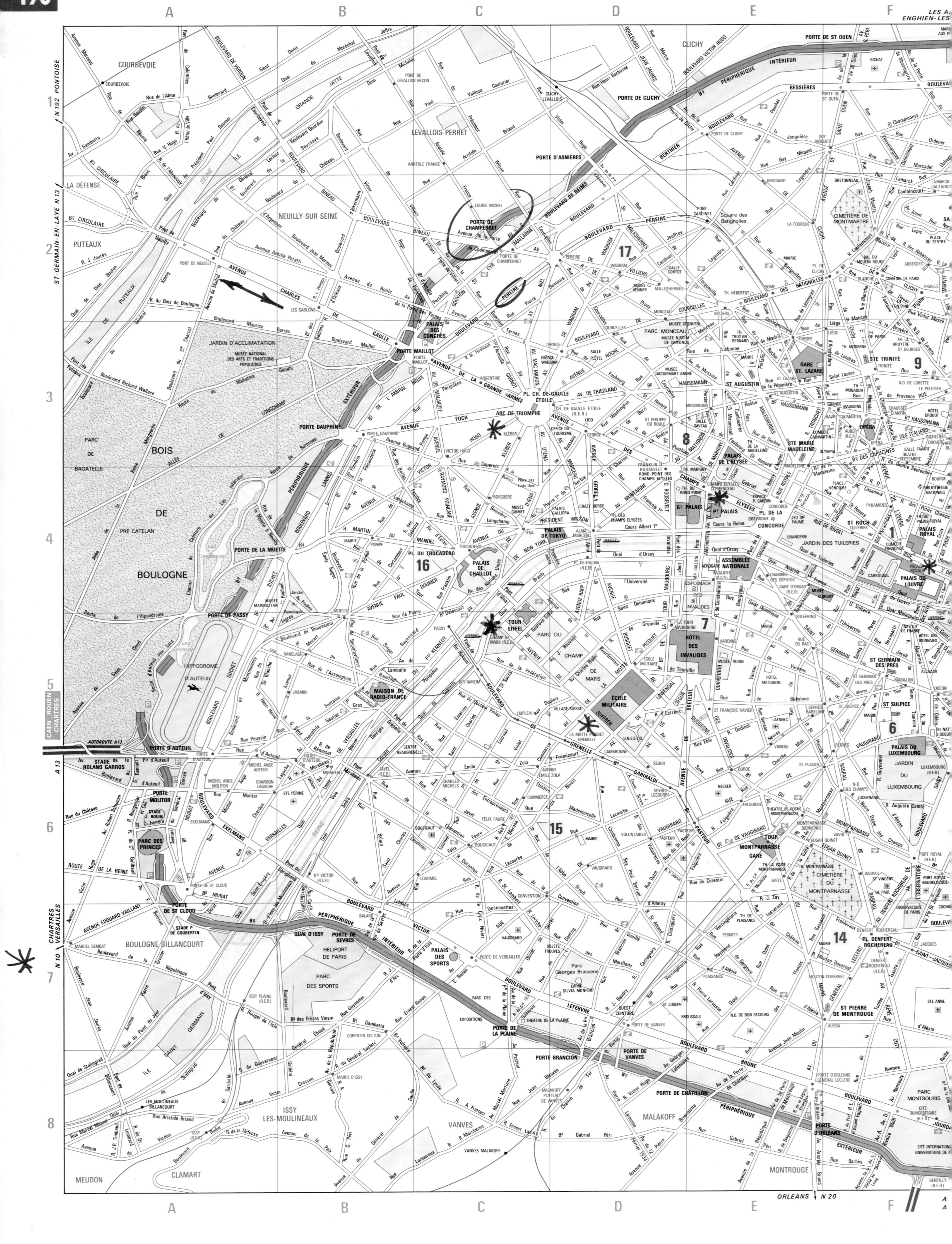
A
B
C
D
E
F
LES A
ENGHIEN-LES
N 192 PONTOISE
ST-GERMAIN-EN-LAYE N 13
CAEN ROUEN CHARTRES
A 13
N 10 CHARTRES VERSAILLES
ORLEANS N 20
COURBEVOIE
LA DÉFENSE
PUTEAUX
NEUILLY-SUR-SEINE
LEVALLOIS-PERRET
CLICHY
PORTE DE ST OUEN
PORTE DE CLICHY
PORTE D'ASNIÈRES
PORTE DE CHAMPERRET
PÉRIPHÉRIQUE INTÉRIEUR
BOULEVARD PÉREIRE
BOULEVARD DE REIMS
Square des Batignolles
CIMETIÈRE DE MONTMARTRE
17
9
8
1
16
7
6
15
14
SEINE
JARDIN D'ACCLIMATATION
MUSÉE NATIONAL DES ARTS ET TRADITIONS POPULAIRES
PORTE MAILLOT
PALAIS DES CONGRÈS
AVENUE CHARLES DE GAULLE
AVENUE DE LA GRANDE ARMÉE
PL. CH. DE GAULLE ÉTOILE
ARC DE TRIOMPHE
PARC MONCEAU
GARE ST. LAZARE
ST AUGUSTIN
STE TRINITÉ
OPÉRA
STE MARIE MADELEINE
PORTE DAUPHINE
AVENUE FOCH
BOIS DE BOULOGNE
PARC DE BAGATELLE
PRÉ CATELAN
PORTE DE LA MUETTE
PL. DU TROCADÉRO
PALAIS DE CHAILLOT
PALAIS DE TOKYO
Gd PALAIS
Pt PALAIS
CHAMPS ÉLYSÉES
PALAIS DE L'ÉLYSÉE
PL. DE LA CONCORDE
JARDIN DES TUILERIES
PALAIS ROYAL
PALAIS DU LOUVRE
ASSEMBLÉE NATIONALE
MUSÉE D'ORSAY
PORTE DE PASSY
TOUR EIFFEL
PARC DU CHAMP DE MARS
ÉCOLE MILITAIRE
HÔTEL DES INVALIDES
U.N.E.S.C.O.
ST GERMAIN DES PRÉS
ST SULPICE
PALAIS DU LUXEMBOURG
JARDIN DU LUXEMBOURG
HIPPODROME D'AUTEUIL
MAISON DE RADIO-FRANCE
PORTE D'AUTEUIL
AUTOROUTE A13
STADE DE ROLAND GARROS
PORTE MOLITOR
PARC DES PRINCES
TOUR MONTPARNASSE
GARE MONTPARNASSE
CIMETIÈRE DU MONTPARNASSE
PL. DENFERT ROCHEREAU
PORTE DE ST CLOUD
BOULOGNE-BILLANCOURT
QUAI D'ISSY
PORTE DE SÈVRES
HÉLIPORT DE PARIS
PARC DES SPORTS
PALAIS DES SPORTS
Parc Georges Brassens
PORTE DE LA PLAINE
PORTE BRANCION
PORTE DE VANVES
PORTE DE CHATILLON
PORTE D'ORLEANS
ST PIERRE DE MONTROUGE
PARC MONTSOURIS
CITÉ UNIVERSITAIRE DE PARIS
ISSY LES-MOULINEAUX
VANVES
MALAKOFF
MONTROUGE
MEUDON
CLAMART
ÎLE SAINT GERMAIN

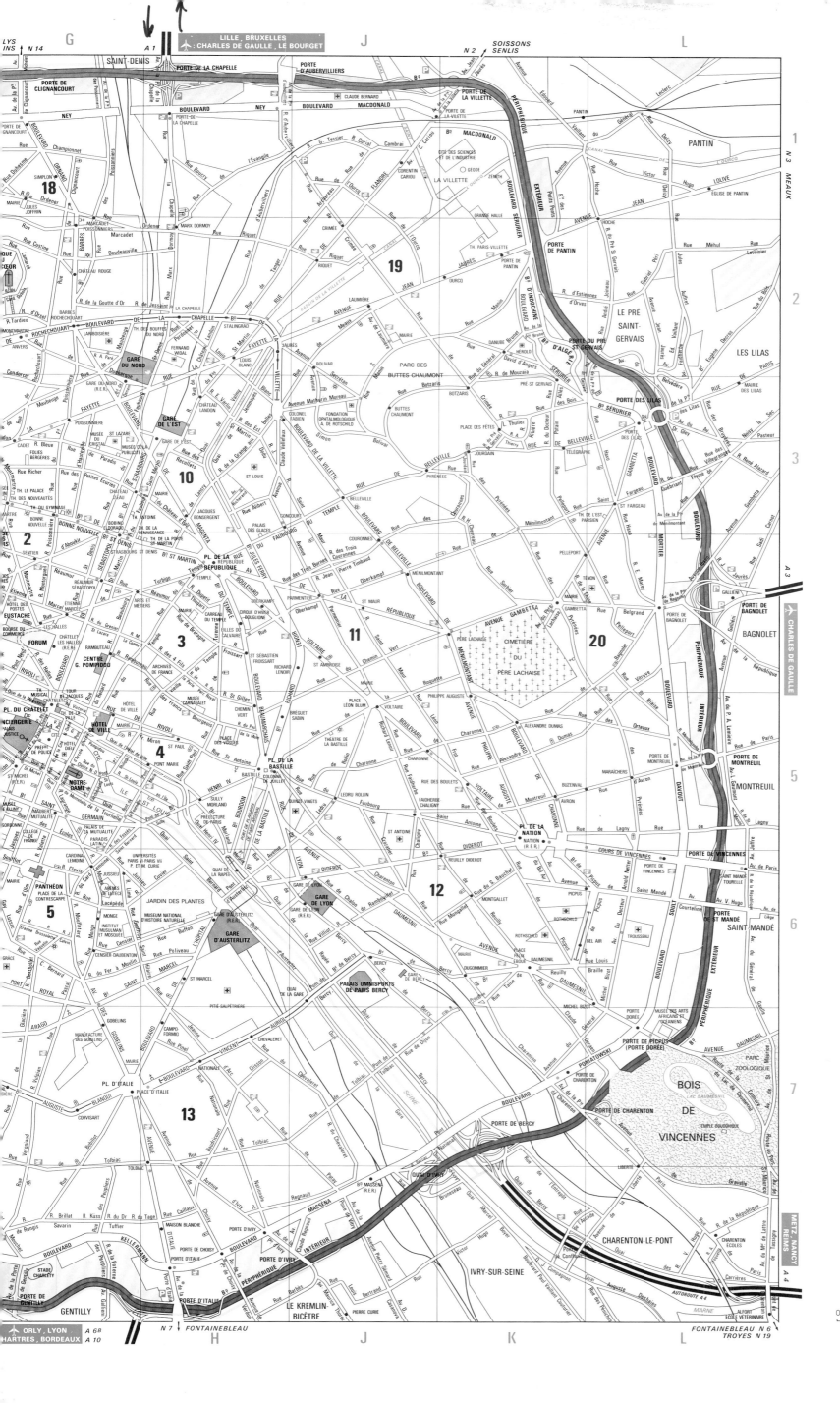

Paris

Alexandre III (Pont)............E4
Algérie (R.)............K2
Alma (Pont de l')............D4
Arago (Bd)............G7
Arts (Pont des)............F5
Asnières (Pte d')............D1
Auriol (Bd Vincent)............H7
Auteuil (Pte d')............A6
Bagnolet (Pte de)............L4
Barbès (Bd)............G2
Bastille (Bd et Pl. de la)............H5
Batignolles (Bd des)............E2
Beaubourg (R.)............G4
Beaumarchais (Bd)............H5
Bercy (Pte de)............K7
Belleville (Bd et R. de)............J3
Berthier (Bd)............D1
Bessières (Bd)............E1
Blanqui (Bd Auguste)............G7
Bonne Nouvelle (Bd de)............G3
Bosquet (Av.)............D5
Breteuil (Av. de)............D5
Bruix (Bd de l'Amiral)............B3
Brune (Bd)............E8
Capucines (Bd des)............F3
Carnot (Av.)............C3
Champerret (Pte de)............C2
Champs Elysées (Av. des)............D4
Chapelle (Porte)............H2
Charenton (Pte de)............K7
Châtelet (Pl. du)............G5
Châtillon (Pte de)............D8
Clichy (Av. de)............E2
Clignancourt (Pte de)............G1
Concorde (Pl. de la)............E4
Convention (R. de la)............C6
Courcelles (Bd de)............D3
Daumesnil (Av.)............J6
Dauphine (Pte)............B3
Davout (Bd)............L5
Denfert-Rochereau (Pl.)............F7
Diderot (Bd)............H6
Doumer (Av. Paul)............C4
Étoile-Ch. de Gaulle (Pl.)............C3
Exelmans (Bd)............A6
Fg. Montmartre (R. du)............F3
Fg. St-Antoine (R. du)............K5
Fg. St-Honoré (R. du)............D3
Fayette (R. la)............G3
Ferry (Bd Jules)............H4
Flandre (R. de)............J1
Foch (Av.)............C3
Friedland (Av. de)............D3
Gambetta (Av.)............L3
Garibaldi (Bd)............D6
George V (Av.)............D4
Gouvion-St-Cyr (Bd)............C2
Grande Armée (Av. de la)............C3
Grenelle (Bd de)............C5
Haussmann (Bd)............E3
Henri IV (Bd)............H5
Hoche (Av.)............D3
Hôpital (Bd de l')............H6
Hugo (Av. Victor)............C4
Iéna (Av. et Pont d')............C4
Indochine (Bd d')............K2
Invalides (Bd des)............E5
Italie (Av. et Pl.)............G7
Italiens (Bd des)............F3
Ivry (Pte d')............J8
Jourdan (Bd)............F8
Kellermann (Bd)............F8
Kléber (Av.)............C3
La Boétie (R.)............E3
Lannes (Bd)............B4
Leclerc (Av. du Général)............F7
Lecourbe (R.)............D6
Lefebvre (Bd)............D7
Lenoir (Bd Richard)............J4
Lepic (R.)............F2
Lilas (Pte des)............J3
Lowendal (Av. de)............D5
Macdonald (Bd)............J1
Madeleine (Bd et Pl.)............E4
Magenta (Bd de)............H3
Maillot (Pte)............C2
Maine (Av. du)............E7
Mailesherbes (Bd)............E3
Mandel (Av.)............C4
Marceau (Av.)............D4
Martin (Av. H.)............B4
Masséna (Bd)............J8
Matignon (Av.)............E3
Maubourg (Bd de la Tour)............D4
Ménilmontant (Bd de)............K4
Monge (R.)............G6
Montaigne (Av.)............D4
Montparnasse (Bd du)............F6
Montreuil (Pte de)............L5
Mortier (Bd)............L4
Motte-Picquet (Av. de la)............D5
Mouffetard (R.)............G6
Murat (Bd)............A6
Nation (Pl. de la)............K5
Neuf (Pont)............F5
New York (Av. de)............C4
Ney (Bd)............G1
Orléans (Pte d')............F8
Opéra (Av. de l')............F4
Ornano (Bd)............G1
Orsay (Q. d')............D4
Paix (R. de la)............F4
Pantin (Pte de)............K2
Pasteur (Bd)............E6
Pereire (Bd)............C2
Poincaré (Av. Raymond)............C4
Pompidou (Voie G.)............E5
Poniatowski (Bd)............K7
Port Royal (Bd de)............G6
Prés.-Kennedy (Av. du)............B5
Prés.-Wilson (Av. du)............C4
Réaumur (R.)............G4
Rennes (R. de)............F5
République (Av. et Pl. de la)............H4
Rivoli (R. de)............F4
Rochechouart (Bd de)............G2
Roosevelt (Av. F.D.)............D4
Royale (R.)............E4
Sébastopol (Bd de)............G4
Ségur (Av. de)............D5
Sérurier (Bd)............K1
Sèvres (R. de)............E5
Soult (Bd)............L6
St-Cloud (Pte de)............A7
St-Cyr............C2
St-Denis (Bd)............G4
St-Dominique (R.)............D4
St-Germain (Bd)............F5
St-Jacques (R.)............F6
St-Marcel (Bd)............H6
St-Martin (R.)............G5
St-Michel (Bd)............F6
St-Ouen (Av. de)............F1
Strasbourg (Bd de)............H3
Suchet (Bd)............A5
Suffren (Av. de)............D5
Trocadéro (Pl.)............C4
Tronchet (R.)............E4
Université (R. de l')............F5
Vanves (Pte de)............D8
Vaugirard (Bd et R. de)............E6
Versailles (Av. de)............B6
Victor (Bd)............B7
Villette (Bd de la)............J3
Villette (Pte de la)............J1
Villiers (Av. de)............D2
Vincennes (Cours et Pte de)............L6
Voltaire (Bd)............J4
Wagram (Av. de)............D2

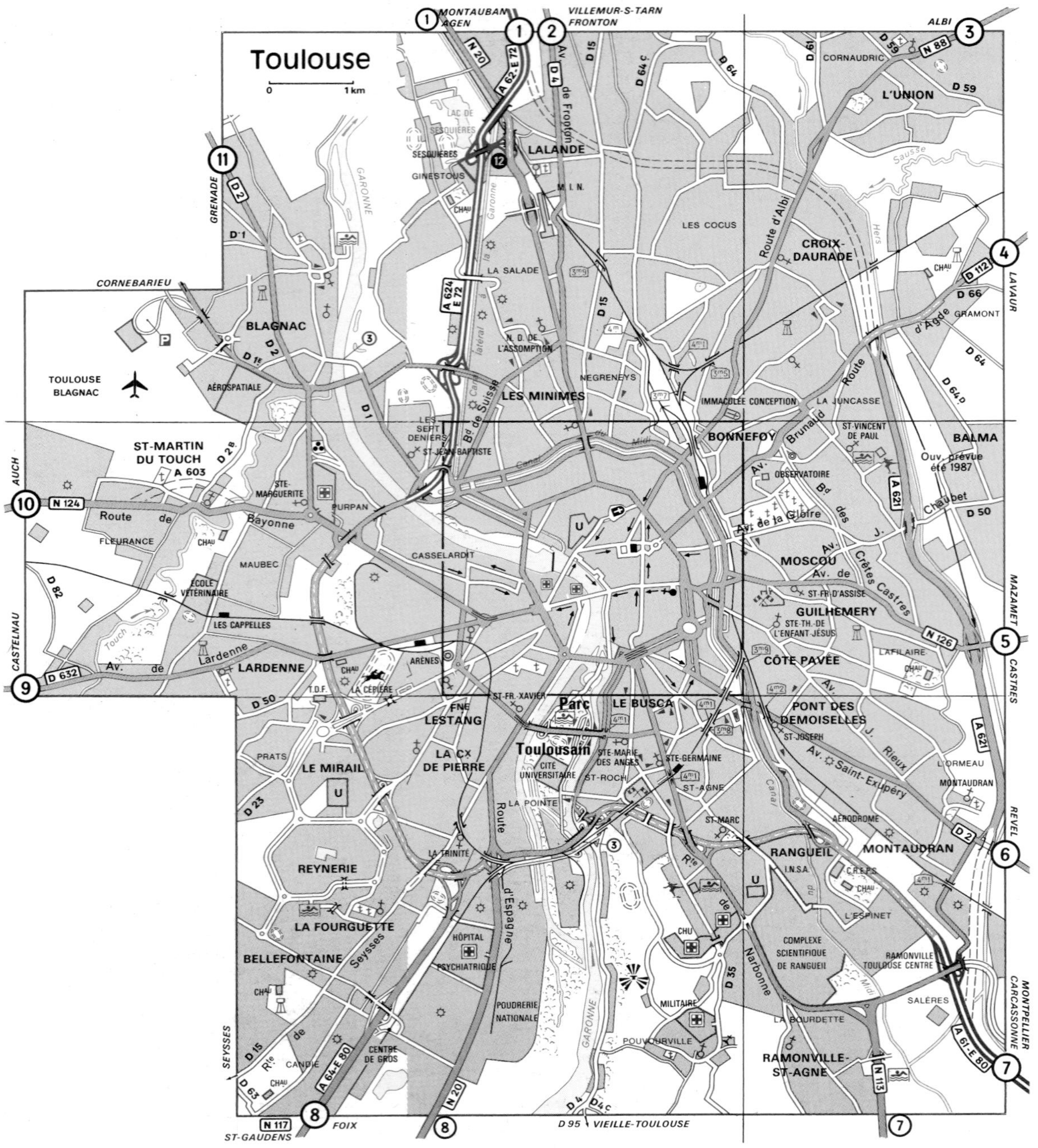
Toulouse
0
1 km
MONTAUBAN
AGEN
VILLEMUR-S-TARN
FRONTON
ALBI
L'UNION
LALANDE
LES COCUS
CROIX-DAURADE
BLAGNAC
TOULOUSE BLAGNAC
AÉROSPATIALE
CORNEBARIEU
LES MINIMES
BONNEFOY
BALMA
ST-MARTIN DU TOUCH
STE-MARGUERITE
PURPAN
Route de Bayonne
FLEURANCE
MAUBEC
CASSELARDIT
MOSCOU
GUILHEMERY
CÔTE PAVÉE
LES CAPPELLES
LARDENNE
ARÈNES
LA CÉPIÈRE
LESTANG
Parc Toulousain
LE BUSCA
PONT DES DEMOISELLES
PRATS
LE MIRAIL
LA CX DE PIERRE
CITÉ UNIVERSITAIRE
ST-AGNE
LA POINTE
ST-MARC
RANGUEIL
MONTAUDRAN
AÉRODROME
REYNERIE
LA FOURGUETTE
BELLEFONTAINE
HÔPITAL PSYCHIATRIQUE
POUDRERIE NATIONALE
COMPLEXE SCIENTIFIQUE DE RANGUEIL
RAMONVILLE-ST-AGNE
LA BOURDETTE
SALÈRES
CENTRE DE GROS
CANDIE
GRENADE
AUCH
CASTELNAU
LAVAUR
MAZAMET
CASTRES
REVEL
MONTPELLIER
CARCASSONNE
ST-GAUDENS
FOIX
D 95
VIEILLE-TOULOUSE
SEYSSES

Vertou *44* **79** E1
Vertus *51* **38** B3
Vervins *02* **9** E4
Verzenay *51* **38** B1
Verzy *51* **38** B2
Vescovato *2b* **179** E2
Le Vésinet *78* **35** E3
Vesly *27* **35** D1
Vesoul *70* **76** A2
Vétheuil *95* **35** D2
Veurey-Voroize *38* **131** E1
Veules-les-Roses *76* **15** E1
Veynes *05* **145** F1
Veyre-Monton *63* **113** E2
Veyrier-du-Lac *74* **118** B1
Veyrins *38* **117** D2
Vézelay *89* **72** B3
Vézelise *54* **59** E1
Vézénobres *30* **143** D4
Vezin-le-Coquet *35* **48** B3
Vezzani *2b* **179** D4
Viane *81* **154** C2
Vias *34* **173** F1
Vibraye *72* **52** A4
Vic-le-Comte *63* **113** E3
Vic-en-Bigorre *65* **150** C4
Vic-Fezensac *32* **151** D2
Vic-sur-Aisne *02* **18** C4
Vic-sur-Cère *15* **126** B3
Vicdessos *09* **174** A2
Vichy *03* **100** B4
Vico *2a* **178** B4
Vidauban *83* **161** E2
Videlles *91* **54** B2
Vieille-Église *62* **2** C1
Vieillevigne *44* **79** E2
Vielle-St-Girons *40* **148** C1
Viels-Maisons *02* **37** E3
Vienne *38* **116** B3
Viens *84* **159** E1
Vierzon *18* **84** A1
Viesly *59* **9** D3
Vieux-Berquin *59* **3** E3
Vieux-Boucau-les-Bains *40* **148** B1
Vieux-Condé *59* **4** C4
Vif *38* **131** E2
Le Vigan *30* **142** B4
Vigeois *19* **110** C4
Vignacourt *80* **7** E4
Vigneulles-lès-Hattonchâtel *55* **40** B2
Vigneux-sur-Seine *91* **36** A4
Vignieu *38* **117** D3
Vigny *95* **35** E2
Vigy *57* **41** E1
Vihiers *49* **80** B1
Villaines-la-Juhel *53* **50** B2
Villamblard *24* **123** D2
Villandraut *33* **135** E2
Villapourçon *58* **86** C3
Villar-d'Arêne *05* **132** C2
Villard-Bonnot *38* **131** F1
Villard-de-Lans *38* **131** D1
Villardebelle *11* **176** C1
Villars *42* **115** E4
Villars-Colmars *04* **147** D3
Villars-les-Dombes *01* **102** C4
Villars-sur-Var *06* **165** D2
Villé *67* **61** D2
Ville-d'Avray *92* **35** F4
Ville-di-Paraso *2b* **178** C2
La Ville-Dieu-du-Temple *82* **138** B4
Ville-Dommange *51* **38** A1
La Ville-du-Bois *91* **35** F4
Villeblevin *89* **55** D2
Villebois *01* **117** D1
Villebois-Lavalette *16* **108** C3
Villecomtal *12* **140** C1
Villecomtal-sur-Arros *32* **151** D4
Villecresnes *94* **36** B4
La Villedieu *23* **111** D2
Villedieu-la-Blouère *49* **79** F1
La Villedieu-du-Clain *86* **95** E2
Villedieu-les-Poêles *50* **31** D3
Villedieu-sur-Indre *36* **83** E3
Villefagnan *16* **95** D4
Villefontaine *38* **116** B3
Villefort *48* **142** C2
Villefranche-d'Albigeois *81* **154** B1
Villefranche-de-Lauragais *31* **153** D4
Villefranche-de-Lonchat *24* **122** A3
Villefranche-de-Panat *12* **140** C4
Villefranche-de-Rouergue *12* **139** E2
Villefranche-du-Périgord *24* **137** F1
Villefranche-sur-Mer *06* **165** E3
Villefranche-sur-Saône *69* **102** B4
Villefranque *64* **148** B3
Villegouge *33* **121** F3
Villejuif *94* **35** F4
Villelaure *84* **159** E2
Villelongue-de-la-Salanque *66* **177** E2
Villemandeur *45* **54** C4
Villemomble *93* **36** A3
Villemur-sur-Tarn *31* **153** D1
Villenauxe-la-Grande *10* **55** F1
Villeneuve *12* **139** E2
Villeneuve-l'Archevêque *89* **55** F3
Villeneuve-lès-Avignon *30* **158** B1
Villeneuve-lès-Béziers *34* **173** E1
Villeneuve-les-Bordes *77* **55** D2
Villeneuve-le-Comte *77* **36** C3
Villeneuve-d'Ascq *59* **4** A3
Villeneuve-de-Berg *07* **143** F1
Villeneuve-de-Marsan *40* **150** A1
Villeneuve-la-Garenne *92* **35** F3
Villeneuve-la-Guyard *89* **55** D2
Villeneuve-Loubet *06* **165** D4
Villeneuve-lès-Maguelonne *34* **156** C3
Villeneuve-la-Rivière *66* **177** E2
Villeneuve-le-Roi *94* **36** A4
Villeneuve-les-Sablons *60* **35** E1
Villeneuve-St-Georges *94* **36** A4
Villeneuve-sur-Allier *03* **86** A4
Villeneuve-sur-Lot *47* **137** D2
Villeneuve-sur-Yonne *89* **55** E4
Villennes-sur-Seine *78* **35** E3
Villeparisis *77* **36** B3
Villepinte *93* **36** B3
Villepreux *78* **35** E3
Villeréal *47* **137** E1
Villers-Bocage *80* **7** E4
Villers-Bocage *14* **31** F2
Villers-Bretonneux *80* **18** A1
Villers-Cotterêts *02* **37** D1
Villers-Faucon *80* **8** B4
Villers-Guislain *59* **8** C3
Villers-le-Lac *25* **90** C2
Villers-la-Montagne *54* **23** D3
Villers-lès-Nancy *54* **41** D4
Villers-Outréaux *59* **8** C3
Villers-Plouich *59* **8** C3
Villers-St-Christophe *02* **18** C2
Villers-St-Sépulcre *60* **17** F4
Villers-sur-Mer *14* **14** B4
Villersexel *70* **76** B3
Villerupt *54* **23** D3
Villerville *14* **14** C4
Villetaneuse *93* **35** F3
Villette-d'Anthon *38* **116** B2
Villeurbanne *69* **116** A2
Villié-Morgon *69* **102** B3
Villiers-Adam *95* **35** F2
Villiers-St-Georges *77* **37** E4
Villiers-sur-Marne *94* **36** B3
Vimoutiers *61* **33** D3
Vimy *62* **8** A1
Vinay *38* **131** D1
Vinça *66* **176** C3
Vincennes *94* **36** A3
Vincey *88* **59** F2
Vineuil *41* **68** C3
Vinzelles *71* **102** B3
Violay *42* **115** E1
Vion *07* **130** A2
Viplaix *03* **98** C2
Vire *14* **31** E3
Vireux-Molhain *08* **11** D3
Viriat *01* **103** D3
Virieu *38* **117** D3
Virieu-le-Grand *01* **117** E1
Viriville *38* **116** C4
Viroflay *78* **35** F4
Viry *74* **104** B3
Viry-Châtillon *91* **36** A4
Vis-en-Artois *62* **8** B2
Visan *84* **144** B2
Viterne *54* **41** D4
Vitré *35* **49** D3
Vitrolles *13* **159** D3
Vitry-aux-Loges *45* **70** A1
Vitry-en-Artois *62* **8** B2
Vitry-le-François *51* **39** D4
Vitry-sur-Seine *94* **36** A4
Vitteaux *21* **73** E4
Vittel *88* **59** D3
Viuz-en-Sallaz *74* **105** D3
Vivario *2b* **179** D4
Viverols *63* **114** C4
Vivier-au-Court *08* **21** F2
Le Vivier-sur-Mer *35* **30** B4
Viviers *07* **144** A2
Viviers-du-Lac *73* **117** F2
Vivonne *86* **95** E2
Vivy *49* **66** B4
Vix *85* **93** E2
Vizille *38* **131** E2
Vocance *07* **129** F1
Void-Vacon *55* **40** B4
Voiron *38* **117** D4
Voisins-le-Bretonneux *78* **35** E4
Voiteur *39* **89** E4
Volmunster *57* **42** C1
Volonne *04* **146** A3
Volvic *63* **113** D1
Volx *04* **162** A1
Vonnas *01* **102** C3
Voreppe *38* **117** E4
Vorey *43* **128** C1
Vougeot *21* **88** B1
Vouillé *86* **81** E4
Voujeaucourt *25* **76** C3
La Voulte-sur-Rhône *07* **130** A3
Voulx *77* **55** D3
Voutré *53* **50** B3
Vouvray *37* **67** F4
Vouziers *08* **21** E4
Voves *28* **53** D3
Vrigne-aux-Bois *08* **21** F2
Vrigny *51* **38** A1
Vuillafans *25* **90** A2
Vulaines-sur-Seine *77* **54** C2

W

Wahagnies *59* **4** A4
Waldighofen *68* **77** E2
Walincourt-Selvigny *59* **8** C3
Wallers *59* **8** C1
Wambrechies *59* **4** A3
Wangenbourg *67* **42** C4
La Wantzenau *67* **43** E4
Wasquehal *59* **4** A3
Wasselonne *67* **43** D4
Wassigny *02* **9** D3
Wassy *52* **57** F1
Watten *59* **2** C2
Wattignies *59* **4** A3
Wattrelos *59* **4** B3
Wavrin *59* **3** F3
Waziers *59* **8** C1
Wervicq-Sud *59* **4** A2
Westhalten *68* **61** D4
Wignehies *59* **9** F3
Willer-sur-Thur *68* **77** D1
Wimereux *62* **2** A2
Wimille *62* **2** A2
Wingen-sur-Moder *67* **42** C2
Wingles *62* **3** E4
Wissant *62* **2** A2
Wissembourg *67* **43** E2
Wissous *91* **35** F4
Witry-lès-Reims *51* **20** C4
Wittelsheim *68* **77** E1
Wittenheim *68* **77** E2
Wittisheim *67* **61** E2
Wittring *57* **42** B2
Wizernes *62* **2** C3
Wœrth *67* **43** E2
Woincourt *80* **6** B3
Woippy *57* **41** D1
Wormhout *59* **3** D2

X

Xertigny *88* **59** F4
Xeuilley *54* **59** E1

Y

Ydes *15* **112** B4
Yenne *73* **117** E2
Yerres *91* **36** A4
Yerville *76* **15** F2
Yffiniac *22* **29** D3
Yport *76* **15** D2
Yssingeaux *43* **129** D2
Yutz *57* **23** F4
Yvetot *76* **15** E2
Yvias *22* **28** B1
Yvré-l'Évêque *72* **51** D4
Yzeure *03* **100** B1

Z

Zalana *2b* **179** E3
Zévaco *2a* **181** D2
Zicavo *2a* **181** D1
Zonza *2a* **181** D2